全国高校统编教材

Le Français

1

法语

修订本

北京外国语大学法语系
马晓宏　柳利　编著

外语教学与研究出版社
北京

图书在版编目(CIP)数据

法语. 1 / 马晓宏，柳利编著. — 修订本. — 北京：外语教学与研究出版社，2007.5 (2013.7 重印)
ISBN 978-7-5600-6632-5

Ⅰ. 法… Ⅱ. ①马… ②柳… Ⅲ. 法语—高等学校—教材 Ⅳ. H32

中国版本图书馆 CIP 数据核字 (2007) 第 066939 号

出 版 人：蔡剑峰
责任编辑：田颖妮
封面美编：张 峰
出版发行：外语教学与研究出版社
社 址：北京市西三环北路 19 号 (100089)
网 址：http://www.fltrp.com
印 刷：北京京科印刷有限公司
开 本：787×1092 1/16
印 张：29.75
版 次：2007 年 11 月第 2 版 2013 年 7 月第 11 次印刷
书 号：ISBN 978-7-5600-6632-5
定 价：49.00 元 (含 MP3 光盘一张)

* * *

购书咨询：(010)88819929 电子邮箱：club@fltrp.com
如有印刷、装订质量问题，请与出版社联系
联系电话：(010)61207896 电子邮箱：zhijian@fltrp.com

物料号：166320001

前　言

《法语》出版以来，无论在教学质量、教学效果上还是在发行数量上均取得了令人瞩目的成绩。仅就此而言，《法语》不失为一本成功的法语教科书，为高校法语教学做出了自己的贡献。

这套教材当时是在第二届法语教材编审组领导下，参照1987年教委颁发的《高等院校法语基础阶段教学大纲》规定的原则，并结合多年的教学经验而编写的。编者们兢兢业业，历经四个寒暑，并亲自进行教学实践，不断修正。教材在付梓前还经过编审组成员和有关专家、学者的讨论和审定。

这套教材最大的特色是新颖、活泼，无论在课文选择，还是在练习编排和注释等方面，编者们都力求摆脱传统的窠臼，创造新的风格和体例。当然这种创新并非漫无边际，而是在当代语言教学成果的基础上进行的。过去积累的宝贵经验也得到尊重和贯彻。

教材问世以后，编者们进行了认真的跟踪调查，虚心地征求使用单位的意见，详尽地总结读者们的意见，仔细地修改谬误之处，为《法语》的再版修订做了长时间的认真准备。

历经两个寒暑，《法语》的修订版终于得以完成。较旧版而言，新版《法语》的特点更加鲜明：

1. 课文内容更新，时代感更强，趣味性更浓，知识结构更合理。课堂用语、咬文嚼字、法兰西文化点滴以及练练语音等板块从不同侧面丰富了书本的文化内涵。

2. 注释和语法讲解更详尽、准确，知识和语法重点更突出，例句更鲜活，并全部加注了汉语，从而方便了教师、学生和读者们的使用。

3. 练习形式更加新颖和多样化，教学重点更加突出：智力型练习题增加了练习的趣味性，语法类习题形式更加多样化，系统性更强，有利于进一步巩固所学语法知识。

教材的编写很难有一个统一的规范，但只要具备了科学性、知识性和趣味性，这部教材就具备了成为一部好教材的基本条件。我们衷心希望新版《法语》仍是这样的一部优秀教科书，希望它能够为我国的法语教学事业有所贡献，并希望广大的教师、学生和读者还能够喜爱它。

衷心希望新版《法语》课本能为提高我们的法语教学质量锦上添花！

陈振尧

2007年5月于北京

编者的话

光阴如梭。转瞬间，《法语》已经十四岁了。十几年来，承蒙全国读者们的厚爱，有成千上万的人学习或使用了这套法语教材。

这十几年中，我们收到了来自全国各地大量的读者来信。来信中，广大的读者朋友既表示了他们对这套教材的喜爱之情，也指出了其中的错误和不足，并向我们提出了他们对这套教材的宝贵意见和有益的设想。我们谨在此对关心、爱护《法语》的广大读者表示最诚挚的谢意。

我们根据这些年的使用和各方面的意见，现已将《法语》第1、2、3、4册修改完成。但终因编者水平所限，谬误之处仍然难免。恳请使用本教材的教师、同学和广大读者提出中肯的批评、建议，使其再版时得以尽快改正。

重新修订的《法语》各册不仅可供全国大学专业法语一二年级学生使用，也可作为有志自学法语的读者们的自学教材 。以每天两课时计算，建议语音阶段每周两课，基础阶段每周一课。

《法语》在修订期间再次得到了法语界同仁的大力支持，谨致谢意。

我们尤其感谢陈振尧教授，百忙之中为《法语》不辞劳顿，仔细审校，使新版《法语》得以高质量地如期与读者见面。

我们还要再次感谢曾出席国家教委组织的“威海教材审定会”的北京第二外国语学院唐志强老师、南京大学陈宗宝老师、王云喜老师、北京外国语大学穆大英老师、上海外国语大学李棣华老师、武汉大学张泽乾老师、对外经贸大学李国铣老师、大连外国语大学张果士老师、中国海洋大学李志清老师、广东外语外贸大学徐真华老师及复旦大学的陈良明老师。值新版《法语》面世之机，谨向他们再次表示衷心的谢意。

编者

2007年春 于北京

CARTE DE FRANCE 法国地理图

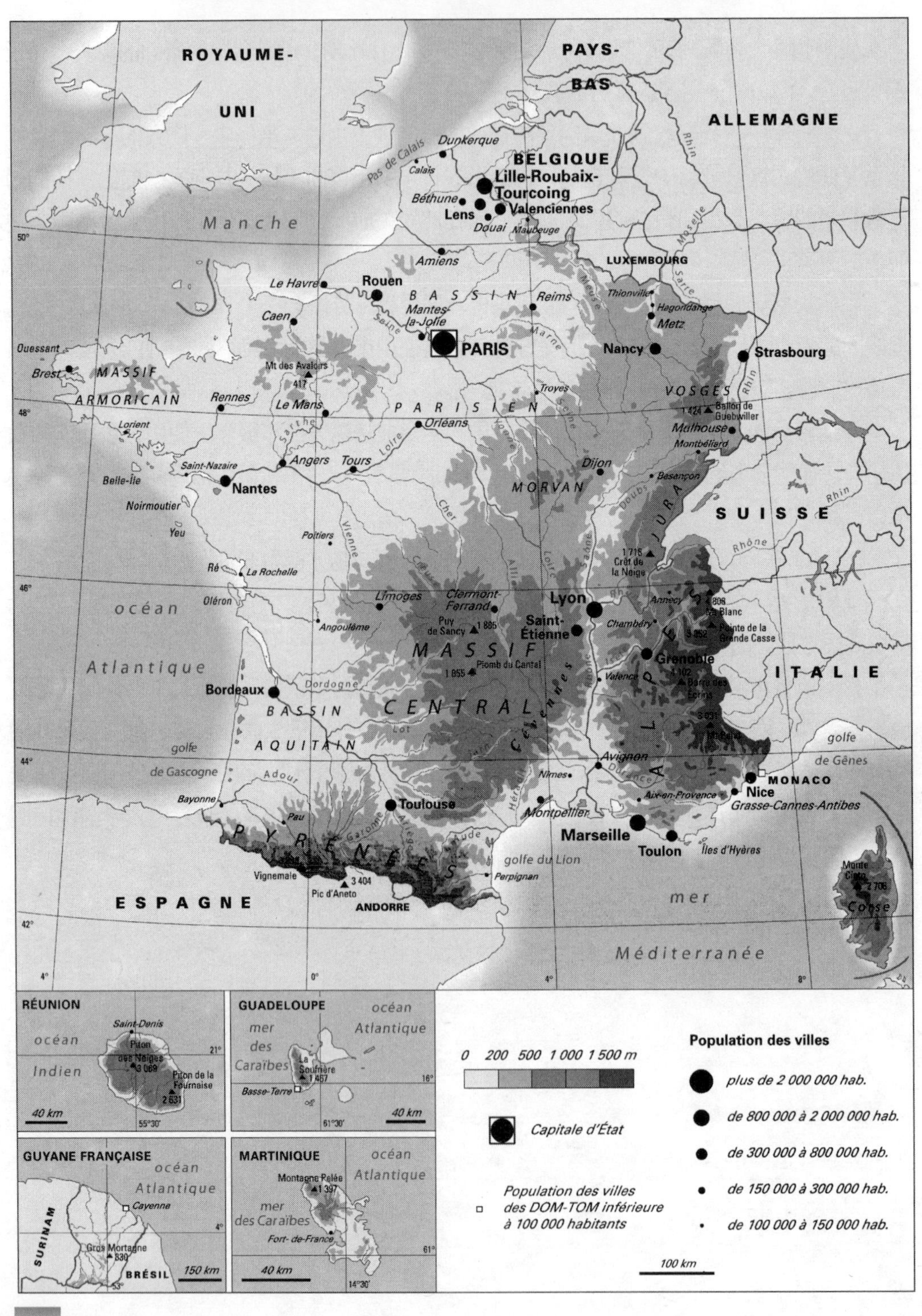

CARTE ADMINISTRATIVE DE LA FRANCE
法国行政区域图

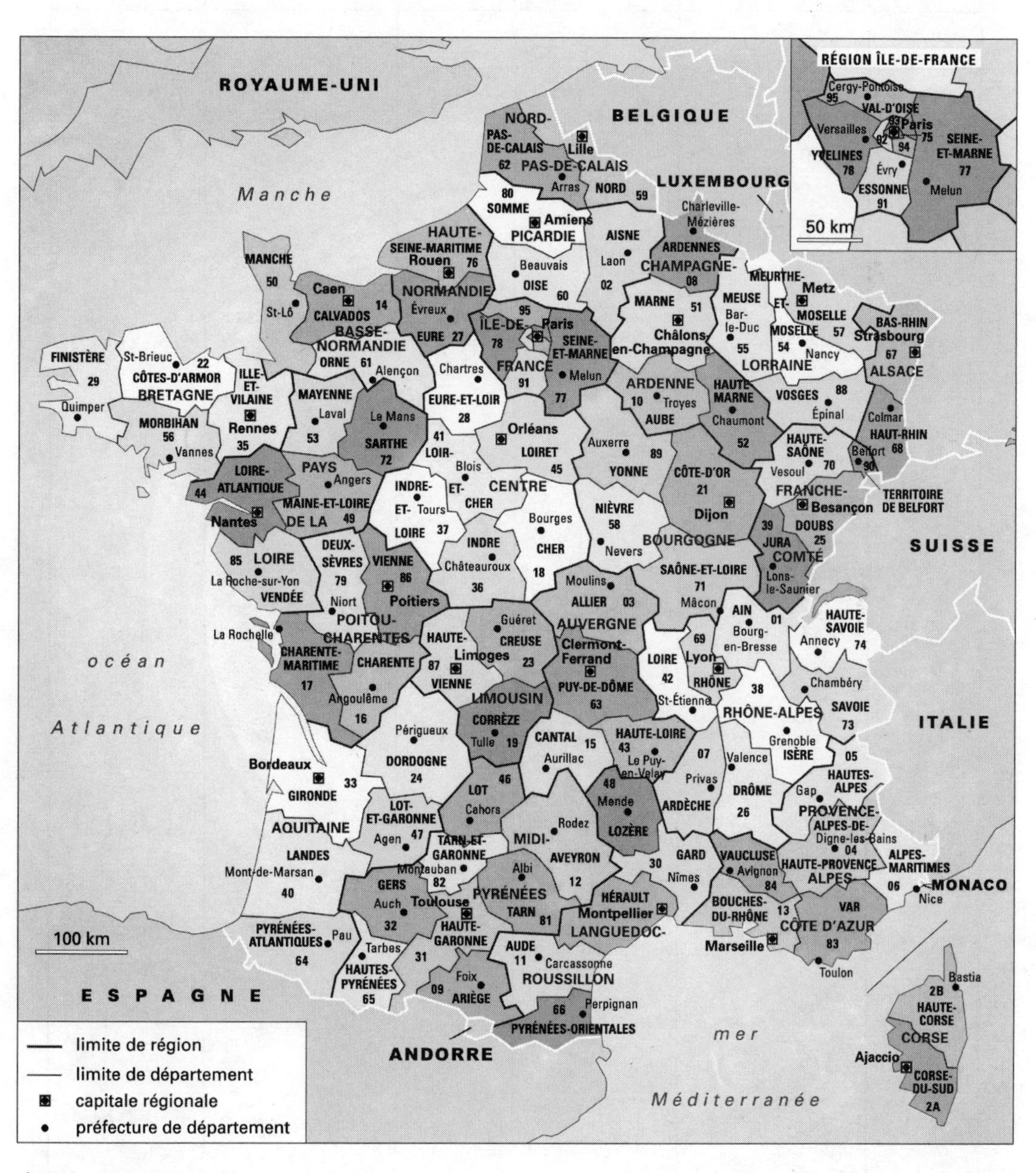

审图号：GS (2007) 367 号

ALPHABET FRANÇAIS 字母表

印刷体	书 写 体	名 称	印刷体	书 写 体	名 称
A a	*A a*	[a]	N n	*N n*	[ɛn]
B b	*B b*	[be]	O o	*O o*	[o]
C c	*C c*	[se]	P p	*P p*	[pe]
D d	*D d*	[de]	Q q	*Q q*	[ky]
E e	*E e*	[ə]	R r	*R r*	[ɛːr]
F f	*F f*	[ɛf]	S s	*S s*	[ɛs]
G g	*G g*	[ʒe]	T t	*T t*	[te]
H h	*H h*	[aʃ]	U u	*U u*	[y]
I i	*I i*	[i]	V v	*V v*	[ve]
J j	*J j*	[ʒi]	W w	*W w*	[dubləve]
K k	*K k*	[ka]	X x	*X x*	[iks]
L l	*L l*	[ɛl]	Y y	*Y y*	[igrɛk]
M m	*M m*	[ɛm]	Z z	*Z z*	[zɛd]

LISTE DES ABRÉVIATIONS 常用缩略语表

a. = adjectif（形容词）

a.dém. = adjectif démonstratif（指示形容词）

adv. = adverbe（副词）

a.indéf. = adjectif indéfini（泛指形容词）

a.interr. = adjectif interrogatif（疑问形容词）

a.poss. = adjectif possessif（主有形容词）

art. = article（冠词）

art.déf. = article défini（定冠词）

art.indéf. = article indéfini（不定冠词）

art.part. = article partitif（部分冠词）

conj. = conjonction（连词）

f. = féminin（阴性）

inf. = infinitif（不定式）

interj. = interjection（感叹词）

inv. = invariable（词形无变化的）

loc. = locution（短语）

loc.adv. = locution adverbiale（副词短语）

loc.conj. = locution conjonctive（连词短语）

loc.interj. = locution interjective（感叹词短语）

loc.prép. = locution prépositive（介词短语）

m. = masculin（阳性）

n. = nom（名词）

n.f. = nom féminin（阴性名词）

n.f.pl. = nom féminin pluriel（阴性复数名词）

n.m. = nom masculin（阳性名词）

n.m.inv. = nom masculin invariable（不变阳性名词）

n.m.pl. = nom masculin pluriel（阳性复数名词）

pl. = pluriel（复数）

p.p. = participe passé（过去分词）

prép. = préposition（介词）

pron. = pronom（代词）

pron.dém. = pronom démonstratif（指示代词）

pron.indéf. = pronom indéfini（泛指代词）

pron.interr. = pronom interrogatif（疑问代词）

pron.pers. = pronom personnel（人称代词）

qch. = quelque chose（某事 / 某物）

qn = quelqu'un（某人）

sing. = singulier（单数）

v. = verbe（动词）

v.i. = verbe intransitif（不及物动词）

v.impers. = verbe impersonnel（无人称动词）

v.pr. = verbe pronominal（代词式动词）

v.t. = verbe transitif（及物动词）

v.t.dir. = verbe transitif direct（直接及物动词）

v.t.ind. = verbe transitif indirect（间接及物动词）

LISTE DE TERMES GRAMMATICAUX 语法常用术语表

adjectif 形容词
- ~ numéral 数词
- ~ numéral cardinal 基数词
- ~ numéral ordinal 序数词
- ~ qualificatif 品质形容词

adverbe 副词

antécédent 先行词

apposition 同位语

article 冠词
- ~ contracté 缩合冠词
- ~ défini 定冠词
- ~ indéfini 不定冠词
- ~ partitif 部分冠词

attribut 表语

comparatif 比较级

complément 补语
- ~ circonstanciel 状语
- ~ d'agent 施动者补语
- ~ déterminatif 定语
- ~ d'objet direct 直接宾语
- ~ d'objet indirect 间接宾语

concordance des temps 时态配合

conditionnel 条件式

conjonction 连词

conjugaison 动词变位

copule 系词

déterminant 限定词
- ~ démonstratif 指示限定词
- ~ indéfini 泛指限定词
- ~ interrogatif 疑问限定词
- ~ possessif 主有限定词

discours 话语
- ~ direct 直接引语
- ~ indirect 间接引语

épithète 形容语

féminin 阴性

forme atone 非重读词形
- ~ tonique 重读词形

futur 将来时
- ~ antérieur 先将来时
- ~ dans le passé 过去将来时
- ~ immédiat 最近将来时
- ~ simple 简单将来时

genre 性

gérondif 副动词

imparfait 未完成过去时

impératif 命令式

indicatif 直陈式

infinitif 不定式

interjection 叹词

inversion 倒装

locution 短语
- ~ adverbiale 副词短语
- ~ conjonctive 连词短语
- ~ prépositive 介词短语
- ~ verbale 动词短语

masculin 阳性

mode 语式

morphologie 词法

mot mis en apostrophe 呼语

nom 名词
- ~ abstrait 抽象名词

~ collectif 集体名词

~ commun 普通名词

~ concret 具体名词

~ individuel 个别名词

~ nombrable 可数名词

~ non nombrable 不可数名词

~ propre 专有名词

participe 分词

~ apposé 同位分词

~ passé 过去分词

~ présent 现在分词

parties du discours 词类

passé 过去时

~ antérieur 先过去时

~ composé 复合过去时

~ immédiat 最近过去时

~ simple 简单过去时

personne 人称

phrase 句子

~ complexe 复合句

~ simple 简单句

pluriel 复数

plus-que-parfait 愈过去时

prédicat 谓语

préposition 介词

présent 现在时

pronom 代词

~ adverbial 副代词

~ demonstratif 指示代词

~ indéfini 泛指代词

~ interrogatif 疑问代词

~ neutre 中性代词

~ personnel 人称代词

~ personnel réfléchi 自反人称代词

~ possessif 主有代词

~ relatif 关系代词

proposition 句子

~ affirmative 肯定句

~ circonstancielle 状语从句

~ énonciative 叙述句

~ exclamative 感叹句

~ impérative 命令句

~ indépendante 独立句

~ infinitive 不定式句

~ interrogative 疑问句

~ négative 否定句

~ principale 主句

~ relative 关系从句

~ subordonnée 从句

~ subordonnée complément 补语从句

~ subordonnée de condition 条件从句

radical 词根

singulier 单数

subjonctif 虚拟式

sujet 主语

~ apparent 形式主语

~ réel 实质主语

superlatif 最高级

syntaxe 句法

temps 时态

~ composé 复合时态

~ simple 简单时态

verbe 动词

~ auxiliaire 助动词

~ impersonnel 无人称动词

~ intransitif 不及物动词

~ pronominal 代动词

~ transitif direct 直接及物动词

~ transitif indirect 间接及物动词

voix 语态

~ active 主动态

~ passive 被动态

TABLE DES MATIÈRES 目录

Cours de phonétiques（语音课程）

RÉVISION DE PHONÉTIQUE

TABLE DES MATIÈRES 目录

Cours élémentaires（基础课程）

Leçon 1 Bonjour !

Dialogue 1

– Salut ![1] Anne.
– Salut, Pascal ! Ça va ?[2]
– Ça va bien... Et toi ?[3]
– Moi ? Ça va.

Dialogue 2

– Anne, qui est-ce ?[4]
– C'est Michel.[5]
– Et elle, qui c'est ?
– C'est Nathalie.
– Est-ce Nathalie Lamy ?
– Oui, c'est elle ![6]

Texte

Voici Fanny.[7]
Elle est styliste.[8]
Elle est à Nice.[9]

Et voilà Philippe.
Il est artiste.
Il est à Lille.

Leçon 1

Vocabulaire 词汇

à [a] *prép.*	在（表示地点）
Anne [an]	安娜（女名）
artiste [artist] *n.*	艺人，艺术家
bien [bjɛ̃] *adv.*	好，非常
bonjour [bɔ̃ʒuːr] *n.m.*	早安；您好
ça [sa] *pron.dém.*	〈口语〉这
ce [sə] *pron.dém.*	这
elle [ɛl] *pron.pers.*	她（重读人称代词；主语人称代词）
et [e] *conj.* — and	和，以及
Fanny [fani]	法妮（女名）
il [il] *pron.pers.*	他（主语人称代词）
Lamy [lami]	拉米（姓）
Lille [lil]	里尔（法国东北最大城市）
Michel [miʃɛl]	米歇尔（男名）
moi [mwa] *pron.pers.*	我
Nathalie [natali]	纳塔莉（女名）
Nice [nis]	尼斯（法国南部旅游名城）
oui [wi] *adv.*	是的，对
Pascal [paskal]	帕斯卡尔（男名）
Philippe [filip]	菲利普（男名）
qui [ki] *pron.interr.*	谁
salut [saly] *n.m.*	你好
styliste [stilist] *n.*	服装设计师
toi [twa] *pron.pers.*	你（重读人称代词）
voici [vwasi] *prép.*	这是
voilà [vwala] *prép.*	那是

Expressions de classe 课堂用语

Bonjour, tout le monde ！ 大家好！
À demain. 明天见。

Notes 注释

1. Salut ! 你好！

1) salut 是通俗的口语表达形式，用于熟人、年轻人之间，生人、上下级之间、晚辈对长辈应慎用。

2) salut 即可用于问候，也可用于告别。

2. Ça va ? 怎么样？

ça va 是口语表达方式，用于熟人之间，生人、上下级之间慎用。可以用来提问或回答：提问时表示“怎么样？挺好吧？不错吧？还行吗？”；而回答则表示“不错、挺好、还行”等。如：

– Ça va ? 怎么样？

– Ça va. 还行。

– Ça va ici ? 这儿挺好的吧？
– Oui, ça va ici. 是的，这儿挺好。

3. ... Et *toi* ? 那你呢？

下一句中的 moi 与此处的 toi 是法语重读人称代词的第一、二人称单数，可以单独使用。与英语宾格的 me 和 you 类似。

4. Qui est-ce ? 这（位）是谁？

qui 是特殊疑问词，疑问对象是主语。qui est-ce 是标准法语的疑问形式，类似于英语中的 who is...。法语中“这是谁”还有两种比较随便的口语问法：

Qui c'est ? 谁呀，这是？
C'est qui ? 这是谁呀？

5. C'est Michel. 这是米歇尔。

c'est 类似于英语中的 this is，之后常跟名词、代词、形容词等，作句子的表语。如：

C'est Pascal. 这是帕斯卡尔。
C'est moi. 是我。

6. Oui, c'est *elle* ! 是的，是她！

此处的 elle 是重读人称代词第三人称阴性单数。类似于英语宾格的 her 。

7. *Voici* Fanny. 这（位）是法妮。

voici 和 voilà 分别表示近指和远指，二者在此处相当于 c'est，后面可跟名词，如：

Voici Michel, voilà Nathalie. 这是米歇尔，那是纳塔莉。
Voici un sac, voilà une chemise. 这是一个手提包，那是一件衬衣。

8. *Elle* est styliste. 她是服装设计师。

1) 此处的 elle 是主语人称代词，是句子的主语。请勿与作重读人称代词的 elle 混淆。
2)“名词 / 主语人称代词 + être + 职业名词”，职业名词前不加冠词，如：

Victor Hugo est écrivain. 维克多・雨果是作家。
Elle est étudiante. 她是大学生。

9. Elle est à *Nice*. 她在尼斯。

此句中的 Nice 是表示地点的专有名词，专有名词的首字母应该大写。

Leçon

PHONÉTIQUE  语音

Tableau de phonétique 读音规则表 

音类	音素	拼写形式	例词
元音	[a]	a, à, â	la, là, âne
		emm 或 enn 在少数词中	femme, solennel
	[ɛ]	ai, aî, ei	mai, plaît, Seine
		ê, è, ë	pêche, père, Noël
		e 在闭音节中	mer, sec, elle, guerre
		et, êt, ect 在词末	gilet, sommet, arrêt, respect
		ay, ey 在某些借词中	tramways, trolley
	[i]	i, î, ï, y	si, île, maïs, style
辅音	[f]	f, ff, ph, f 在词末（cerf 除外）	file, difficile, physique, canif
	[l]	l, ll, l 在词末	lit, lait, salle, Nil
	[m]	m	mur, lame, moi
	[n]	n, nn, mn	ni, panne, mine, automne, condamner
	[k]	k, ck	kaki, ticket
		qu	qui, quoi, laque
		c, cc 在 a, o, u 及辅音字母前	cas, occupé, classe, acte, escorte
		c, q 在词末	lac, coq
		ch 在少数词中	chaos, chlore, choral, technique
		cc 在 e, i 前读 [ks]	accès, accident
		x 读 [ks]	taxi, texte, mixte, Max
	[p]	p, pp	papa, appel, nappe
		abs 读 [aps]	abscisse, absent, absolu
	[t]	t, tt, th	tête, cette, thèse
		t 在少数词末	net, direct
		d 在联诵中	quand il [kɑ̃til]

续表

音类	音素	拼写形式	例词
	[s]	s 不在两元音字母之间，ss	sac, veste, classe, laisser
		少数复合词或带前缀的词中，人名中，s 虽在两元音字母中仍读 [s]	parasol, tournesol, antisocial, vraisemblable, préséance, Lasale
		c 在 e, i, y 前	cela, ici, cycle
		ç 在 a, o, u 前	ça, français, façon, reçu
		sc（在 e, i 前）	scène, scie
		ti + 元音（tie 字母组合在词尾多读 [ti]）	action, patience, national, rationnel, partiel, démocratie, initiateur
		x 在少数词中	six, dix, soixante, Bruxelles
半元音	[w]	ou 在元音前	oui
		w 在少数词中	watt, whisky
固定读音（指某些固定配搭的字母组合）	[wa]	oi, oî	toi, quoi, loi, noix, boîte, Benoît
		quat 在个别词中	adéquat
	[waj]	oy + 元音	voyage, loyer, Royer

Comment prononcer 如何发音

1. 元音 [a]

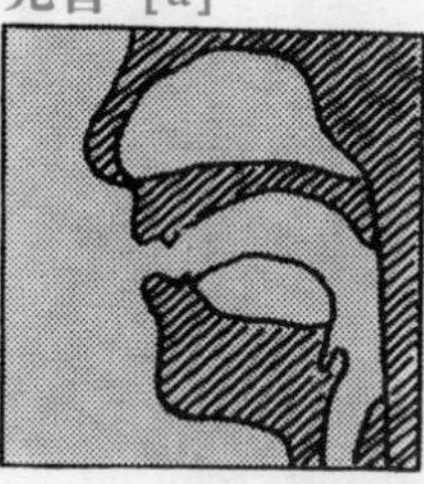

嘴自然张开，口型略紧张。舌位靠前，舌尖缓抵下齿。与汉语拼音的 ɑ 相似。

※ 不要卷舌，发音中不要让音向开口或闭口方向滑动。

2. 元音 [ɛ]

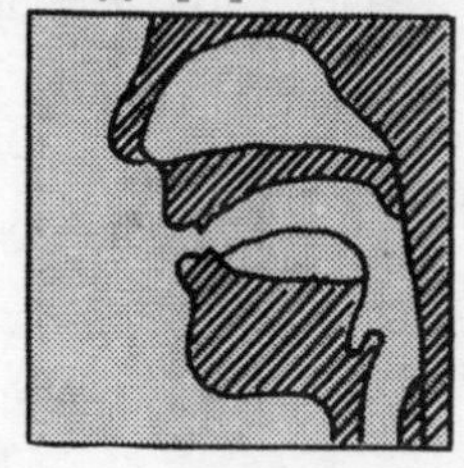

[ɛ] 与 [a] 舌位相近。但发 [ɛ] 时舌尖要平抵下齿，舌前部略隆起，开口度略小于 [a]。

※ 不要与汉语拼音的 ɑi 混淆，特别注意不要向闭口方向滑动。

3. 元音［i］

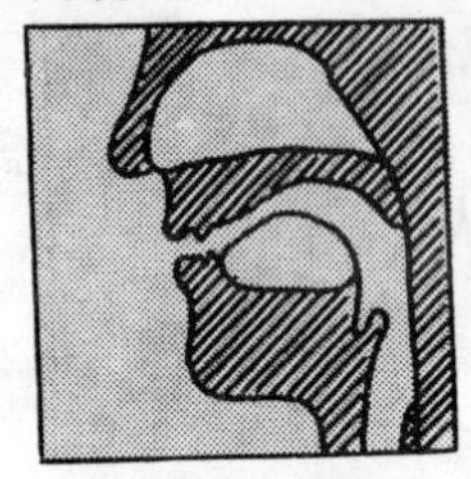

开口度极小，肌肉紧张，下唇略向后拉，口型扁平，舌尖紧抵下齿内侧，舌前部向上抬起，气流从舌面上部冲出。

4. 辅音［f］

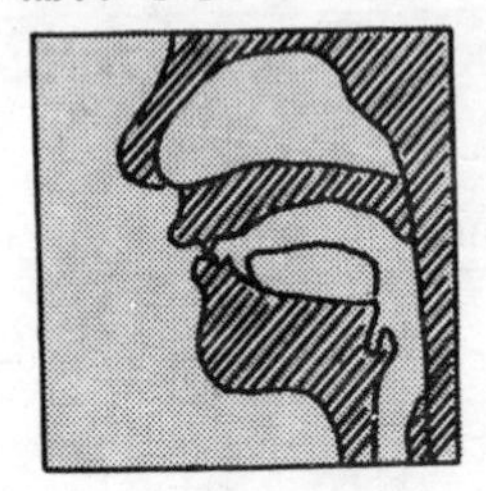

上门齿抵住下唇内侧，下唇略向内含，气流不振动声带，通过唇齿间缝隙冲出，成摩擦音。

5. 辅音［k］

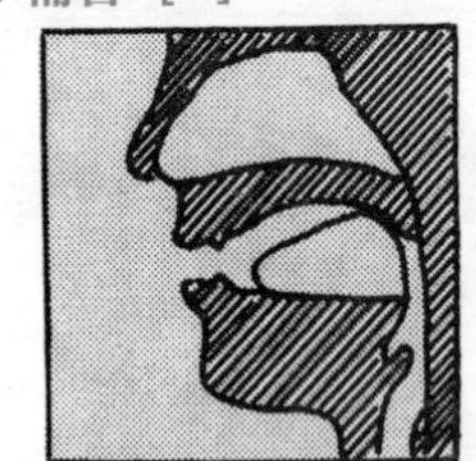

舌面抬起，抵上颚后部，形成阻塞，气流不振动声带，从口腔冲出，成爆破音。

※ [k] 在词首、词中元音前不送气，但在辅音群和音节末时要送气。

6. 辅音［p］

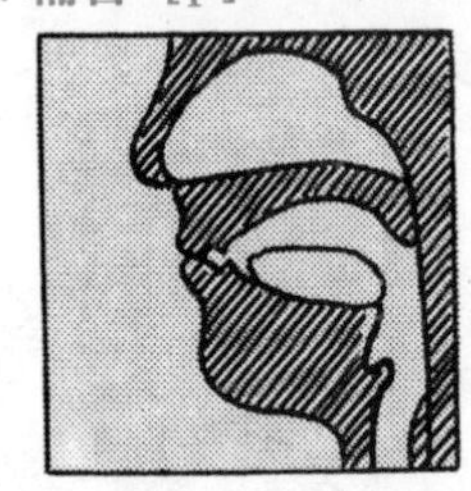

先双唇合紧，形成阻塞，气流不振动声带，快速从口腔冲出，形成爆破音。

※ [p] 在词首、词中元音前不送气，但在辅音群和音节末时要送气。

7. 辅音［t］

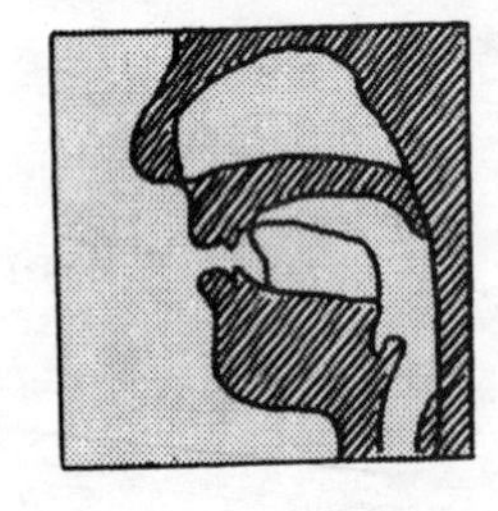

舌尖抵上齿与上齿龈之间，形成阻塞，气流不振动声带，从口腔冲出，成爆破音。

※ [t] 与 [k]、[p] 一样，在词首、词中元音前不送气，但在辅音群和音节末时要送气。

8. 辅音 [l]

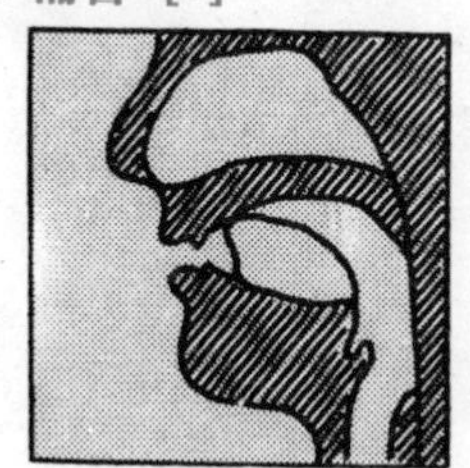

舌尖抵上齿龈，形成阻塞，发音时气流振动声带，气流从抬起的舌尖两侧发出，同时放下舌尖。
※ 发音时不可向后过度卷舌。

9. 辅音 [m]

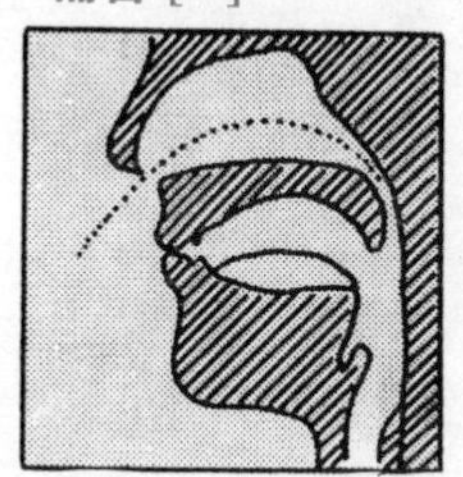

双唇并拢，软腭下降形成阻塞，发音时气流振动声带，同时从鼻腔冲出。
※ 不要抬起舌根部。

10. 辅音 [n]

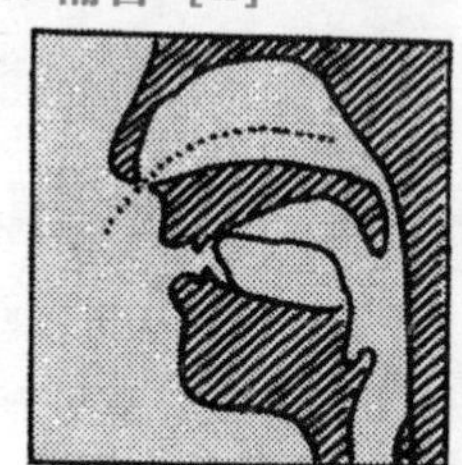

[n] 发音位置与 [l] 相同。但发 [n] 时软腭下降，气流振动声带，同时从鼻腔冲出。
※ [l]、[m]、[n] 均为浊辅音，不要夹带其他元音，尤其是汉语拼音的 e。

11. 辅音 [s]

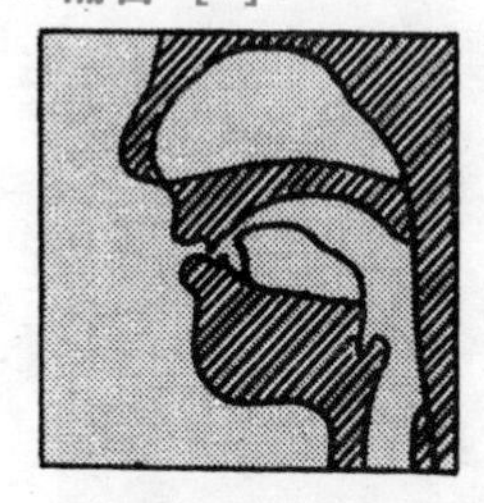

舌尖抵下齿，上下齿靠近，舌面前部与上颚间形成缝隙，气流通过缝隙时发生摩擦。

12. 半元音 [w]

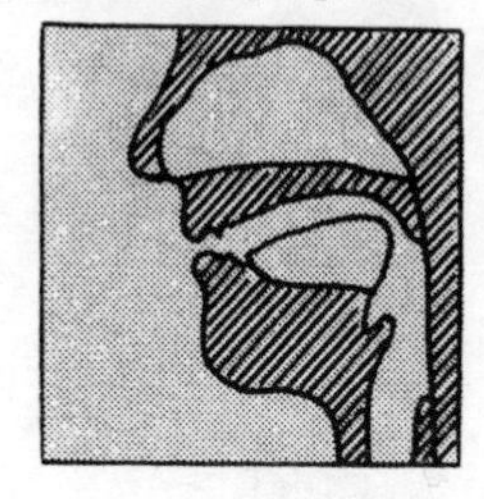

与汉语拼音的 u 相似，但发 [w] 时双唇突出成小圆形，发音器官较紧张，气流通道较窄，气流通过时产生摩擦。
※ 这类音素后有元音时，二者合并成一个音节。发音时从半元音迅速过渡到作为音节主体的元音。因这类音素发音时声带须振动，具有元音性质，但同时又带有辅音特有的摩擦，所以同时被称为“半元音”或“半辅音”。
该类音素仅有三个，即：[w]、[j]、[ɥ]。其特点就是发音时口腔各器官肌肉均须紧张，并且很快过渡到主体元音之上。与半元音 [w] 相对应的是元音 [u]。

Connaissances phonétiques 语音知识

1. 法语音素（Phonèmes français）

1) 音素是最小的语音单位。

2) 法语共有 36 个音素。分为：

- 16 个元音音素（voyelles）；
- 17 个辅音音素（consonnes）；
- 3 个半元音（或称半辅音）音素（semi-voyelles/semi-consonnes）。

3) 音素通常用国际音标来表示。音标标注在方括号内，一个音标符号代表一个音素。

※ 中法两国各自采用的国际音标略有不同。

4) 音素和字母是两个完全不同的概念：

- 音素属于语音范畴，是最小的语音单位；
  而字母则属于书面语，是书写文字的最小单位；
- 同一音素中，字母的拼写方式可能不同；
  而同一个字母，在不同情况下又可以有不同的发音。

2. 元音、辅音和半元音的发音特点

1) 元音：发音时气流振动声带，但不受其他发音器官阻碍。

2) 辅音：发音时气流受到其他发音器官阻碍而发出的音。清辅音发音声带不振动；浊辅音则声带振动。

3) 半元音：气流振动声带同时受到其他发音器官强阻，快速爆破除阻后发出的音。半元音上无停留，很快过渡到下一元音上。

3. 后元音 [ɑ]（1）

元音 [a] 与 [ɑ] 的区别在于两者的口腔发音区一个在前，另一个靠后。虽然因不会引起语义上的混淆而有前者取代后者的趋势，但后元音 [ɑ] 由于浊辅音的关系，仍在很多法语词汇中被保留。如：

1) 在浊辅音群的前后：sable, cadre, sabre；

2) 在字母 r 后：roi, froid, croix；

3) 在 [z] 前：gaz, phrase, vase。

4. 音节（Syllabe）（1）

1) 法语单词由音节构成。

2) 音节中的主体因素是元音。

3) 一般说来，一个单词有几个发音的元音，也就有几个音节，如：qui [ki] 有一个音节；Pascal [pas-kal] 有两个音节。

5. 开音节与闭音节

1) 开音节是指读音中以元音音素结尾的音节，如：qui [ki]，Calais [ka-lɛ]；

2) 闭音节是指读音中以辅音音素结尾的音节，如：Pascal [pas-kal]，Anne [an]。

6. 重音 (Accent)

法语语音中的重音一般落在单词或词组的最后一个音节上。但应注意：法语重读音节与非重读音节的差别并非很大，不要读得过重。如：Pascal [pas-'kal], C'est Anne [sɛ-'an]。

7. 关于字母 e

元音字母 e 上如无符号，在词末时一般不发音。如：Anne [an]。

8. 相同的两个辅音字母

如果两个相同的辅音字母合并在一起，通常只读一个辅音。如：**elle** [ɛl]，**Anne** [an]，**nasse** [nas]。

9. 词末的辅音字母

1) 法语辅音字母在词末时一般不发音。如：est [ɛ], mais [mɛ]。

2) 但辅音字母 c, f, l, q, r 以及 ct 在词尾时，一般要发音。如：sa**c** [sak]，vi**f** [vif]，se**l** [sɛl]，cin**q** [sɛ̃:k]，mu**r** [my:r]，dire**ct** [dirɛkt]。

Sons et lettres 语音与字母

1. 音素组合拼读练习表

元音 / 辅音	[a]		[ɛ]		[i]	
[f]	face	fatal	fait	fêtait	fil	ficelle
[k]	cas	cale	quel	quête	qui	quitte
[l]	la	lac	lait	laisse	lit	lilas
[m]	ma	masse	mec	messe	mis	mille
[n]	natte	nasse	net	nef	nid	nique
[p]	pas	papa	paix	pèle	pis	pile
[s]	sa	sale	sel	Seine	cil	sic
[t]	ta	tasse	tel	taie	titi	tic-tac

[w]

soi　toi　mouette　souhait　oui　ouïe

watt　wali　Web　western　wapiti　whisky

[wa]

fois　quoi　loi　noix　pois　soi

toi　ouah　ouate　loua　noua　ouatine

2. 送气与不送气的［p - t - k］

papa - pape	père - pipe	pile - Philippe
TATI - tarte	telle - tête	titi - tinette
kaki - sac	quel - mec	qui - mimique

3. 词末发音的辅音字母 (Consonnes qui se prononcent à la fin des mots)

lac	sac	sic	tic-tac
nef	naïf	pif	paf
mal	sel	tel	Pascal
car	par	tir	partir
contact	intellect	strict	tract
cinq	coq		

Élocution 咬文嚼字

- Avec mamie, Fanny a mis six pipes sur le tapis de papi.
- Là, Nana lace la natte avec la nappe.
- Qui ? Un titi a mis la liste finie ici à midi ?
- À la fête de mai, Hélène est en peine de laine près de la Seine.
- Petit à petit, l'oiseau fait son nid.

1. 人称代词 (Pronom personnel)

1) 法语人称代词种类较多，如：主语人称代词、宾语人称代词、重读人称代词等。

2) 法语主语人称代词共有 8 个，分别是：je（我），tu（你），il（他），elle（她），nous（我们），vous（你们；您），ils（他们；它们），elles（她们；它们）。

2. 肯定 (Affirmation)

法语中表示肯定或赞同时最常使用副词 oui，如：

– Ça va ?	（你）好吗？
– **Oui**, ça va.	是的，挺好。
– Pascal, c'est lui ?	他是帕斯卡尔吗？
– **Oui, oui,** c'est lui.	对，对，就是他。

3. 疑问句 (L'interrogation)（1）：一般疑问句 (L'interrogation globale)

法语中的一般疑问句有下列三种基本形式：

1) 主谓倒装：这是比较正式的疑问句结构，如：

C'est Anne. → **Est-ce** Anne ?

C'est toi. → **Est-ce** toi ?

2) 叙述句前加上疑问结构 est-ce que：这是比较正式的口语表达方式，如：

C'est Pascal. → **Est-ce que** c'est Pascal ?

3) 叙述句语序不变，语调上升：这种情况常见于通俗口语，如：

C'est Catherine. → **C'est Catherine** ?

Il est artiste . → **Il est artiste** ?

现将一般疑问句的三种基本形式归纳至下表中，以方便大家进行比较。以 "C'est Pascal." 为例：

疑问方式	构成疑问句	特　点	语言等级
主谓倒装	Est-ce Pascal ?	语言标准，但倒装复杂	标准语
加 est-ce que	Est-ce que c'est Pascal ?	清楚，标准，但省音麻烦	标准口语
语调上升	C'est Pascal ?	简单，但须视交际场合使用	通俗口语

4. 省音与省文撇 (Élision et apostrophe)

法语行文中，一些起语法作用的单音节词在以元音或哑音 h 起始的名词或动词前，会因读音的关系而省略掉词尾的元音字母，改加省文撇（'），并与后面的名词或动词连读。这种现象被称为省音。本课中的 c'est 就是一例。

ÉCRITURE 书写规则

Bilan (1) 小结 (1)

1. 书写时应注意合理布局,切忌顶天立地地书写。俗话讲“留天留地”，也就是说上、下、左、右都应留出适当的空白来，并应以左边和上边多留出些为宜。
2. 每段开始时，传统习惯上应向右缩进四五个字母的距离。但随着电脑的广泛使用，无缩进的写法似乎已很普遍。

UN PEU DE CIVILISATION FRANÇAISE 法兰西文化点滴

Salutation 问候

1. 法兰西民族讲究礼仪，彼此见面会互致问候。熟人之间会以 ça va，salut，comment ça va 等问候语致意。
2. 上下级之间、不很熟悉的人会说 bonjour，comment allez-vous。
3. 朋友间会行亲吻礼，而且会互相亲吻四次！
4. 亲吻有约定俗成的规矩：
   - 女性之间先互吻；
   - 男女朋友之间再互吻；
   - 男性彼此间则很少互吻，除非久别重逢。

Proverbe 谚语

Vouloir, c'est pouvoir.
有志者，事竟成。

EXERCICES 练 习

I. Exercices de phonétique（语音练习）

1. Exercices d'audition.（听力练习。）

1) Écoutez et dites si vous avez entendu la voyelle [a], [ε] ou [i].（听录音并说出您听到的是元音 [a]，[ε] 还是 [i]。）

	[a]	[ε]	[i]
1	✓		
2		✓	✓
3	✓		
4			✓
5		✓	
6		✓	
7			✓
8		✓	
9	✓	✓	✓
10			

2) Vrai ou faux ?（对还是错？）

	听到的是这个音吗？
1	[isi] ✓
2	[lak] ✗
3	[mil] ✓
4	[nis] ✗
5	[ki] ✓
6	[sεt] ✗
7	[sa] ✓
8	[tas] ✗
9	[pik] ✓
10	[kεl] ✗

3) Écoutez puis mettez le dialogue en ordre.（听录音，然后排序。）

a. – Qui est–ce ?
b. – Bonjour, Marc.
c. – Salut ! Marielle.
d. – Il est styliste ?
e. – Oui, il est à Paris.
f. – Oui, il est styliste.
g. – Il est à Paris ?
h. – C'est Pascal.

2. Lisez les mots suivants d'après les règles apprises.（根据读音规则读出下列单词。）

cet	kaki	cale	sac	celle
nasse	Nil	nid	pelle	latine
cape	kyste	laid	saine	mimique
sel	fête	liste	Seine	paquet

3. Lisez les phrases suivantes et faites attention à l'intonation.（朗读下列句子，并注意语调。）

– Qui est-ce ?
– C'est Pascal.
– Est-ce que c'est Pascal ?
– Oui, c'est Pascal.

– Qui est-ce ?
– C'est Fanny.
– Est-ce que c'est Fanny ?
– Oui, c'est Fanny.

– Qui est-ce ?
– C'est Anne.

– Voici Anne, elle est styliste.
– Voilà Nicolas, il est artiste.

4. Donnez la transcription phonétique.（请用国际音标给下列单词注音。）

Nicolas [ ]	Estelle [ ]	qui [ ]	Anne [ ]
C'est [ ]	elle [ ]	oui [ ]	est [ ]

5. Répondez aux questions suivantes.（回答下列问题。）

1) 相同的两个辅音字母应读成 .... 音。
2) 字母 c 在字母 a, o, u 前应读 [ ]。
3) 发 [ɛ] 的字母和字母组合有哪些？
4) 发元音 [i] 的可能是哪几个字母？
5) [p]、[t]、[k] 这三个辅音在词末闭音节中应当送气吗？
6) 字母组合 ph 应读 [ ]。
7) 元音字母 e 在词末发音吗？
8) 字母 s 在词末发音吗？
9) 法语中在词末发音的辅音字母或字母组合是 ...., ..., ..., ... 和 ....。
10) 开音节词是以 .... 音音素结尾的词；闭音节词是以 .... 音音素结尾的词。
11) 法语中音节的计算是以 .... 为单位的。
12) 字母 sc 在 e, i 两个字母前读 [ ]。

II. Exercices de dialogues（课文练习）

1. Trouvez les questions convenables.（找出合适的问句。）

C'est Anne. → – ***Est-ce Anne?***
– Oui, c'est Anne.
→ – ***Est-ce que c'est Anne ?***
– Oui, c'est Anne.

1) C'est Pascal.
2) C'est Fanny.
3) C'est Nathalie.
4) C'est elle.
5) C'est Marc.
6) C'est Michel.

2. Répondez aux questions affirmativement.（用肯定形式回答问题。）

Nathalie Lamy, c'est elle ?
→ ***Oui, c'est elle.***

1) C'est toi, Pascal ?
2) Anne, c'est elle ?

3) Qui est-ce ? C'est Catherine ?
4) Qui c'est ? C'est Pascal ?
5) Estelle, c'est elle ?
6) Elle est styliste ?
7) Est-ce qu'il est artiste ?
8) Fanny, c'est toi ?

3. Voici ... et voilà ...

> Anne et Pascal.
> → ***Voici Anne et voilà Pascal.***

1) Eva et Kahn.
2) Jacques et Nicole.
3) Alice et Issac.
4) Marc et Cécile.
5) Claire et Philippe.
6) Michel et Sylvie.
7) Estelle et Nicolas.
8) Hélène et Louis.

4. Complétez les dialogues.（将对话补充完整。）

1) Dialogue *1*

– Salut ! ....
– .... ! Pascal ! Ça va ?
– .... bien... Et .... ?
– .... ? Ça va.

2) Dialogue *2*

– Anne, ... ?
– C'est ....
– Et elle, qui .... ?
– .... Nathalie.
– Est-ce .... ?
– Oui, c'est .... !

III. Exercices oraux（口语练习）

1. Lisez bien les lettres suivantes.（读熟下列字母。）

A a	C c	E e	F f	I i	K k	L l	N n
M m	O o	P p	Q q	S s	T t	U u	W w

2. Lisez les noms propres.（读下列专有名词。）

Athènes	Philippines	Italie	Cannes	Alpes
Natal	Mississippi	Panama	Sienne	Lapalisse

3. Questions et réponses.（问答练习。）

1) Exemple *1*

– Salut ! Wang.

– Salut ! Li.

– Ça va ?

– Ça va.

2) Exemple *2*

– Qui est-ce ?

– C'est Li.

– Il est à Paris ?

– Oui, il est à Paris.

3) Exemple *3*

Voici Li. Il est styliste. Il est à Shanghai.

Et voilà Zhang. Il est artiste. Il est à Lille.

Je suis　　Nous Sommes

Tu es　　Vous êtes

Il est　　Ils/Elles Sont

Elle est

重读人称单词 → (英语中的物主代词)

主语为代词时的倒装

est-il

sommes-nous

Sont-ils/elles

(go)
Va-t-il　　-t- 辅助发音

Va-t-elle

自学：法语助手

巴巴爸爸法语版

Leçon 2 Chez un ami

Dialogue 1

(À la porte)—敲门

Toc... Toc... Toc...

Lemat: Qui est-ce ? C'est qui ? Qui c'est ?

Anne: Devine! [1] ...

Lemat: Est-ce que c'est Fanny ?

Anne: S'il te plaît[2], c'est moi, Anne !

Lemat: Ah ! Salut, Anne.

Anne: Salut, Lemat. Ça va ?

Lemat: Ça va. Et toi ?

Anne: Ça va bien. Merci.

Lemat: Entre ! [3] ... Et ce paquet, qu'est-ce que c'est ? [4]

Anne: C'est pour toi. C'est une chemise.

Lemat: Une chemise ? C'est pour moi ? C'est chic ! Merci, Anne.

Dialogue 2

(Chez Lemat)

Anne: Qu'est-ce que c'est, Lemat ?

Lemat: C'est une valise.

Anne: Une valise ? ... Est-ce que c'est ta valise ? [5]

Lemat: Oui, c'est ma valise.

Anne: C'est ta valise ? Mais, où vas-tu? [6]

Lemat: Moi ? ... Devine !

aller (英语 go)

je	vais	Nous	allons
tu	vas	Vous	allez
il	va	ils	vont
elle	va	elles	vont

Leçon 2

Vocabulaire 词汇

ah [a] *interj.*	哎，啊
ami, e [ami] *n.*	朋友
ce [sə] *a. dém.*	这个
chemise [ʃəmiːz] *n.f.*	男式衬衫
chez [ʃe] *prép.*	在……家
chic [ʃik] *a.*	〈口语〉漂亮极了
être [ɛtr] *v.i.*	是
Lemat [ləma]	勒马（男名）
ma [ma] *a.poss.*	我的
mais [mɛ] *conj.*	但是
merci [mɛrsi] *interj.*	谢谢
où [u] *adv.*	哪里
paquet [pakɛ] *n.m.*	盒子
porte [pɔrt] *n.f.*	门
pour [puːr] *prép.*	给
ta [ta] *a.poss.*	你的
toc [tɔk] *interj.*	笃笃
tu [ty] *pron.pers.*	你（主语人称代词）
une [yn] *art.indéf.f.*	一个（阴性不定冠词）
valise [valiːz] *n.f.*	手提箱

Expressions de classe 课堂用语

– Comment allez-vous ? 你们好吗？
– Très bien, merci. Et vous ? 很好，谢谢。那您呢？

Notes 注释

1. Devine !（你）猜猜！
这是动词 deviner 第二人称单数的肯定命令式。

2. S'il te plaît : 请（你）。
1) 句中的 il 是无人称代词，te 是间接宾语人称代词“你”。
2) 此句属法语中的敬语，意思相当于英语中的 please 。

3. Entre ! 进来！
这是动词 entrer 第二人称单数的肯定命令式。

4. Qu'est-ce que c'est ? 这是什么（东西）？
这是特殊疑问句。法语中问“这是什么（东西）？”还有一种比较随便的口语形式：
C'est quoi ?（quoi 是疑问代词，此用法属口语形式，需慎用。）

5. *Est-ce que* c'est ta valise ? 这是不是你的行李？
1) 叙述句前加上疑问结构 est-ce que，即构成一般疑问句。这是比较正式的口语表达方式。如：C'est ta valise. → Est-ce que c'est ta valise ?

2) est-ce que 后面所接的如果是以元音或哑音 h 起始的名词或代词，那么 que 要改为省音形式：est-ce qu'，如：

Est-ce qu'Anne est styliste ?

Est-ce qu'elle est styliste ?

6. Où *vas-tu* ？ 你去哪儿 ？

1) 动词原形是 aller, 属第三组不规则动词。 vas-tu 是共直陈式现在时变位第二人称单数的主谓倒装形式。

2) 主谓倒装构成的疑问句中，如果是代词主语 ce, je, tu, il 等，须在倒装后的谓语和主语之间加上连字符 (-)；而如果仅名词主语倒装，动词与名词主语间无连字符。如：

C'est Anne. → Est-ce Anne ?（代词作主语）

Paul travaille. → Que fait Paul ?（名词作主语）

语言层次（Niveau de langue）

语言是活的。我们在生活中所听到的、看到的、读到的和书写的语言都不尽相同。而我们在日常生活中所碰到的各种人所讲的语言也因其社会地位、工作种类、所处环境和交流需求等诸多不同而存有很大的差异。这种或"阳春白雪"或"下里巴人"式的语言区别对于初学者来说不易体味得到。这种语言使用上的差异，就是所谓的"语言层次"，也有人称之为"语言等级"。

在这套教材中，我们以标准法语为基本规范向大家介绍法语语言的基本知识，但同时尽可能地兼顾到不同的语言层次，使大家能够对法语中各种层次的语言现象有所了解。像课文中已经学过的salut, ça va 和chic就属于法语的通俗语或民间语。它们的使用条件应该是在熟人之间，正式场合中应选用其他更合适的词语。

明确了什么是"语言层次"，我们也就明白了这样一个道理：在不同的场合下，对不同的人，应该选择使用不同的语言。当然，对"语言层次"的掌握绝非一朝一夕之事，它将贯穿于我们学习乃至使用法语的整个过程之中。

PHONÉTIQUE  语音

Tableau de phonétique 读音规则表 

音类	音素	拼写形式	例词
元音	[ə]	e 在单音节词尾	ce, le, me
		e 在词首开音节	repas, lever, devant
		e 在【辅辅 e 辅】中（“辅”指辅音音素，e 指字母）	mercredi, vendredi
		ai 在动词 faire 及相关的变词中	faisons, satisfaisant
		on 在个别词中	monsieur
	[y]	u, û	lune, sûr
		eu 在动词 avoir 的某些变化中	j'ai eu, j'eus
辅音	[ʃ]	ch	chat, Chine, lâche
		sh, sch 在少数词和借词中	shako, schéma
	[v]	v	voici, vive
		w 在个别词中	wagon
		f 在联诵中	neuf amis [nœvami]
	[z]	z	zoo, gaz
		s 在两个元音字母之间	base, rosée
		x 在两个元音之间	deuxième, dixième
		s 在联诵中	les amis [lezami]
		x 在联诵中	deux amis [døzami]

Comment prononcer 如何发音

1. 元音 [ə]

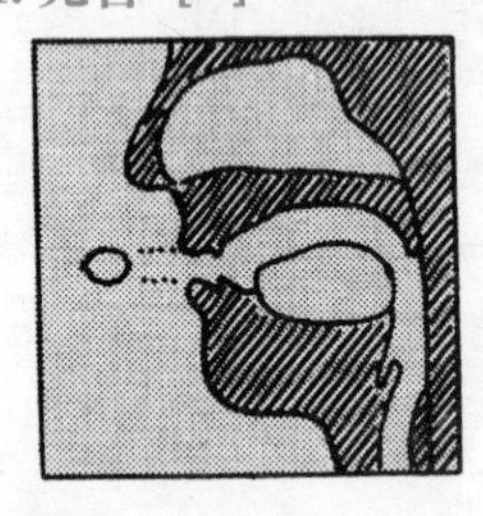

[ə] 的舌位和开口度与 [ɛ] 相近，但双唇突出成圆形，圆唇是关键。圆唇时成自然状态。该音只出现在非重读音节中，故无须过于用力。

※ 舌根不要抬起，否则会发成汉语拼音的 e。圆唇时可比较汉语中“屋”的发音；然后略放松即可发出 [ə]。

2. 元音 [y]

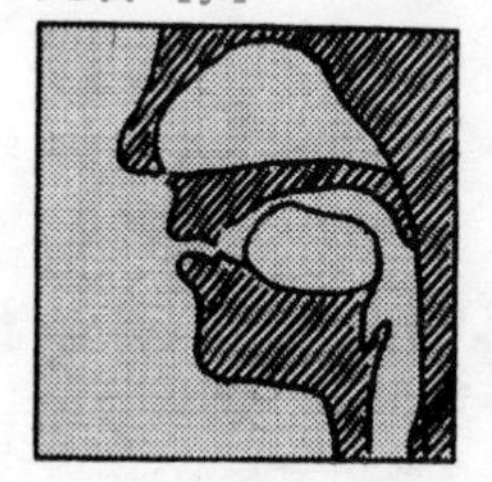

[y] 的舌位、开口度和肌肉紧张度与元音 [i] 相近，但双唇须突出、绷紧成圆形。

3. 辅音 [ʃ]

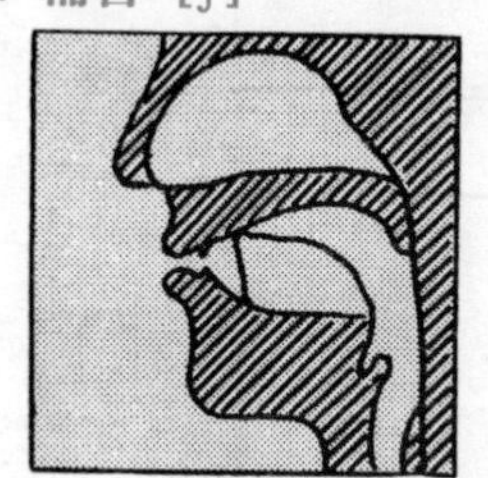

发音时舌尖向后缩，双唇前伸成圆形，舌面向上颚后部靠拢，形成窄缝，气流通过时形成摩擦。

4. 辅音 [v]

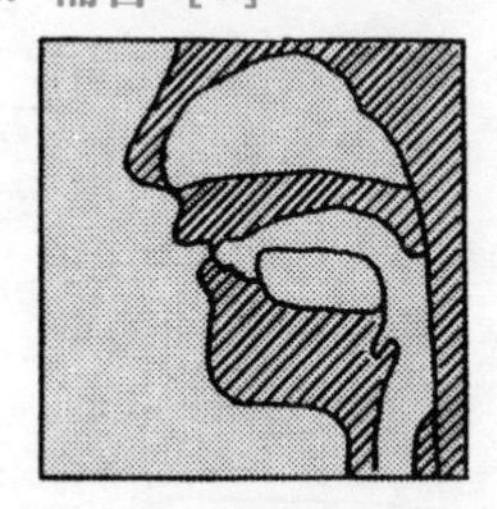

口型、发音方法与 [f] 相似。发 [v] 时声带要振动，成为浊辅音，它与 [f] 相对应。

※由于普通话中没有和法语 [v] 相似的音，所以练习该音时，可先在嘴中轻发出"乌乌"声，使声带振动，稍做停留，然后注意气流冲出时上齿和下唇的摩擦，便可发出 [v] 音来。

5. 辅音 [z]

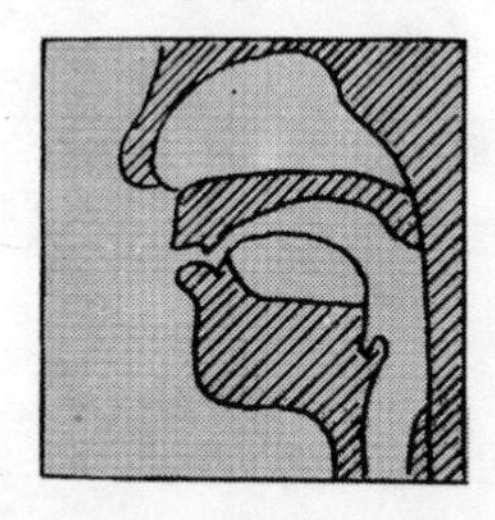

发音口型、部位与 [s] 相似，但后者声带不振动，而 [z] 要振动，成为浊辅音，它和清辅音 [s] 是相对应的。

※汉语普通话中亦无与之相近的音。可延长 [s] 音，同时加强气流通过舌间阻塞处的摩擦，同时振动声带，便可得到 [z]。但一定注意不要发成汉语的"自"。

Connaissances phonétiques 语音知识

1. 清、浊辅音

法语辅音分为清辅音和浊辅音：

1) 清辅音发音无须声带振动，如：[f]，[s]，[t]；

2) 浊辅音则须振动声带方能得到，如：[v]，[z]，[d]。

2. 长音

法语中规定，在以 [v]、[z] 结尾的重读闭音节中，紧接在这些音前的元音要读长音，如：vive [viːv]，valise [valiːz]。长音符号用 [ː] 表示。

3. 元音 [ə] 一般只出现在开音节中，不读重音或长音。

4. 字母 c 的读音

1) 在元音字母 a, o, u 前读 [k]，如：case [kaːz]，cou [ku]，curé [kyre]。
2) 在 e, i, y 前读 [s]，如：c'est [sɛ]，ce [sə]，ici [isi]，cycle [sikl]。
3) 在词末读送气的 [k]，如：lac [lak]，sac [sak]。

5. 节奏组 (Groupe rythmique)

法语句子可以按照意义和语法划分为节奏组。节奏组一般以实词为主体，辅助词和有关的实词共同组成节奏组。每个节奏组中通常只有最后一个音节有重音，叫做节奏重音。如：

C'est Pascal Dupont. ‖（一个节奏组）
C'est une chemise. ‖（一个节奏组）
Elle va chez moi | avec sa valise. ‖（两个节奏组）

※ 1)"|"表示停顿，"‖"表示终结。
2) 节奏组末并非都有停顿，凡非停顿处都应连成一气。

6. 音节（2）

按照读音，划分音节的基本规则如下：
1) 两个元音之间的单辅音属于下一个音节，如：valise [va-liːz]，chemise [ʃə-miːz]；
2) 除辅音群外（见第 5 课），相连的两个辅音必须分开，如：merci [mɛr-si]；
3) 当三个辅音相连时，前两个辅音属于上一个音节，后一个辅音属于下一音节，如：abstenir [aps-tə-niːr]，abstrait [aps-trɛ]。

7. 联诵（Liaison）

在同一节奏组中，前一词的词末如果是不发音的辅音字母，而后一词以元音或哑音 h 起始，则前一辅音字母应当发音，并与后面的词首元音合成一个音节。这种现象叫做联诵，如：

Il est‿artiste. [i-lɛ-tar-tist]
C'est‿une chemise. [sɛ-tyn-ʃə-miːz]

8. 语调 (Intonation)（1）：词的声调 (L'intonation des mots)

有人说法语的音调像潺潺流水。的确，一般来说，我们听到的法语朗读语调的确像水波一样上下起伏，错落有致。而我们在生活中所听到的日常法语的语调则与汉语一样，丰富多彩，变化多端。我们将有重点地向大家介绍一些法语中词、叙述句及其他类型语句的声调和语调，以及强调语气的语调。首先来介绍一下词的声调。

1) 法语的声调并不复杂，通常词和词组只有固定的一种类型的声调，单音节或双音节的词或词组，声调往往是下降的，如：

porte (门)　　il pleut (下雨)

2）两个以上语音音节所组成的词或词组，声调可上升，也可下降，如：

socialiste (社会主义的)　je m’appelle... (我名叫……)

Sons et lettres 语音与字母

[ə]		
le - petit	ne -fenêtre	ce - tenir
que - lever	me - menait	te - semer

[y]		
pu - pull	lu -lunettes	su - sûr
nu - menu	tu - têtu	fut - fume

[ə-y]		
venir - vue	revue - remue	petite - punir
le - lu	semi - sud	tenir - Tunisie

[i-y]		
lis - lutte	nid - nul	mis - mur
pile - pull	tic - tutelle	site - sur
chichi - chut	vital - vulcanisé	F.I.F.A. - futur

[f-v]		
fil - ville	physique - visite	phare - val
fatale - valse	fermage - vertical	fait - veine
fenêtre - venir	fenil - avenue	fumer - vue

[f-v]		
vif - vive	natif - native	passif - passive
canif - salive	massif - missive	griffe - grive

[s-z]		
salle - nasal	celle - zèle	assis - Asie
cette - zèle	sel - zeste	sur - zut [zyt]

[s-ːz]		
casse - case	vitesse - thèse	lice - utilise
chasse - chaise	vice - vise	six [sis] - chemise

[s-ʃ]		
ça - chat	ce - chevet	race - relâche
sait - chaise	messe - mèche	siffle - Chine
Nice - niche	sucre - chut	menace - cache

Élocution 咬文嚼字

- Le chasseur chasse sans son chien.
- Il se sèche sur cette chaise sèche.
- Fais vite la vaisselle avec Fanny !
- Sacha donne ça aux chats de Chapsal.
- Tu lis sur le mur le menu si tu as une bonne vue.

1. 阴阳性和单复数 (Masculin, féminin, singulier et pluriel)

法语中名词、冠词、形容词有阴阳性和单复数的区别。

1) 阴阳性

名词通过阴阳性直接体现物种的自然性别差异，这一点很容易理解。但是法语名词中没有生命的东西也被人为地规定了阴阳性，因此与之配合的冠词、形容词、作形容词的分词，甚至某些副词也须做出相应阴、阳性的变化。对此，初学者可能会不习惯。通过下表，我们可以对这些词类的阴阳性变化有个大致的了解：

	名词	冠词 + 名词	冠词 + 形容词 + 名词	冠词 + 形容词 + 名词 + 分词
阳性	mur（墙）	→ **un** mur （冠词 / 阳性）	→ un **grand** mur （形容词 / 阳性）	un **grand** mur **fortifié** （分词 / 阳性）
阴性	carte（图）	→ **une** carte （冠词 / 阴性）	→ une **belle** carte （形容词 / 阴性）	→ une **belle** carte **imprimée** （分词 / 阴性）

2) 单复数

法语名词变为复数时多数加 s，少数词加 x，与之相配合的词类也要做出相应的变化。请见下表：

	冠词 + 名词 单数	冠词 + 名词 变为复数	冠词 + 形容词 + 名词 变为复数	冠词 + 形容词 + 名词 + 分词 变为复数
阳性	**un** mur	→ **des** murs	→ **de grands** murs	→ **de grands** murs **fortifiés**
阴性	**une** carte	→ **des** cartes	→ **de belles** cartes	→ **de belles** cartes **imprimées**

2. 名词（Nom）

1) 法语名词有阴阳性之分。

表示人或动物的名词按自然性别区分，但某些表示生物、植物或事物名词的性别则是人为规定、约定俗成的。

①表示人或动物的名词：

类　别	阳　　性	阴　　性
人	**un** homme 一个男人	**une** femme 一个女人
动物	**un** coq 一只公鸡	**une** poule 一只母鸡

② 表示生物、植物、事物或抽象概念的名词：

类　别	阳　　性	阴　　性
生物	**un** microbe 一种微生物	**une** moisissure 一种霉菌
植物	**un** arbre 一棵树	**une** fleur 一朵花
事物	**un** livre 一本书	**une** auto 一辆汽车
抽象概念	**un** miracle 一个奇迹	**une** tendance 一种趋势

2) 法语名词有单复数之分。

多数名词词尾加 s 即构成复数，少数名词加 x 构成复数，原以 s，x 或 z 结尾的名词则保持不变。

类　别	例　　词	
加 s	**un** homme 一个男人 → **des** hommes	
加 x	**un** bureau 一间办公室 → **des** bureaux	
不变	**un** nez 鼻子 → **des** nez	**un** corps 身体 → **des** corps
※ 表示复数的 s 和 x 不发音，但在联诵中读［z］。		

3) 法语名词有普通名词和专有名词之分。

类 别	例　　词		
普通名词	une valise 一只手提箱	un étudiant 一名大学生	un train 一列火车
专有名词	Pascal 帕斯卡尔	le Soleil 太阳	la Chine 中国

3. 冠词（Article）

冠词是法语中最特殊的成分之一，常常是名词不可或缺的引导成分，有了冠词，才可以在句子中辨认出名词来。

1) 法语名词前往往带有冠词。

2) 冠词分定冠词、不定冠词和部分冠词。

3) 冠词分阴性阳性和单数复数。

如：
une chemise　一件衬衣（阴性单数不定冠词）
un paquet　一个盒子（阳性单数不定冠词）
la chemise de Pascal　帕斯卡尔的衬衣（阴性单数定冠词）

le Soleil	太阳（阳性单数定冠词）
du pain	面包（阳性部分冠词）
de la viande	肉（阴性部分冠词）
des livres	一些书（复数不定冠词）
les filles	那些女孩（复数定冠词）

[le]

4. être

法语动词的基本形式叫做不定式，动词在句中作谓语时，须根据主语的人称、人数、语式、时态等的不同变换词形。这种动词按语境需要所做出的词形变化被称为动词变位（conjugaison）。

1) Conjugaison（动词变位）:

être [ɛtr]	
je suis [ʒəsɥi]	nous sommes [nusɔm]
tu es [tye(ɛ)]	vous êtes [vuzɛt]
il est [ilɛ]	ils sont [ilsɔ̃]
elle est [ɛlɛ]	elles sont [ɛlsɔ̃]

2) Emplois（用法）:

① être 是系动词，其后成分为表语，且常常省略冠词。如：

Je suis étudiant.

Êtes-vous Monsieur DUPONT ?

② être + à + 地点：在……地方。如：

Elle est à Toulouse.

Est-ce que tu es à Lille ?

在……

à + 城市

en + 阴性国家

au + 阳性国家

ÉCRITURE 书写规则

Bilan (2) 小结 (2)

1. 与汉语不同，法语中的句号是一个圆点儿，不是圆圈儿！
2. 法语省略号为三个小点，而不是六个。
3. 法语中的引号与汉语引号不同，为 « »。

UN PEU DE CIVILISATION FRANÇAISE
法兰西文化点滴

Chez des amis 做客

1. 法国人和我们中国人一样好客，会经常邀请亲朋好友到家小聚。
2. 去法国人家最好应邀或事先约定，不速之客不受欢迎。
3. 抵达主人家的时间最好比约定时间晚几分钟。
4. 应邀做客最好略备薄礼，大致可做如下选择：

- 可选花送给女主人，但送红玫瑰要慎重；
- 若送男主人可送酒，一两年的红酒就很不错；
- 条件允许，还可送上特备的礼物。

Proverbe 谚语

Pas à pas, on va loin.
千里之行，始于足下。

Leçon

EXERCICES 练习

I. Exercices de phonétique

1. Exercices d'audition. 

1) Écoutez et dites si vous avez entendu la voyelle [ə]，[ɛ] , [i] ou [y].

	[ə]	[ɛ]	[i]	[y]
1				
2				
3				
4				
5				
6				
7				
8				
9				
10				

2) Écoutez et dites si c'est une affirmation ou une question.（听录音，并说出您听到的是肯定句还是疑问句。）

	Affirmation	Question
1		
2		
3		
4		
5		
6		
7		
8		
9		
10		

3) Vrai ou faux ?

Vous allez entendre 10 phrases enregistrées. La phrase que vous entendez correspond-elle à la phrase que vous lisez sur votre livre ?（您将听到 10 句录音。您听到的句子是否与书上的句子一致？）

① C'est fou.

a. oui

b. non

② C'est déjà lu.

a. oui

b. non

③ Voici une gazette.

a. oui

b. non

④ Une belle vue.

a. oui

b. non

⑤ Quel gâchis !

a. oui

b. non

⑥ Voilà ma garde.

a. oui

b. non

⑦ Il est à Lille.

a. oui

b. non

⑧ Est-ce ta case ?

a. oui

b. non

⑨ Voici ma valise.

a. oui

b. non

⑩ C'est un fil.

a. oui

b. non

2. Lisez les mots suivants d'après les règles apprises.

ficelle vivace casque mai ici
ticket vase kyste cela fil
minute zèle visite poste chimique
Tunisie cycle tenue sacs Hachette

3. Lisez les phrases suivantes et faites attention à l'intonation.

1) Qu'est-ce que c'est ?
2) C'est une chemise.
3) Est-ce que c'est ta chemise ?
4) Oui, c'est ma chemise.
5) Qu'est-ce que c'est ?
6) Est-ce ta valise ?
7) Oui, c'est ma valise.
8) Pascal, où vas-tu ?

4. Donnez la transcription phonétique et indiquez les syllabes.（请用国际音标给下列单词和句子注音并划分音节。）

chic [ ] valise [ ] Annie [ ] ta [ ]
Est-ce que c'est ta chemise ? [ ]

5. Répondez aux questions suivantes.（回答下列问题。）

1) 法语中元音字母 e 在词尾一般是 ....。
2) 相同的两个辅音字母连在一起时一般读成 .... 个音。
3) 字母 c 在 a, o, u 前读 [ ]，而在 e, i, y 前读 [ ]。
4) 读音上，以元音音素结尾的词是 .... 音节词。
5) 闭音节是指读音上以 .... 结尾的词。
6) s 在两个元音字母之间读 [ ]。
7) “辅辅 e 辅”是指字母 e 的前边有两个 .... 音，后边有一个 .... 音，在这种情况下，字母 e 应读成 [ ]。
8) 字母 c 在词末闭音节中应读 [ ]，并 .... 气。

II. Exercices de dialogues

1. Questions sur le *Dialogue 1*.（对话 1 问题。）

1) Qui est à la porte de Lemat ?
2) Est-ce que c'est Fanny ?

3) Qu'est-ce que c'est ?

4) Est-ce que la chemise est pour Lemat ?

2. Questions sur le *Dialogue 2*.

1) Chez Lemat, est-ce une valise ?

2) Est-ce que c'est la valise de Lemat ?

3) Où va Lemat ?

3. Trouvez les questions convenables.

À la porte de Lemat, c'est Anne.

→ – *Est-ce Anne à la porte de Lemat ?*

– Oui, c'est Anne à la porte de Lemat.

→ – *Est-ce que c'est Anne à la porte de Lemat ?*

– Oui, c'est Anne à la porte de Lemat.

1) Chez Lemat, c'est Fanny.

2) À la porte de Paul, c'est Fanny.

3) Chez Anne, c'est Nathalie.

4) À la porte de Julie, c'est elle.

5) Chez Claire, c'est Marc.

6) À la porte de Fanny, c'est Michel.

4. Répondez aux questions affirmativement. （用肯定形式回答问题。）

C'est une valise ?

→ *Oui, c'est une valise.*

→ *Oui, c'est ça.*

moi 我的
toi 你的
lui 他的
elle 她的

1) C'est toi, Pascal ?

2) Qu'est-ce que c'est ? C'est une valise ?

3) C'est Catherine ?

4) Qui c'est ? C'est Philippe ?

5) Estelle est styliste ?

6) C'est pour moi ?

7) Pierre Dulac, c'est lui ?

8) Est-ce chez Paul, ici ?

5. Voici... (voilà...), c'est pour...

> une chemise / Pascal.
> → *Voici une chemise, c'est pour Pascal.*
> → *Voilà une chemise, c'est pour Pascal.*

1) une valise / Kahn.
2) une styliste / Nicole.
3) une chemise / Issac.
4) un professeur（老师）/ Marc.

6. Trouvez les questions convenables.（找出适当的问句。）

> C'est Annie. → *Qui est-ce ?*
> C'est une valise. → *Qu'est-ce que c'est ?*
> Oui, c'est ma chemise. → *Est-ce ta chemise ?*

1) C'est Luc Dupont.
2) C'est Anne .
3) C'est une classe.
4) Oui, c'est une porte.
5) Oui, c'est ma chemise.
6) Oui, c'est ma valise.

III. Exercices grammaticaux（语法练习）

1. Chassez l'intrus.（挑出异类词。）

1) une porte - une fenêtre - une classe - une valise
2) une artiste - une styliste - une chemise - un professeur
3) voici - c'est - oui - voilà
4) salut - plaît - devine - vas
5) bonjour - chic - salut - ça va

2. Orthographe : *est* ou *et* ?

1) Voici ta valise .... ta chemise.
2) Calmette Chirac .... styliste.
3) Voilà ! C'est toi .... moi.

4) .... toi, où vas-tu ?

5) Ta chemise .... chic !

6) Qui .... à la porte ?

3. Où aller ?（去哪儿？）

1) Moi, je (aller) .... à Paris.

2) Pascal, tu (aller) .... à Beijing ?

3) Yves (aller) .... chez Marie.

4) Justine (aller) .... chez son ami（朋友）.

5) Jacques et moi, nous (aller) .... à Lille.

6) Elle et toi, vous (aller) .... chez le professeur ?

7) Marie et Benoît (aller) .... à la messe（做弥撒）.

8) Lyce et Monique (aller) .... à Shanghai.

4. Exercices à trous.（填空练习。）

1) – .... c'est ?

– Bonjour ! C'est ...., Luc.

– Bonjour ! Mais, qu'est-ce que .... ?

– Devine ! ... C'est .... photo.

– Ah ! Une .... ? C'est chic !

2) C'est .... carte .... la Chine.

3) Voici .... valise. C'est .... valise.

4) Luc est .... Annie.

5) .... vas-tu ?

6) Voilà Nicolas .... Pascal.

5. Traduisez les phrases suivantes en français.（将下列句子译成法语。）

— 你好！安妮！

— 你好！卢克！近来好吗？

— 挺好的。这是什么？

— 是我的手提箱。

— 箱子真漂亮！

IV. Exercices oraux

Commentez les images suivantes.（看图说话。）

Leçon 3 Présentations

Dialogue 1

Marc:	Salut, Cécile.
Cécile:	Ah ! C'est toi, Marc. Salut !
Marc:	Je te présente mon ami, Charles.[1]
Charles:	Enchanté, mademoiselle. Je m'appelle Charles.[2]
Cécile:	Enchantée, monsieur. Moi, je m'appelle Cécile.
Marc:	Charles est étudiant à Toulouse.
Cécile:	Ah bon ?[3] Ça va, les études ?[4]
Charles:	Oui, oui, ça va bien.
Cécile :	Où allez-vous maintenant ?
Marc:	Nous allons à la piscine. Et toi, où vas-tu ?
Cécile:	Je vais à la boutique.

Dialogue 2

(Cécile et Alet sont dans la rue.)

Cécile:	Salut, Alet. Comment ça va ?
Alet:	Très bien ! Et toi, Cécile ?
Cécile:	Moi aussi, merci.[5] Mais où vas-tu avec ta valise ?
Alet:	Je vais à la gare avec mon amie.
Cécile:	À la gare ? Mais pourquoi ?
Alet:	Je vais à Paris. C'est la rentrée.
Cécile:	Et elle ? Qui c'est ?
Alet:	Elle s'appelle Annie Dufour.[6]
Cécile:	Où va-t-elle ?[7] Elle va aussi à Paris ?
Alet:	Non, elle va à Tours. Elle est étudiante là-bas.

Leçon 3

Vocabulaire 词汇

Alet [alɛ]	阿莱（男名）
aller [ale] *v.i.*	去（往）
Annie [ani]	安妮（女名）
appeler (s') [saple] *v.pr.*	名叫
aussi [osi] *adv.*	也
avec [avɛk] *prép.*	和，带着
boutique [butik] *n.f.*	商店
Cécile [sesil]	塞西尔（女名）
Charles [ʃarl]	夏尔（男名）
dans [dɑ̃] *prép.*	在……内，在……里
Dufour [dyfu:r]	迪富尔（姓）
enchanté, e [ɑ̃ʃɑ̃te] *a.*	很高兴
études [etyd] *n.f.pl.*	学业
étudiant, e [etydjɑ̃, ɑ̃:t] *n.*	大学生
gare [ga:r] *n.f.*	火车站
Jacques [ʒak]	雅克（男名）
je [ʒə] *pron.pers.*	我（主语人称代词）
là-bas [laba] *adv.*	那边，那儿
mademoiselle [madmwazɛl] *n.f.*	小姐
maintenant [mɛ̃tnɑ̃] *adv.*	现在
Marc [mark]	马克（男名）
mon [mɔ̃] *a.poss.*	我的
monsieur [məsjø] *n.m.*	先生
Paris [pari]	巴黎
piscine [pisin] *n.f.*	游泳池
pourquoi [purkwa] *adv.*	为什么
présentation [prezɑ̃tasjɔ̃] *n.f.*	介绍
présenter [prezɑ̃te] *v.t.*	介绍
rentrée [rɑ̃tre] *n.f.*	开学；返校
rue [ry] *n.f.*	街道
sa [sa] *a.poss.*	他（她；它）的
Toulouse [tulu:z]	图卢兹（法国西南大城市）
Tours [tu:r]	图尔（法国中部城市）
très [trɛ] *adv.*	很，非常

Expressions de classe 课堂用语

Bonsoir, tout le monde. 大家晚上好。
Au revoir. 再见

Notes 注释

1. ***Je te présente mon ami*, Charles. 我给你介绍我的朋友，（他叫）夏尔。**

1) 原句型是 présenter qn à qn 向某人介绍某人。

2) te 是间接宾语人称代词第二人称单数，法语中代词常置于相关动词前。

2. ***Je m'appelle* Charles. 我名叫夏尔。**

s'appeler 是法语中的一类特殊动词，称为代词式动词。动词变位时除主语人称代词变化，动词原有的自反代词也要做相应的变化。如：je **m**'appelle，tu **t**'appelles，il **s**'appelle, elle **s**'appelle。

3. Ah bon ? 真的吗？

口语中经常使用，表示疑问、惊讶等。

4. *Ça va*, les études ? 学习怎么样？

ça va 在法语口语中使用范围很广，不仅可以单独使用，而且还可以和不同的词组搭配，泛指各种含义：

1) Ça va ? 好吗？（疑问句中，询问身体、天气、环境、工作等）

2) Ça va, le film ? 电影好看吗？（疑问句中，并指出具体的询问内容）

3) Oui, ça va. 是的，很好。（叙述句中）

5. *Moi aussi*, merci. 我也很好，谢谢。

“重读人称代词 +aussi”表示“某人也……”时只能用于肯定形式。

– Je vais à Paris. 我要去巴黎。
– Moi aussi. 我也去（巴黎）。

– Philippe est styliste. Et Fanny ? 菲利普是服装设计师，那么法妮呢？
– Elle aussi. 她也是（服装设计师）。（此处的 elle 是重读人称代词）

6. Elle s'appelle *Annie Dufour*. 她名叫安妮 · 迪福尔。

法国人的姓名一般分为两部分。其姓名的顺序与汉语相反：习惯上是名（le prénom）在前，姓（le nom）在后。名和姓的第一个字母都要大写，姓的字母也可全部大写（常见于名片）。如：

François Mitterrand 弗朗索瓦 · 密特朗
Madeleine Rémy 玛德莱娜 · 雷米

Jacques DUPONT 雅克 · 杜邦

7. Où va-*t*-elle ? 她去哪里？

在第三人称单数主谓倒装的疑问式中，如果前置的变位动词是以元音字母结尾，那么为了方便读音，须在动词和以元音开头的人称代词（il, elle）之间加上“-t-”。如：

Où habite-**t**-il ? 他住在哪里？
Où travaille-**t**-elle ? 她在哪里工作？

主有人称代词
ma(阴) ta sa
mon(阳) ton son
mes(复) tes ses
amie(阴), 但为发音方便, mon amie

je fais mes études = 复数.
{ma
{mon

une demoiselle 一位小姐
madame 称呼 (已结婚)
une dame 一位女士
un monsieur

PHONÉTIQUE 语音

Tableau de phonétique 读音规则表

音类	音素	拼写形式	例词
元音	[e]	é	été, épée, dé
		er, ez 在词尾	aller, nez, chez
		es 在少数单音节词中	les, mes, des
		ai 在动词中和少数词中	j'ai, je parlerai, quai
		e 在词末不发音的 d, ds 前	pied, assieds
		e 在词首 desce-, eff-, ess- 中	descente, dessiner, essai, effet
	[u]	ou, où, oû	loup, où, coût
		aoû 在个别词中	août
辅音	[ʒ]	j	déjà, jeune, joue
		g 在 e，i, y 前	geste, gilet, gymnase
		ge 在 a, o 前	geai, geôle, mangeons
	[g]	g 在 a, o, u 和辅音字母前	gare, goût, légume, augmenter
		gu 在 e, i, y 前	guerre, guide, Guy
		g 在少数词的词尾	gong, zigzag
		c 在 second 为词根的几个词中	second, seconder
		ex / inex } + 元音 { [ɛgz] / [inɛgz]	exact, exercice, inexacte, inexistant
	[r]	r, rr, rh	Paris, rue, serre, rhabiller, rhume, tir, or

Comment prononcer 如何发音

1. 元音 [e]

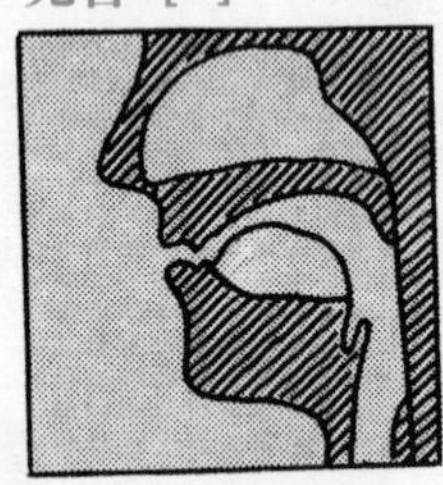

舌尖抵住下齿内侧，两嘴角略向外拉，舌前部略向上抬起。开口度介乎于 [i] 与 [ɛ] 之间。与汉语拼音的 ei 相似。

※ 发音中不要向开、闭方向滑动。

2. 元音 [u]

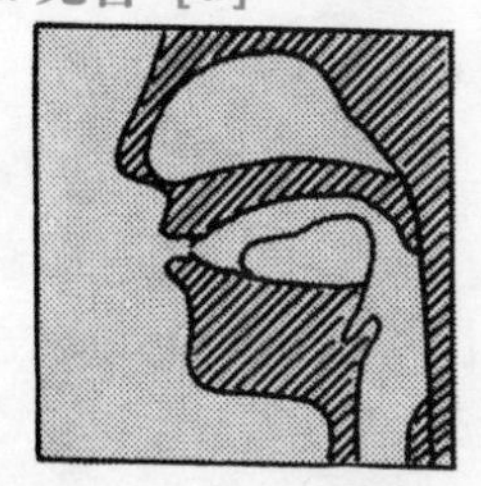

舌向后缩，舌后部向上抬起。开口度很小，双唇突出成圆形。与汉语拼音的 u 相似，但肌肉更紧张。

3. 辅音 [ʒ]

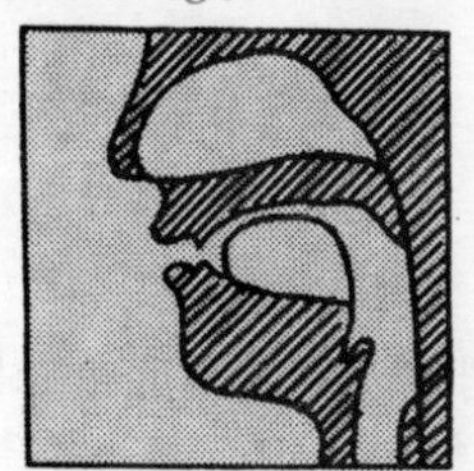

[ʒ] 是与清音 [ʃ] 相对应的浊辅音。[ʒ] 的发音方法与 [ʃ] 相仿，只是前者声带振动，后者不振动。

※ 发音时注意摩擦，不要读成汉语拼音的 r。

4. 辅音 [g]

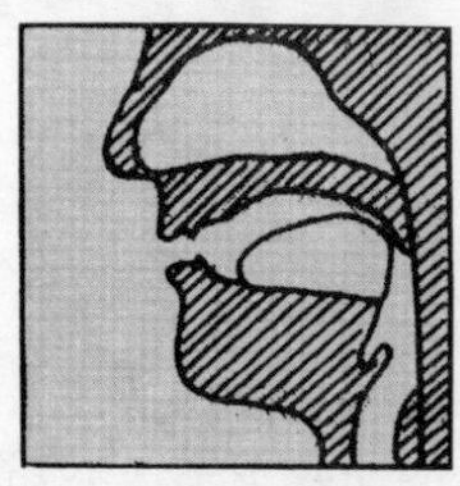

[g] 是与清辅音 [k] 相对应的浊辅音。它的发音口型与部位均同 [k] 一样，但振动声带。

5. 辅音 [r]

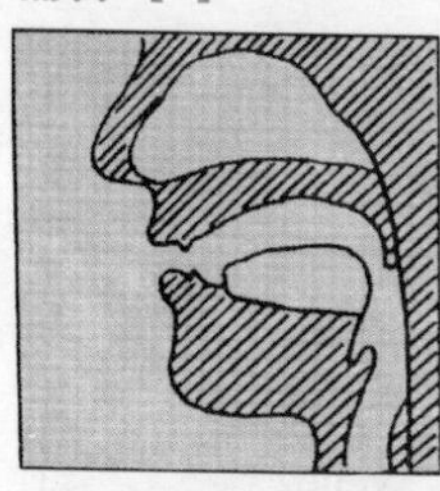

舌尖放松，舌后部略抬起，靠近软腭与小舌，使胸腔气流通过小舌与舌后部之间空隙产生摩擦，同时振动声带。

※ 如发 [r] 时有困难，可含一口水，做漱口状，体会小舌发音情况。

另外，除小舌擦音 [r]，还有一种小舌颤音，发音时小舌颤动，但使用较少，它的音标是 [ʁ]。

Connaissances phonétiques 语音知识

1. 字母 g 的发音

1) 在 a, o, u 和辅音字母前发 [g]，如：gare [gaːr]，légume [legym]。

2) 在 e, i, y 前则读 [ʒ]，如：Gérard [ʒeraːr]，gilet [ʒilɛ]。

3) 字母组合 gu 在 e, i, y 前读 [g]，如：Guy [gi]，guerre [gɛːr]，guide [gid]。

2. 长音

在词末重读闭音节中，[ʒ] 音前的元音要读长音，如：tige [tiːʒ]，sage [saːʒ]。

3. 字母 r 的发音

1) 在词末时要发音，如：Dufour [dyfuːr]，gare [gaːr]，car [kaːr]。

2) [r] 为词末重读闭音节时，[r] 音前的元音要读长音，如：car [kaːr]，cour [kuːr]。

4. 连音 (Enchaînement)

在法语语流中，词与词之间、音与音之间，凡是不该有停顿的地方就不能断开，而应连成一气读下来。这就叫做连音。如：

il est [ilɛ]

El**le** **e**st dans la rue. [ɛlɛ-dɑ̃-la-ry]

5. 语调 (2)：叙述句语调 (Intonation narrative)

词或词组放到语句中就要服从整个语句的语调。也就是说，词或词组就不能再保留它们原来独立时的音调，而要根据它们在整个语句中的位置和整个语句声调的规律、节拍做出相应的调整。通常，在包含两个以上节奏组的、较长的肯定叙述句中，语调一般是先升后降的。如：

Elle est à la gare, mais elle va à Paris.

Je vais à la piscine, tu vas en classe.

实际上，任何一种语言，即使是基本语调，也会有很多的变化。比如这种最基本的叙述句，也可能因为种种原因而发生变化。所以，在语言学习的实践中去体会和总结各种语调的变化才是最为行之有效的方法。

Sons et lettres 语音与字母

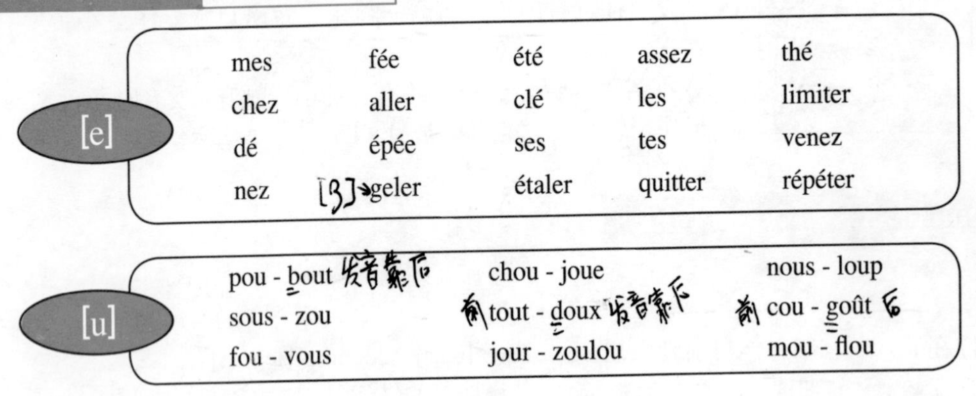

[i-e-ɛ]

fit - fée - fait	si - ces - sait
mis - mes - mais	qui - quai - quel
lit - les - laid	épis - épée - épais
nid - nez - naît	rigide - réglé - respect
tic - thé - teck	durite - durer - durait

[ʃ-ʒ]

char - jars	chat - jamais
chic - gîte	chemise - Genève
chair - gel	chute - juste

[ʃ-ʒ]

marche - marge	lâche - large
sache - sage	sèche - Serge
niche - tige	pluches - luge

[s-ʒ]

sacs - Jacques	sel - gel	six - gise
ce - je	su - jus	sache - sage
laisse - Serge	lisse - tige	messe - page

[z-ʒ]

zèle - gèle	rase - rage
zeste - geste	lèse - lège
zist - girafe	lise - tige
zut - juste	pèse - page

[g-k]

gare - car	garer - carré
goût - cou	goûter - couler
Guy - qui	guider - quitter

[k-g]

car - gare	bac - bague	cale - galle
fac - vague	tic - digue	bec - bègue
qui - guy	quête - guette	paquet - baguette

[r]

rat - ramasse	rêve - reste	riz - rivage
roue - rouler	rue - rustique	reflet - refléter

[ːr]

arts - pur	char - cour	sire - serre
tire - miroir	tenir - lire	venir - revenir

Leçon 3

Élocution 咬文嚼字

- Un rat gris rit sur la rive rousse d'une rivière.
- La carcasse gardée est cassée par un grand gars caché.
- Sur chaque chou rouge, un choucas bouge.
- Un cireur cisèle à ciseau six silhouettes cirées de Sicile.
- Ce fut juste un zébu qui fit un geste injuste.

GRAMMAIRE 语法

1. 不定冠词和定冠词 (Articles indéfinis et définis)

法语冠词有阴阳性 (masculin ou féminin) 和单复数 (singulier ou pluriel) 之分，通常位于名词前。请见下表：

性数 / 冠词种类	单数		复数
	阳性	阴性	阴阳性共用
不定冠词	un	une	des
定冠词	le 或 l'	la 或 l'	les

1) 名词的阴阳性首先是由冠词体现的。不确指或首次提到的名词前使用不定冠词，而确指或再次提到的名词前使用定冠词（可对比英语中的 a 和 the)。如：

- **un** disque, **un** livre　　(un 是阳性单数不定冠词，不确指)
  une porte, **une** valise　　(une 是阴性单数不定冠词，不确指)
- Voici **un** livre. C'est **le** livre de Pascal. 这是一本书。是帕斯卡尔的书。
  第一次提到使用阳性不定冠词，而再次提到已确指，改用阳性定冠词。
  Voilà **une** valise. C'est **la** valise d'Annie. 这是个箱子。是安妮的箱子。
  第一次提到使用阴性不定冠词，而再次提到已确指，改用阴性定冠词。
- 以元音或哑音 h 起始的单数名词前，定冠词 le，la 均要省音，改为 l'。
  C'est **l'**ami de Philippe. 这是菲利普的朋友。
  Voici **l'**Hôtel de ville de Paris. 这是巴黎市政厅。

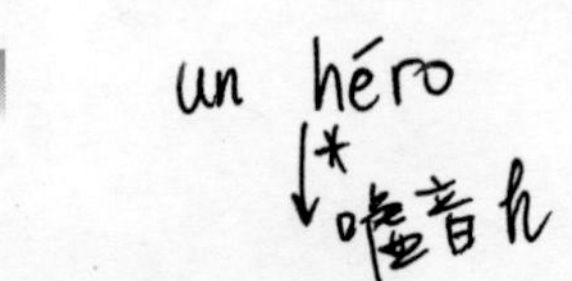

2) 冠词有单复数之分。名词变为复数时一般是在词尾上加一个不发音的 s，其冠词也要做出相应改变。如：

un livre 一本书 → **des** livres 几本书

une valise 一只手提箱 → **des** valises 几只手提箱

Voici **des** livres. Ce sont **les** livres de Pascal. 这是一些书。是帕斯卡尔的书。

Voilà **des** valises. Ce sont **les** valises d'Annie. 这是几个箱子。是安妮的箱子。

3) des, les 应和后面词的词首元音联诵。如：

des‿hôtels [de-zotɛl] , les‿étudiantes [le-zetydjɑ̃:t]

2. 主语人称代词（Pronom personnel sujet）

一般句中，主语是动作的施动者。而法语共有八个主语人称代词，分别是：

	单　数	复　数
第一人称	je 我	nous 我们
第二人称	tu 你	vous 你们；您，您们
第三人称阳性	il 他；它	ils 他们；它们
第三人称阴性	elle 她；它	elles 她们；它们

※ vous 除表示"你们、您们"外，还有"您"这个单数概念。

※ 使用第三人称复数主语人称代词时，若代词所要替代的既有阳性又有阴性名词，主语人称代词应使用阳性复数的 **ils** 。

3. 疑问句（L'interrogation）（2）：特殊疑问句（L'interrogation partielle）

第一课语法中已经讲到了一般疑问句的三种基本形式。通常情况下，一般疑问句前加上特殊疑问词，就可以构成特殊疑问句，以下是特殊疑问句的三种基本形式：

1) 特殊疑问词 + 主谓倒装结构 + ?

Où vas-tu ? 你去哪里 ?

Où va Michel ? 米歇尔去哪里 ?

2) 特殊疑问词 + est-ce que + 叙述句 + ?

Où est-ce que tu vas ? 你去哪里 ?

Où est-ce que Michel va ? 米歇尔去哪里 ?

3) 特殊疑问词 + 名词主语 + 主谓倒装结构 + ?

Où Michel va-t-il ? 米歇尔他去哪里 ?

4) 叙述句 + 特殊疑问词 + ?

Vous allez où ? 你们去哪里 ?

※ 这是一种通俗的口语形式，句末语调上升。

4. aller

1) Conjugaison :

aller [ale]	
je vais [ʒəve]	nous allons [nuzalɔ̃]
tu vas [tyva]	vous allez [vuzale]
il va [ilva]	ils vont [ilvɔ̃]
elle va [ɛlva]	elles vont [ɛlvɔ̃]

2) Emploi :

① aller 与特殊疑问词 où 合用，构成特殊疑问句。如：

Où vas-tu ? / Tu vas où ?　你去哪儿？

② aller + à（chez, dans, en 等）+ 地点表示“去某处”。地点不同，介词可能不同。如：

Je vais chez Pascal.　我去帕斯卡尔家。

Vous allez à Paris ?　您去巴黎？

Nous allons en France.　我们去法国。

ÉCRITURE　　书写规则

Bilan (3) 小结（3）

1. 与汉语相同，法语的标点符号也不可单独移行。
2. 正确地使用标点符号可确保行文立意的准确。应摒弃那种通篇逗号、句号或顿号的不良书写习惯。
3. 法语的连字符为“-”，其功能是表明连字符号前后的词是同一个语法或语义单位的。比如我们已经学过的主谓倒装结构中：est-ce 。

UN PEU DE CIVILISATION FRANÇAISE
法兰西文化点滴

Premières rencontres 初次见面

1. 初次见面应注意礼貌，语言使用要得体，最好使用"bonjour，comment allez-vous"之类的标准语言。
2. 彼此相互介绍时应女士优先。
3. 被介绍者应以"enchanté(e)，très heureux(se)"等来应答。
4. 初次见面，男士应等女士伸出手后只轻轻一握即可。
5. 初次见面不宜主动打探对方的隐私问题，诸如年龄、住所和收入等等。
6. 初次见面应以"您（vous）"相称，"你（tu）"用于熟人之间。

Proverbe 谚语

Petit à petit, l'oiseau fait son nid.
聚沙成塔。积少成多。

EXERCICES 练习

I. Exercices de phonétique

1. Exercices d'audition. 

1) Écoutez et dites si vous avez entendu la voyelle [e], [ɛ], [u] ou [y].

	[e]	[ɛ]	[u]	[y]
1				
2				
3				
4				
5				
6				
7				
8				
9				
10				

2) Écoutez et dites si c'est une affirmation ou une question.

	Affirmation	Question
1		
2		
3		
4		
5		
6		
7		
8		
9		
10		

3) Vrai ou faux ?

Vous allez entendre 6 phrases enregistrées. La phrase que vous entendez correspond-

elle à la phrase que vous lisez sur votre livre ?

① C'est doux.

a. oui

b. non

② C'est un lit.

a. oui

b. non

③ C'est mou.

a. oui

b. non

④ Une nouvelle revue.

a. oui

b. non

⑤ Voilà deux poules !

a. oui

b. non

⑥ Je m'appelle Bill.

a. oui

b. non

2. Lisez les mots suivants.

scie	repas	passe	rase	score	discuter
escale	gilet	jouer	cage	courir	gymnase

3. Lisez les phrases suivantes avec le professeur et essayez d'en trouver les différentes intonations.（与老师共同朗读下列句子，找出不同的语调。）

1) – Salut, Cécile.

– Salut, Pascal.

2) – C'est Annie Dufour là-bas ?

– Oui, c'est elle !

3) – À la gare ? Mais pourquoi ?

– Pourquoi ? Elle va à Paris !

4. Donnez la transcription phonétique et indiquez les syllabes.

sachez [ ] bijou [ ] gerbe [ ]

jamais [ ] vouloir [ ] pouvoir [ ]

genou [ ] Gérard va à Paris avec sa valise. [ ]

5. Répondez aux questions suivantes.

1) 法语中有几个辅音字母在词末是要发音的，它们分别是 ....。

2) 字母 c 在 e, i, y 前读 [ ]；
在 a, o, u 前读 [ ]；
在辅音字母前读 [ ]。

3) 字母 s 在两个元音字母之间读 [ ]。

4) 重读闭音节中，在 [ ] [ ] [ ]. [ ] 前面的元音要读长音。

5) 元音字母 e 在词末一般 ....。

6) 字母 g 在 e, i, y 前读 [ ]；
在 a, o, u 前读 [ ]；
在辅音字母前读 [ ]。

7) 字母组合 sc 在 e, i 前读 [ ]；
在 a, o, u 前读 [ ]。

8) 请举出三对相应的清浊辅音：[-]，[-]，[-]。

II. Exercices de dialogues

1. Questions sur le *Dialogue 1*.

1) L'ami de Marc, qui est-ce ?
2) À qui Marc présente-t-il son ami ?
3) Comment s'appelle son ami ?
4) Que fait Charles ?
5) Où est-ce qu'il est étudiant ?
6) Toulouse, c'est où ?
7) Les études de Charles se passent-elles bien ?
8) Où vont Marc et Charles ? Et Cécile ?

2. Questions sur le *Dialogue 2*.

1) Où sont Cécile et Alet ?
2) Où Alet va-t-il ?
3) Pourquoi va-t-il à la gare ?
4) Avec qui va-t-il à la gare ?
5) Quel est le nom de son amie ?
6) Que fait-elle ?
7) Où va-t-elle ?

3. Exercices de structures.（句型结构练习。）

1) aller à + 地点

– Est-ce que tu vas à Paris ?
– *Oui, je vais à Paris.*

à Lille	à la piscine
à la gare	à Nice

2) aller chez + une personne (去……家)

– Tu vas où ?
– *Je vais chez Jacques.*

Pascal	moi
Fanny	Monique
elle	Luc Dupont

3) 特殊疑问句问答

– Où vas-tu ?
– *Je vais à la gare.*

Nice	Genève
là-bas	chez Pascal

4) 倒装疑问句问答

– Est-ce ta jupe ?
– *Oui, c'est ma jupe.*

une valise	une piscine
une classe	une chemise

4. Trouvez les questions convenables.

1) Je vais à la piscine.
2) Annie va à Paris.
3) C'est une valise.
4) Elle va à la piscine.
5) C'est Gérard.
6) Oui, c'est ma chemise.
7) C'est moi.
8) C'est Annie là-bas.

III. Exercices grammaticaux

1. Exercices à trous.（填空练习。）

1) .... va à Paris.
2) Où vas- .... ?
3) C'est ....valise.
4) .... est-ce que Paul va ?
5) Je vais à .... gare.
6) Luc va .... Beijing.

2. Complétez avec des pronoms toniques.（用重读人称代词填空。）

1) – ...., je vais à Beijing. Et .... ?
   – .... aussi.
2) – Je suis à Paris. Et .... ?
   – ...., je suis à Lyon.
3) – Et ...., qui c'est ?
   – ...., c'est Nathalie.
4) – Je vais à la piscine, tu vas avec .... ?
5) – Il est styliste, elle est styliste .... aussi.

3. Chassez l'intrus.

1) une jupe - une chemise - une porte - une veste
2) une gare - une chaise - une table - une armoire
3) une valise - une classe - une gare - une piscine
4) Paris - Nice - Genève - Lille
5) Fanny - Annie - Louis - Catherine

4. Complétez avec *je, tu, il* et *elle*.（用 **je, tu, il** 和 **elle** 填空。）

1) Voici Marie, ... est styliste.
2) Mais, ... vas où ?
3) – Est-ce Annie là-bas ?
   – Oui, c'est ....
4) Voilà Pascal. .... est à Nice.
5) – Luc, ... vas chez Cécile ?
   – Oui, ... vais chez elle.
6) Oui, ... vais à Paris.

IV. Exercices oraux

Jouez à trois.（三人演一演。）

（要求：利用课文中的情景，想象两人相遇后介绍另一位在场的朋友。）

Leçon 4 L'heure, c'est l'heure !

Dialogue 1

(Dans la rue)

Annie: Bonjour, Claire.

Claire: Bonjour, Annie. Où vas-tu maintenant ?

Annie: Je vais à l'école.[1] Excuse-moi[2], tu as l'heure[3]?

Claire: Oui, il est presque dix heures.

Annie: Quelle heure est-il ?[4]

Claire: Dix heures !

Annie: Déjà ?! Oh là là ![5] Je suis en retard.[6]

Claire: Tu es en retard ?

Annie: Oui, j'ai un cours à dix heures. Au revoir.

Claire: Au revoir et dépêche-toi[7] !

Dialogue 2

Catherine: Salut, Bernard.

Bernard: Salut, Catherine.

Catherine: Est-ce que tu as l'heure, Bernard ?

Bernard: Oui, il est deux heures juste.

Catherine: Oh, je suis pressée.

Bernard: Pourquoi ?

Catherine: J'ai un cours de chinois à deux heures et demie.

Bernard: Tu as cours ? Vite ! L'heure c'est l'heure ![8]

Catherine: Merci, à tout à l'heure[9]!

Vocabulaire 词汇

avoir [avwaːr] *v.t.*	有
Bernard [bɛrnaːr]	贝尔纳（男名）
Catherine [katrin]	卡特琳娜（女名）
chinois [ʃinwa] *n.m.*	中文，汉语
Claire [klɛːr]	克莱尔（女名）
cours [kuːr] *n.m.*	课（程）
de [d(ə)] *prép.*	……的（表示所属、限定等）
déjà [deʒa] *adv.*	已经
demi, e [d(ə)mi] *a.*	一半的
dépêcher (se) [sədepɛʃe] *v.pr.*	赶快
école [ekɔl] *n.f.*	学校
excuser [ɛkskyze] *v.t.*	原谅
heure [œːr] *n.f.*	时间，钟点
juste [ʒyst] *adv.*	正好，恰巧
oh [o] *interj.*	啊，哎呦
presque [prɛsk] *adv.*	几乎，差不多
pressé, e [prɛse] *a.*	着急，赶时间
quel, quelle [kɛl] *a.interr.*	哪个
retard [rətaːr] *n.m.*	迟到
un [œ̃] *art.indéf. m.*	一个（阳性不定冠词）
vite [vit] *adv.*	快，赶快

Expressions de classe 课堂用语

> Allons-y！ 我们开始吧！
> Écoutez bien, s'il vous plaît！ 请注意听！

Comptons 计数

1	un [œ̃], une [yn]		6	six	[sis]
2	deux	[dø]	7	sept	[sɛt]
3	trois	[trwa]	8	huit	[ɥit]
4	quatre	[katr]	9	neuf	[nœf]
5	cinq	[sɛ̃ːk]	10	dix	[dis]

Notes 注释

1. Je *vais à l'école*. 我去学校。

aller à l'école，本意是“去学校”，引申为“上学了；读书了”。

2. Excuse-moi：请原谅（我）。

excuser qn 指“原谅某人”。例句中动词是 excuser 的第二人称单数的命令式，moi 是直接宾语人称代词 me 的重读形式。

3. tu as l'heure : 几点了？

avoir l'heure 在口语中经常用于询问时间，如：

Excusez-moi, mademoiselle. Avez-vous l'heure ? 小姐，请问几点钟了？

4. *Quelle* heure est-*il* ? 几点了？

疑问形容词 quel 应与所修饰名词的性数一致。如：

C'est quel numéro ? 是几号？（阳性单数）

Quelles fleurs est-ce que tu aimes ? 你喜欢哪些花儿？（阴性复数）

5. Oh là là ! 哟！哎呀！

表示惊奇、赞叹、愤怒、高兴、痛苦等感情。

6. Je suis en retard. 我迟到了。

être en retard : 迟到。如：　en retard de dix minutes 迟到十分钟

Il est en retard. 他迟到了。

Elle est déjà en retard pour le dîner. 她已经赶不上吃晚饭了。

7. dépêche-toi :（你）赶快吧！快点，快点！

这是代词式动词 se dépêcher 第二人称单数的肯定命令式。

8. L'heure c'est l'heure ! 时间就是时间！

法语中类似用法很多，一般用来强调。如：

Un ami, c'est un ami. 朋友就是朋友。

L'argent c'est l'argent. 钱就是钱。

9. à tout à l'heure : 一会儿见。

ex. Être pressé de partir 着急离开

Elles sont pressées de partir

性数配合

être pressé d'argent 着急用钱　de + 动词原形

(de argent)

à demain 明天见

à l'après-midi 下午见

à tout à l'heure 过会儿见

à bientôt ! 很快再见

Leçon 4

PHONÉTIQUE  语音

Tableau de phonétique 读音规则表 

音类	音素	拼写形式	例词
元音	[œ]	eu, œu 在闭音节词中	fleur, heure, sœur, fleuve, neuf, jeune
		eu, œu 在词首或词中	beurrer, aveugler, œuvrer, désœuvré
		œ 在个别词中	œil
		c, g } + ueil = [œj]	accueil, cueillir, orgueil
		少数借词中	club, t-shirt
	[œ̃]	un, um（后无元音字母或 n, m）	un, chacun, humble
		um 在个别词末（um 在大多数词末读 [ɔm]）	parfum
		eun 在个别词中	à jeun
辅音	[b]	b, bb	là-bas, bol, bus, abbé
	[d]	d, dd	date, dire, madame, additif
		dh 在少数词中	adhésif
		d 在少数词的词尾	sud, David

Comment prononcer 如何发音

1. 元音 [œ]

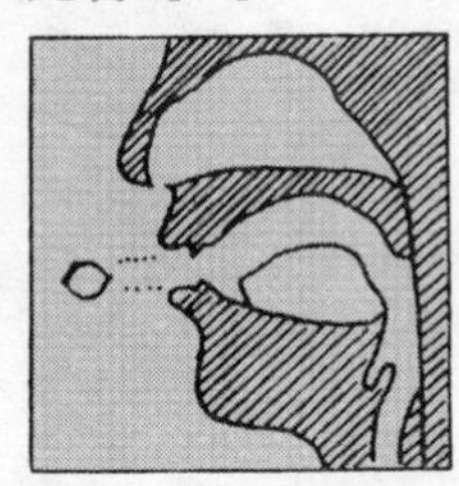

[œ] 的舌位与开口度和 [ɛ] 相同，只是双唇略成圆形。

※ 切忌卷舌。

2. 元音 [œ̃]

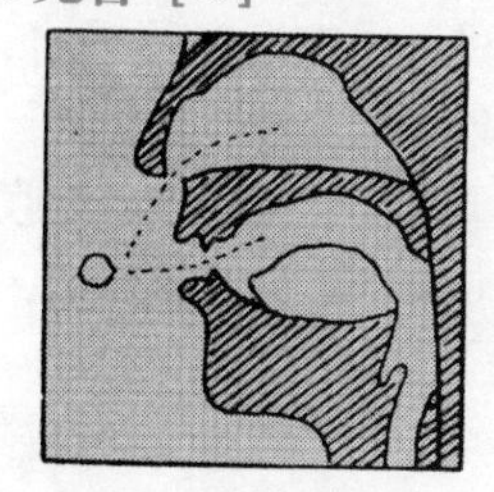

[œ̃] 的舌位与开口度和 [œ] 相同，只是气流从口腔送出的同时也从鼻腔流出，成为鼻（化元）音。

3. 辅音 [b]

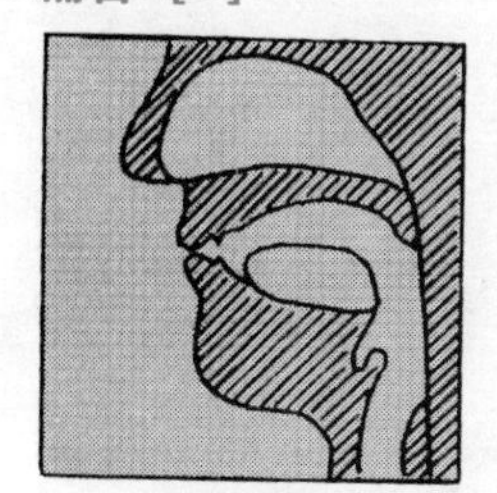

浊辅音 [b] 与清辅音 [p] 相对应，发音方法相同。发音时振动声带。

4. 辅音 [d]

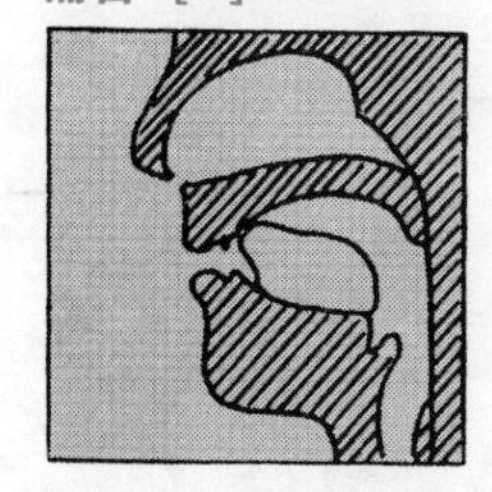

浊辅音 [d] 与清辅音 [t] 相对应，发音方法相同 [t]。发音时振动声带。

Connaissances phonétiques 语音知识

1. [œ̃] 和 [ɛ̃]

在现代法语中，圆唇鼻化元音 [œ̃] 有逐步地被 [ɛ̃] 替代的趋势。由于两者之间区别已不很明显，着重体会即可。

2. 字母 x 的读法

1) 在辅音前 x 一般读 [ks]，如：texte [tɛkst], taxe [taks]。

2) 在元音前读 [gz], 如：exact [ɛgzakt], exiler [ɛgzile]。

3) 在 six [sis]、dix [dis] 中读 [s]；在联诵中读 [z]，如：dix heures [di-zœːr]。

4) 在 deux [dø] 中不发音，但联诵时读 [z]，如：deux heures [dø-zœːr]。

3. 字母 h

法语中，字母 h 不发音，如：Nathalie [natali]，Catherine [kat-rin]。

1) h 在词中往往起分音的作用，如：cahier [kaje]。

2) 但 h 在词首时有两种不同的情况：

①哑音 h (h muet)：当词首是哑音 h 时，前面的词和它之间可以有联诵或省音，如：un hôtel [œ̃-notɛl]，l'heure [lœːr]，deux heures [dø-zœːr]。

②嘘音 h (h aspiré)：当词首字母是嘘音 h 时，前面的词和它之间不能有联诵和省音，如：la harpe [la-arp] 竖琴，deux héros [dø-ero] 两位英雄。

※ 在法语词典中，以嘘音 h 起始的词前均标有星号（*）。

4. 联诵 (Liaison)（2）

在联诵中，s, x 和 z 读 [z]，如：

les‿études [le-ze-tyd]

six‿acteurs [si-zak-tœːr]

Allez-y! [ale-zi]

5. 语调 (3)：其他类型语句的语调

1) 一般疑问句的声调总是上升的，如：

Est-il artiste ?

Elle va à la gare ?

2) 特殊疑问句的声调往往是下降的（也有上升的），如：

Où va-t-elle ?

Qui est-ce ?

Qu'est-ce que c'est ?

3) 总体上来说，语句中的附属部分、注释部分的声调略低，主要部分的声调会比较高。如：

Catherine, une valise à la main, va à la gare.

4) 声调可以辅助表达语言中的情感。愉悦、兴奋时，说话的声调相对来说比较高，而悲伤、郁闷时，说话的声调就会比较低。表示惊讶、赞赏，欢呼时的语气声调会比较高，而且是上升的，但表示迟疑、轻蔑、不满意的情绪时，声调往往较低，而且是下降的。如：

Ah! C'est toi! 呦！是你呀！（高兴）

C'est encore toi! 怎么又是你呀！（不快）

Sons et lettres 语音与字母

[ɛ]

quel - lequel	pèse - apaise
mère - amère	chère - Achères

[œ]

seul - danseur	meurt - demeure
peur - sapeur	beurre - labeur

[ɛ-œ]

sel - seul	air - heure	vers - veuve
l'air - leur	gêne - jeune	père - peuvent
nef - neuve	cette - sœur	le Caire - cœur

[ə-ɛ-œ]

se - cette - sœur	ne - nette - neuve
me - messe - mœurs	te - tête - teuf-teuf
que - quête - cœur	de - dette - deuil

[œ̃]

un	commun	chacun	humble
brun	lundi	parfum	quelqu'un

[œ-ɛ]

leurs chaises - leur maire	leur fête - leur guerre
leurs verres - leurs veines	leurs têtes - leurs selles
leur querelle - leur vaisselle	leur lait - leurs lettres

[p-b]

pas - bas	palais - balai	pie - bis
paix - baie	pu - bu	pou - boue
cape - barbe	coupe - courbe	harpe - arabe

[t-d]

tâte - date	patte - fade	latte - salade
tête - dette	vite - vide	cette - cède
tir - dire	cote - code	rite - ride
toute - doute	tenir - devenir	Tunisie - durcir

Élocution 咬文嚼字

- Tu dis « tu » depuis que tes amis sont ici.
- À neuf heures chez Seurre, ses deux sœurs sont seules.
- Bousse pousse la bouteille vers la poupée.
- Une paire de bêtas pèsent leurs bettes sur pelle .
- Thibert dîne, dit-il, du thon du Midi.

1. 基本介词 à 和 de (Prépositions essentielles *à* et *de*)

à 和 de 是法语众多介词中使用频率最高的两个，与英语中的 to 和 of 相似。这两个介词使用范围极其广泛，我们将其称为基本介词。它们常与名词、代词、形容词、动词等搭配，构成众多的固定结构。下面就是其中几种最基本的用法。

1) 介词 à

- 引出地点状语：Je vais **à Beijing**. Elle est étudiante **à Tours**.
- 引出时间状语：À demain ! Nous avons un cours **à deux heures**.
- 表示目的、用途：la salle **à manger**, une brosse **à dents**
- 与动词搭配，构成句型：aller à, être à, apprendre à, avoir à

2) 介词 de

- 表示所属、限定：la valise **de Pascal**, la famille **de mon ami**
- 表示属性、特性：un cours **de langue**, une heure **de travail**
- 表示起源、来源：une lettre **de Paris**, sortir **de chez lui**
- 表示时间：**de huit heures** à midi, **du matin** au soir
- 与动词搭配，构成句型：demander à qn **de** faire qch.

2. 钟点表达法 (Expression de l'heure)

1) 询问时间时，最常用的疑问形式有以下两种，意思是"几点了？"：

Quelle heure est-il ?（il 是无人称代词，属形式主语）

Tu as (Vous avez) l'heure ?（avoir l'heure 引申为"几点了？"）

2) 回答时间用无人称句：il est + 数字形容词 + heure(s)，如：

– Quelle heure est-il ? 几点了？

– Maintenant, il est huit heures du matin. 现在是早上 8 点。

– Tu as l'heure ? 几点了？

– Oui, il est deux heures de l'après-midi. 是的，下午 2 点了。

3) 时间（钟点）的表达方式

①法语中有几种不同的钟点表示法：

- 第一种是 24 小时表示法，常用于火车站、飞机场、电台，我们在这里称之为官方时间表示法，如：13 点 30 分，24 点整。
- 第二种是 12 小时表示法，常用于日常口语中，如：早上 6 点半，半夜 12 点。
- 第三种是用于书面的简略表达法，常见于各种预报、时刻表或公共服务场所门口的营业时间表上，如：6 h, 11 h 10, 17 h 45, 0 h 05。

②我们把这三种表达方式均列于下表中。

钟点表达示意表

时间分段	提示 Il est...	官方时间表示法 l'heure officielle	口语时间表示法 l'heure dans la conversation
整点	6 h	six heures	six heures du matin（早晨）
	12 h	douze heures / midi	midi（中午）
	14 h	quatorze heures	deux heures de l'après-midi（下午）
	20 h	vingt heures	huit heures du soir（晚上）
	23 h	vingt-trois heures	onze heures du soir
	0 h	zéro heure（零点）	minuit（半夜）
半点	12 h 30	douze heures trente	midi et demi
	16 h 30	seize heures trente	quatre heures et demie de l'après-midi
刻钟	16 h 15	seize heures quinze	quatre heures et quart de l'après-midi
	17 h 45	dix-sept heures quarante-cinq	six heures moins le quart du soir
分钟	1 h 10	une heure dix	une heure dix
	11 h 46	onze heures quarante-six	onze heures quarante-six
	15 h 25	quinze heures vingt-cinq	trois heures vingt-cinq de l'après-midi
差	7 h 55	sept heures cinquante-cinq	huit heures moins cinq
	15 h 50	quinze heures cinquante	quatre heures moins dix de l'après-midi
	23 h 45	vingt-trois heures quarante-cinq	minuit moins le quart

※ 法语表达“四十五，差一刻或三刻钟”也有三种方式。以“11：45”为例：

Il est midi moins le quart.（口语）

Il est onze heures quarante-cinq.（官方）

Il est onze heures (et) trois quarts.（少用）

※ 所有的数字形容词都会和后面的 heure(s) 联诵。如：

une heure [y-nœːr], deux heures [dø-zœːr], quatre heures [ka-trœːr]

※ 为方便起见，书写中也经常用阿拉伯数字代替法文数字形容词。如：

Il est 8 h (8 heures) du matin.

※ 采用书面简略方式表达时间时，法文和中文略有差别，如：

8 h - 17 h 30 （法文）

8 : 00 -17 : 30 （中文）

※ et quart, un quart, et demie 和 moins le quart 可以和 1 点 – 11 点、midi、minuit 合并使用，但不能与 12 点 – 24 点共用。以“16 点 15 分”为例：

不能说 Il est seize heures et quart.

可以说 Il est seize heures quinze.

※ une heure et demie 一个半小时（形容词 demi 在名词后性要配合，数不变）

une demi-heure 半小时（demi 在名词前并以连字符与 heure 连接，性、数不变）

3. avoir

1) Conjugaison :

avoir [avwa:r]	
j'ai [ʒe]	nous avons [nuzavɔ̃]
tu as [tya]	vous avez [vuzave]
il a [ila]	ils ont [ilzɔ̃]
elle a [ɛla]	elles ont [ɛlzɔ̃]

2) Emploi :

avoir 后直接跟名词，作宾语。如：

J'ai une valise. 我有一件行李。

Tu as l'heure ? 几点了？

Vous avez des amis à Paris ? 您在巴黎有朋友吗？

ÉCRITURE 书写规则

Bilan (4) 小结(4)

在法语中，以下情形在书写时应当使用大写字母：

1. 标题、一句话、一行诗，或一句引语开始的第一个字母应大写。
2. 句号、问号、感叹号或省略号之后，如果句子已经结束，下一句的首字母应大写。
3. 专有名词的第一个字母应大写。
   - 国家、地理名称应大写，如：la **C**hine, le **f**leuve **J**aune。
   - 作为国家或区域的一部分时应大写，如：la **C**hine du **S**ud。
   - 机关、团体的名称应大写，如：le **P**arti communiste chinois, l'**U**niversité des langues étrangères。
   - 节日名称一般应大写，如：le **N**oël, le **N**ouvel **A**n。
4. 表示国籍、民族的词是否大写应视具体情况而定。
   - 民族名作名词时大写，如：les **F**rançais, un **C**hinois。
   - 作形容词时小写，如：la langue **f**rançaise。
   - 作表语时可大写，也可小写，如：Je suis **C**hinois. Elle est **f**rançaise.

UN PEU DE CIVILISATION FRANÇAISE 法兰西文化点滴

Ponctualité 守时

在法国的日常生活中，有两个自相矛盾的原则要遵守：赴约或赴宴提前抵达有失礼之嫌；可又不能让他人久候。建议：

- 去朋友家赴午宴或晚宴不宜提前或准时，最好比预定时间晚到十分钟或一刻钟。
- 参加晚会（如舞会）至少要晚到半个小时。
- 观看演出（音乐会，戏剧）则应准时到达：如果迟到，通常在幕间休息前是不能进入演出大厅的。
- 而在职业生涯里，则应遵守时间，即不早，也不晚。

Proverbe 谚语

Les petits ruisseaux font les grandes rivières.
涓涓之水，汇成江河。

EXERCICES  练习

I. Exercices de phonétique

1. Exercices d'audition. 

1) Écoutez et dites si vous avez entendu la voyelle [ə] ou [œ].

	[ə]	[œ]
1		
2		
3		
4		
5		
6		
7		
8		
9		
10		

2) Écoutez et complétez le dialogue.

Salut !

– Salut. .... t'appelles comment ?
– Yves. Et .... ?
– Moi, ... m'appelle Jules.
– Tu .... français ?
– Oui. Toi, tu es belge ?
– Oui, je .... belge.

3) Mettez le dialogue en ordre, puis écoutez pour vérifier.

Quelle heure est-il ?

a. J'ai un cours de français à midi.
b. Oui, il est midi.
c. Alors, dépêche-toi !
d. Pourquoi ?
e. Tu as l'heure ?
f. Déjà ? Oh là là !

2. Rayez les lettres qui ne se prononcent pas.（划掉不发音的字母。）

Paris Bernard cours trois sept

3. Quel *x* ne se prononce pas ?（下列三个词中，哪个 x 不发音？）

deux six dix

4. Lisez les phrases suivantes et faites attention à la liaison et à l'intonation; faites surtout attention aux changements de son de *s*, *f*, *x* en cas de liaison.（读下列句子并请注意联诵和语调。联诵时请注意 **s, f, x** 的音变。）

1) Excusez-moi !
2) Excusez-moi, madame !
3) Excusez-moi, mademoiselle !
4) Il est une heure.
5) Il est deux heures.
6) Il est trois heures.
7) Il est quatre heures.
8) Il est cinq heures.
9) Il est six heures.
10) Il est sept heures.
11) Il est huit heures.
12) Il est neuf heures.
13) Il est dix heures.

5. Marquez [s] ou [z] sous les *x* d'après leur prononciation. (请根据发音在 x 下面注明音标 [s] 或 [z]。)

six	Il est six heures.
dix	Il est dix heures.

6. Marquez les liaisons et les enchaînements dans les phrases suivantes. (请划出下列句中的联诵和连音处。)

1) Quelle heure est-il ?
2) Il est trois heures et demie.
3) Il est neuf heures.
4) C'est une valise.

7. Lisez les sigles suivants. (朗读下列缩略语。)

AFP	法新社	ONU	联合国	HLM	低租金住房
OUA	非统组织	ABC	美国广播公司	CEE	欧洲经济共同体
DCA	防空部队	SOT	失物招领处	GMT	格林尼治时间
TGV	高速火车	FIFA	国际足联	BNP	巴黎国民银行

8. Donnez la transcription phonétique.

madame	[ ]	presque	[ ]	juste	[ ]
excusez	[ ]	quelle	[ ]	déjà	[ ]
heure	[ ]	boutique	[ ]	ardeur	[ ]
lundi	[ ]	parfum	[ ]	Caire	[ ]

9. Répondez aux questions suivantes.

1) 节奏组中的 .... 一个词要读重音，而组中其他单词原有的词末重音 ....。
2) 字母 r 在词末时是 .... 音的。
3) 在以 [r]、[ʒ]、[v]、[z] 结尾的重读闭音节中，这些音素前的元音要读 ....。
4) 字母 x, s, z 在联诵中读 [　　]。

II. Exercices de dialogues

1. Questions sur le *Dialogue 1*.

1) Qui sont dans la rue ?
2) Où va Annie maintenant ?
3) Quelle heure est-il à ce moment-là ?
4) Pourquoi est-elle en retard ?
5) Elle a un cours à quelle heure ?

2. Questions sur le *Dialogue 2*.

1) Quelle heure est-il maintenant ?
2) Est-elle pressée ?
3) Pourquoi est-elle pressée ?
4) A-t-elle un cours de français ?
5) Son cours de chinois est à quelle heure ?

3. Exercices de structures .

1) il est + 时间

Est-ce que tu as l'heure ?
Oui, il est huit heures.

neuf heures　dix heures　midi
deux heures et demie　cinq heures et quart

2) être pressé (e,s,es)

Elle est pressée ?
Oui, elle est pressée. Elle va à la gare.

Pascal　moi
Fanny et Monique　nous
les étudiantes de la classe C

3) être en retard

moi
Je suis en retard.

Alain Julie le professeur
vous deux étudiantes mon ami

4) il est presque / juste + 时间

Quelle heure est-il ?
Il est presque dix heures.
Il est dix heures juste.

six heures onze heures midi
une heure trois heures minuit

5) avoir + 名词

tu / des amis
– As-tu des amis ?
– Oui, j'ai des amis.

Marie / des cours
nous / une classe
Anne et Julie / deux valises
vous / des questions（问题）
ils / un bon（好的）professeur

III. Exercices grammaticaux

1. Dites et écrivez les heures suivantes en français.（用法语说出并写出下列时间。）

2. Trouvez les questions convenables.

1) C'est Fanny.
2) Oui, c'est Luc Dufour.
3) Il est trois heures.
4) Elle va à la piscine.
5) Oui, c'est une classe.
6) Il est une heure et demie.
7) Oui, j'ai cours.
8) Pascal va à Paris.

3. Répondez aux questions suivantes.（回答问题。）

1) – Qui est-ce ? – *C'est* ....
2) – Est-il dix heures ? – *Oui*, ...
3) – Où va Annie Dufour ? – *Elle va à* ....
4) – Est-ce ta valise ? – *Oui, c'est* ....
5) – Est-ce que tu as l'heure ? – *Oui*, ...
6) – As-tu un cours à deux heures et demie? – *Oui*, ...

4. Quel verbe faut-il mettre ?（该填入哪个动词？）

1) Il .... sept heures déjà ! Nous .... en retard.
2) Excuse-moi ! Tu .... l'heure ?
3) Ce .... pour moi ? Merci.
4) Ce .... la rentrée ! Les étudiants .... à l'université（大学）.
5) Oh là là ! Ces chemises .... pour vous ?
6) Tu .... à l'école ?
7) Vous .... pressé ? Je .... encore une question.
8) Les filles .... à la piscine cet après-midi（今天下午）.

5. Trouvez la bonne réplique.（找出合适的接句。）

1) – Salut, Wang.
2) – Excuse-moi, tu as l'heure ?
3) – Voici Marie Dupont, c'est mon amie.
4) – Je suis en retard !
5) – Comment ça va ?
6) – Chic ! C'est pour moi ?

a. – Oui, c'est pour toi.
b. – Alors, dépêche-toi !
c. – Ça va bien, et toi ?
d. – Enchanté, mademoiselle.
e. – Oui, il est presque midi.
f. – Salut, Li.

IV. Exercices oraux

1. Commentez les images suivantes.

2. À vous de jouer.（演演看。）

（在路上问路。别忘记使用礼貌用语 excusez-moi, merci, s'il vous plaît 等！）

Leçon 5 Mini-dialogues

Mini-dialogue 1

– Oh ! Quel plaisir ![1] Salut, Paul. Comment ça va ?
– Ça va bien, et toi, Luc ?
– Très bien, merci. Qui est-ce ? Tu ne fais pas la présentation ?[2]
– Ah oui ! Voici une amie. Elle s'appelle Hélène Lebon.
– Très heureux[3], mademoiselle.

Mini-dialogue 2

– Quel beau temps aujourd'hui ![4]
– Où est-ce que nous allons, au Palais d'Été ?[5]
– Non, nous n'allons pas au Palais d'Été. Nous allons à la place Tian'anmen.
– D'accord. Et quand partons-nous, tout de suite ?
– Non, pas tout de suite.[6] On part après le petit-déjeuner, tu es d'accord ?

Mini-dialogue 3

– Qui est dans la classe ? Est-ce que c'est Julie ?
– Non, ce n'est pas Julie. C'est Jacqueline.
– Et qu'est-ce que c'est ? C'est un journal ?
– Non, ce n'est pas un journal. C'est une revue française : *Paris Match.*
– Tu as toujours raison.

Mini-dialogue 4

– Jacques, tu as l'heure ?
– Oui, il est presque huit heures. Pourquoi ?
– À quelle heure vas-tu chez le professeur?
– C'est à neuf heures et demie.
– Tu n'es pas en retard, non ? Alors, dépêche-toi ! L'heure c'est l'heure.
– Ça va, ça va, mais je ne suis pas pressé.

Leçon 5

Vocabulaire 词汇

alors [alɔ:r] *adv.* 那么；于是
après [aprɛ] *prép.* 在……之后
beau [bo] (bel [bɛl]), belle [bɛl] *a.* 晴朗的
classe [klas] *n.f.* 教室
d'accord [dakɔ:r] *loc. adv.* 同意，好的
  être d'accord [ɛtrdakɔ:r] 同意，好的
été [ete] *n.m.* 夏天
faire [fɛ:r] *v.t.* 做；干
français, e [frɑ̃sɛ, ɛ:z] *a.* 法国的；法文的
Hélène [elɛn] 埃莱娜（女名）
heureux, se [œrø, ø:z] *a.* 高兴的；幸福的
Jacqueline [ʒaklin] 雅克琳娜（女名）
journal [ʒurnal] (*pl.* journaux [ʒurno]) *n.m.* 报纸
Julie [ʒyli] 朱莉（女名）
Lebon [ləbɔ̃] 勒邦（姓）
match [matʃ] *n.m.* 比赛，竞赛
Paris Match [parimatʃ] 《巴黎竞赛画报》
mini-dialogue [minidjalɔg] *n.m.* 小对话
ne... pas [nəpa] *loc. adv.* 不；没有
non [nɔ̃] *adv.* 不
palais [palɛ] *n.m.* 宫殿
  le Palais d'Été [ləpalɛdete] 颐和园
partir [parti:r] *v.i.* 出发；动身
Paul [pɔl] 保罗（男名）
petit-déjeuner [p(ə)tideʒœne] *n.m.* 早饭
place [plas] *n.f.* 广场
plaisir [plɛzi:r] *n.m.* 愉快，快乐；乐趣
professeur [prɔfɛsœ:r] *n.m.* 老师；教授
quand [kɑ̃] *conj.* 当……时
raison [rɛzɔ̃] *n.f.* 理由；道理
  avoir raison [avwarɛzɔ̃] 有理；正确
revue [rəvy] *n.f.* 杂志
temps [tɑ̃] *n.m.* 天气
toujours [tuʒu:r] *adv.* 总是；一直，永远
tout [tu] *adv.* 十分地，非常地，完全地
  tout de suite [tudsɥit] *loc.adv.* 立即，马上

Expressions de classe 课堂用语

– Avez-vous des questions ? 你们有问题吗？
– Oui, j'ai une question. 是的，我有一个问题。
Non, nous n'avons pas de question. 没有，我们没问题。
Non, merci. 没有，谢谢。

Comptons 计数

11 onze [ɔ̃:z]
12 douze [du:z]
13 treize [trɛ:z]
14 quatorze [katɔrz]
15 quinze [kɛ̃:z]
16 seize [sɛ:z]
17 dix-sept [disɛt]
18 dix-huit [dizɥit]
19 dix-neuf [diznœf]
20 vingt [vɛ̃]

Notes 注释

1. Oh ! *Quel* plaisir ! 啊！真高兴（看见你）！

本句为省略句，完整的句型是 quel plaisir de faire qch.，意思是“真高兴做某事”。

2. Tu ne *fais* pas *la présentation* ? 你不给介绍一下吗？

本句为省略句，完整的句型是 faire la présentation de qn / qch.，意思是“介绍某人或某物”。如：

Alors, tu fais les présentations, ça va ？ 那你给他们互相引见一下，行吗？

Aujourd'hui, je fais la présentation d'un nouveau livre. 今天，我来介绍一本新书。

3. Très heureux : 很荣幸（认识您）。

本句为省略句，完整的句型是 être heureux de connaître qn，意思是“很高兴认识某人”。

口语中经常使用这种省略的表达方式。但要注意形容词与主语的性、数配合。本文中说话人是 Luc，故形容词为阳性单数。如：

Très content. 很高兴见到您。（形容词是阳性形式，可以断定说话人为男性）

Enchantée. 很荣幸认识您。（形容词是阴性形式，可以断定说话人为女性）

4. Quel beau *temps* aujourd'hui ! 今天的天气多好啊！

temps 为多义词，可指“天气”或“时间”。应视上下文判定其含义。如：

Le temps est très beau. 天气非常好。

Nous avons encore le temps. 咱们还有时间。

5. Où est-ce que nous allons, *au* Palais d'Été ? 咱们去哪里，去颐和园吗？

au 为缩合冠词。（※ 参见第 6 课语法 2：缩合冠词）

6. Non, *pas* tout de suite. 不，不是马上（走）。

这是一个省略句，完整的句子是：nous ne partons pas tout de suite.

口语中经常使用这种省略方法。如：

Pas maintenant. 现在不行。

Pas d'accord. 不同意。

PHONÉTIQUE  语音

Tableau de phonétique 读音规则表

Prononciation de *c, g, e*

1. 辅音字母 c 和 g 的读音变化较多，现总结如下：

1) 字母 c 的读法：

读音	拼写形式	举例
[s]	在字母 e, i, y 前	ce [sə], ici [isi], cycle [sikl]
	带软音符号（ç）	ça [sa], leçon [ləsɔ̃]
	sc 在 e, i 前	scène [sɛn], scie [si]
[k] （在辅音字母前及词末时要送气）	在字母 a, o, u 前	café [kafe], cor [kɔːr], cure [kyːr]
	在辅音字母前	clair [klɛːr], cri [kri]
	在词尾	sac [sak], pic [pik]
	ch 在少数词中	chaos [kao], technique [tɛknik]
	cc 在 e, i 前读 [ks]	accès [aksɛ], accident [aksidɑ̃]

2)字母 g 的读法：

读音	拼写形式	举例
[ʒ]	在字母 e, i, y 前	gel [ʒɛl], gilet [ʒilɛ], gymnase [ʒimnaːz]
	ge 在 a, o 前	geai [ʒɛ], geôle [ʒol], mangeons [mɑ̃ʒɔ̃]
[g]	在 a, o, u 及辅音字母前	gare [gaːr], gone [gɔn], gus [gys], glace [glas]
	g 在少数词的词尾	gong [gɔ̃ːg], zigzag [zigzag]

2. 元音字母 e 的读音变化较多，现将其读法归纳如下：

读音	拼写形式	举例
[ɛ]	在闭音节中	sec [sɛk], bête [bɛt], messe [mɛs]
	词尾是 -et 时	buffet [byfɛ]
	è, ê, ë	mène [mɛn], fête [fɛt], Noël [nɔɛl]
	er 在单音节词中（r 发音）	mer [mɛːr], fer [fɛːr]
	ai, aî, ei	mai [mɛ], maître [mɛtr], Seine [sɛn]
	ay, ey 在某些借词中	tramway [tramwɛ], trolley [trɔlɛ]

续表

读音	拼写形式	举例
[e]	er, ez 在词末（r, z 不发音）	parler [parle], chez [ʃe]
	以 es 结尾的单音节词中	tes [te], les [le], des [de]
	é	été [ete], blé [ble]
	连词 et	et [e]
	e 在词末不发音的 d, ds 前	pied [pje], assieds [asje]
	在词首 desce-, eff-, ess- 中	descente [desɑ̃:t], effet [efɛ], essai [esɛ]
[ə]	单音节词尾	le [lə], me [mə], de [də]
	词首开音节内	chemise [ʃəmi:z], revue [rəvy]
	在【辅辅 e 辅】中	mercredi [mɛrcrədi]
	ai 在与 faire 相关的变词中	faisons [fəzɔ̃], satisfaisant [satisfəzɑ̃]
	on 在个别词中	monsieur [məsjø]
不发音	词尾	gare [ga:r], place [plas]
	元音前后	Jeanne [ʒan], lied [lid]
	在【元辅 e 辅元】中	Catherine [katrin], samedi [samdi]
[a]	少数词中	femme [fam], solennel [sɔlanɛl]

※ **1)【辅辅 e 辅】的说明见第22页“读音规则表”。**

※ **2)【元辅 e 辅元】**

字母 e 在单词或节奏组中，如前后各有一个辅音，而两个单辅音的外侧又均为元音时，被称为【元辅e辅元】。字母e在这种结构中不发音。如：

samedi [samdi]

trois heures et demie [trwa-zœ-re-dmi]

Qu'est-ce qu'il fait ? [kɛs-kil-fɛ]

Connaissances phonétiques 语音知识

1. 下表反映了我们所学元音开口度的变化：

	[a]	[ɛ]	[i]	[y]	[u]	[e]	[ɛ]	[œ]	[œ̃]
口腔张度									

2. 节奏长音

在以 [r]、[v]、[ʒ]、[z] 和 [vr] 音结尾的重读闭音节词中，位于它们前边的元音要读长音，这种由辅音引起的长音叫做节奏长音。如：gare [ga:r]，vive [vi:v]，image [ima:ʒ]，valise [vali:z]，livre [li:vr] 。

3. 六对清浊辅音

辅音 [p-b]，[t-d]，[k-g]，[f-v]，[s-z] 和 [ʃ-ʒ] 是法语中相对应的六对清浊辅音，应严格区分。清辅音发音时声带振动很小，而浊辅音发音时声带振动要大，并要先憋一下气再发音。

4. 分音符 (tréma)

分音符加在元音字母之上，表示该元音字母应与前面的元音字母分开读音。如：naïf [naif]，maïs [mais]，Noël [nɔɛl]。

※ 当元音字母 i 上有分音符时，原有的一点取消。

5. 在联诵中，字母 s, x, z 读 [z]。如：

les **i**mages [le-zi-maːʒ], di**x** **i**mages [di-zi-maːʒ], Allez-y ! [ale-zi]。

6. 辅音群

法语单词中经常出现两三个有时甚至四个辅音相连的现象。这种结构状态下的辅音，我们称之为辅音群（consonnes doubles），或称复辅音。

经常出现的辅音群是 [p - b、k - g] 和 [l] 或 [r] 的组合，或 [t - d] 与 [r] 的组合；读音时，[p - t - k] 要送气。它们的读音一般有以下两种情况：

1) 在词首和词中时，与后面紧接的元音合并在一起组成一个音节。如：trois [trwa]，placer [plase], classe [klas]。
2) 如词末是不发音的 e 时，仍与前面的音节同属一个音节。如：arbre [arbr]，peuple [pœpl]，quatre [katr]。

7. 否定叙述句语调的最高点通常都放在 pas 上，如：

Ce n'est **pas** un livre.

Ce n'est **pas** Jacqueline Duffour.

Sons et lettres 语音与字母

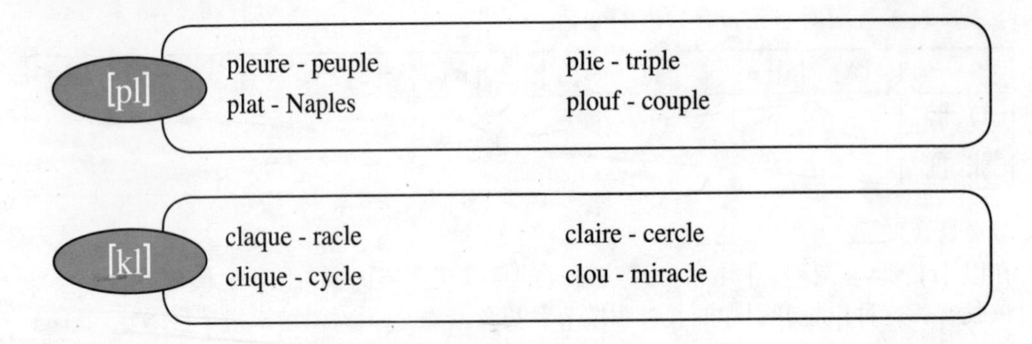

[pr]	pris - repris	près - après	preuve - épreuve
	âpre - premier	pré - prédire	Prague - pratique
[kr]	craie - secret	cru - écru	cri - décrire
	crac - craquer	croix – croyable	croûte - choucroute
[tr]	trappe - attraper	très - trainer	trou - retrouver
	tripe - étriper	truc - truquer	quatre - battre
[r+清辅音]	parte - partir	carpe - carpette	cherche - chercher
	arc - arcade	cirque - circule	marque - marquer
[r+浊辅音]	barbe - herbe	larve - larvé	parle - merle
	large - largesse	arme - armée	sourde - balourde
	charge - serge	harde - hardi	garde - moutarde

[bl]	blatte - table	blesse - faible
	blême - meuble	blé - bluter
[gl]	glaise - règle	glisse - sigle
	glu - bugle	glaive - aigle
[br]	brave - sabre	brève - zèbre
	brute - lugubre	briser - fibre
[gr]	grève - nègre	grise - grue
	grave - grâce	graisse - greffe
[dr]	drap - cadre	dresse - cèdre
	drame - cidre	droit - drisse

Élocution 咬文嚼字

Le ciel est par-dessus le toit si bleu, si calme
Un arbre par-dessus le toit berce sa palme.

La cloche dans le ciel qu'on voit doucement tinte
Un oiseau sur l'arbre qu'on voit chante sa plainte.

Paul VERLAINE

GRAMMAIRE 语法

1. 疑问、感叹形容词 quel（Adjectif interrogatif et exclamatif *quel*）

1) 无论是疑问形容词还是感叹形容词，quel 都有四种形式。请见下表：

单	数	复	数
阳 性	阴 性	阳 性	阴 性
quel	quelle	quels	quelles

2) 疑问、感叹形容词 quel 的用法

疑问感叹形容词 quel 置于名词前，应与其修饰的名词性、数相一致。

① 疑问形容词（什么样的；哪一类的）

C'est **quel** numéro ? 是几号？
Quelle heure est-il ? 几点了？
Vous avez **quels** problèmes ? 您有什么问题？
Quelles sont les questions ? 问题是什么？

② 感叹形容词（多么，何等）

Quel beau paysage ! 好美的风景啊！
Quelle bonne idée ! 这主意可真妙！
Quels jolis meubles ! 多漂亮的家具呀！
Quelles sales bêtes ! 烦人的东西！

2. 动词变位概述（Bilan de conjugaison）

法语动词用在句中作谓语时，须根据主语的人称、人数以及语式和时间的要求改变

词形。动词按语境需要做出的这种词形变化被称之为动词变位。

1) 法语动词分为三组：

- 第一组规则动词：其不定式的词尾为 -er，如：aimer（爱）。
- 第二组规则动词：其不定式的词尾为 -ir，如：finir（结束）。
- 除上述两组动词外，其余动词属第三组动词，即不规则动词，如：avoir, être 等。

2) 中、法教材在阐述动词变位方法时略有不同：

- 中国人习惯依照上述传统的分类法，将动词分为三组分别规定动词变位。
- 一些现代法国教材介绍的方法是将所有动词（avoir, être, aller 三个动词除外）的变位尾缀涵盖于下表中，学习者要自己去“对号入座”。

je : **-e** ou **-s**	nous : **-ons**
tu : toujours **-s**	vous : **-ez**
il et elle : **-e** ou **-t** ou **-d**	ils et elles : **-ent**

3) 第一组规则动词的变位异象

请注意：即使是规则动词，在变位中有时也需要通过增、改字母或音符的调整，来保持原动词本应具有的发音稳定性，或避免破坏语音规则。

（※ 参见第 10、11 和 12 课语法中的有关动词的部分）

3. 否定（Négation）

法语中的否定概念主要用否定副词 non 和否定副词短语 ne ... pas 来表示。

1) 否定副词 non

non 可单独使用，也可与 ne ... pas 一起使用。如：

– Un petit café alors ？ 来杯咖啡吗？
– **Non**, merci. 不，谢谢。

– Ça va, toi ？ 你好吗？
– **Non**, ça **ne** va **pas**. 不，不好。

2) 否定副词短语 ne ... pas

ne ... pas 用来否定动词，应置于被否定的变位动词两边，像夹三明治一样。如：

Ce **n'**est **pas** mon professeur. 这不是我的老师。
Je **ne** suis **pas** styliste. 我不是服装设计师。
Nous **n'**allons **pas** à Paris maintenant. 我们现在不去巴黎。

被否定的动词若以元音或哑音 h 起始，ne 要省音，改为 n'。如：

Il **n'h**abite **pas** Paris. 他不住巴黎。
Tu **n'**as **pas** ce livre ？ 你没这本书么？
Ce **n'**est **pas** bien. 这不好。

ne pas 用来否定动词不定式时，ne pas 共同置于被否定的动词不定式前。如：

Ne pas fumer！ 请勿吸烟！
Prière de **ne pas** parler avec le chauffeur. 请勿与司机交谈。

4. 疑问句（L'interrogation）（3）：疑问句小结（Bilan des phrases interrogatives）

1) 一般疑问句

疑　问　结　构	例　　句
陈述句 + ?	Votre ami est français ?
Est-ce que + 陈述句 + ?	Est-ce qu'Anne est française ?
动词 + 代词主语 + 其他成分 + ?	Est-il français ?
名词主语 + 动词 + 与主语相应的代词主语 + 其他成分 + ?	Votre ami est-il français ?

2) 特殊疑问句

特 殊 疑 问 词	例　　句
qui	Qui est-ce ? （C'est qui ? / Qui c'est ? 口语） Qui fait le ménage ? Qui ne va pas à l'école ?
que（表语）	Qu'est-ce que c'est ? （C'est quoi ? 口语）
que（宾语）	Que faites-vous ? Qu'est-ce que vous faites ? （Vous faites quoi ? 口语） Que fait Paul ?
où	Où vas-tu ? Où est-ce que tu vas ? （Tu vas où ? /Où tu vas ? 口语）
pourquoi	Pourquoi fais-tu ça ? Pourquoi est-ce que tu fais ça ? Pourquoi tu fais ça ? （Tu fais ça pourquoi ? 口语）
quand	Quand partons-nous ? Quand est-ce que nous partons ? （Nous partons quand ? 口语）
comment	Comment vas-tu ? （Tu vas comment ? 口语） Comment va Paul ? Comment Paul va-t-il ?

3) 疑问句所采用的语调

实际生活中，我们在口语中听到的疑问句的语调会与标准的法语朗读语调有很多不同。首先，语调会因语义重音、强调重音和逻辑重音的出现而变得很不规则。再者，本应上升的一般疑问句的语调可能会下降；反之，特殊疑问句的语调则又可能上升，或仅用语调的上升来表达疑问。

5. faire

1) Conjugaison :

faire [fɛːr]	
je fais [ʒəfɛ]	nous f**ai**sons [nufəzɔ̃]
tu fais [tyfɛ]	vous faites [vufɛt]
il fait [ilfɛ]	ils font [ilfɔ̃]
elle fait [ɛlfɛ]	elles font [ɛlfɔ̃]

2) Emploi :

faire 后直接跟名词，作宾语。如：

Moi, je vais faire les présentations ? D'accord ? 我来介绍一下好吧？

Je fais mes études à Lyon. 我在里昂读书。

Que fait-il ? 他是做什么工作的（他在做什么）？

Vous faites quoi ? 您是干什么的（您干吗呢）？

6. Conjugaison（动词变位）

partir [partiːr]	
je pars [ʒəpaːr]	nous partons [nupartɔ̃]
tu pars [typaːr]	vous partez [vuparte]
il part [ilpaːr]	ils partent [ilpart]
elle part [ɛlpaːr]	elles partent [ɛlpart]

Alinéa (1) 移行(1)

1. 书写时上下移行的规则，基本上与读音划分音节的规则一致。如：
Pas-cal，tra-vaille，par-lait。

2. 移行时，书写音节的划分应注意两点：

1) 相同的两个辅音字母应分开：**An-n**ie, a**t-t**end。

2) 不发音的元音字母 e 前面如果是辅音，也应当作为一个书写音节来计算。如：ca-ma-ra-**de**，re-gar-**de**。
但 e 的前、后如有元音，则 e 不能单独构成一个书写音节。如：Ma-**rie**，man-**geant**。

UN PEU DE CIVILISATION FRANÇAISE 法兰西文化点滴

Entre amis 朋友之间

1. 法国人朋友见面会以"ça va, salut, comment ça va"等互相致意。
2. 女朋友与男女朋友间会相互亲吻，而男朋友彼此间以握手为多。
3. 好友间一般以"你"相称。
4. 与法国人做朋友应注意以下几点：

- 聚餐时大多实行"AA制"；
- 约会、见面应守时；
- 尽量避免提及涉及他人隐私的话题；
- 如果友人某天忽然与你以"您"相称，那你就得好好想想是不是哪里得罪了人家！

Proverbe 谚语

À cœur vaillant rien d'impossible.
只要工夫深，铁杵磨成针。

I. Exercices de phonétique

1. Exercices d'audition. 

1) Écoutez et dites si vous avez entendu la consonne [p] ou [b].

	[p]	[b]
1		
2		
3		
4		
5		
6		
7		
8		
9		
10		

2) Écoutez et dites si vous avez entendu la consonne [t] ou [d].

	[t]	[d]
1		
2		
3		
4		
5		
6		
7		
8		
9		
10		

3) Écoutez et dites si vous avez entendu la consonne [k] ou [g].

	[k]	[g]
1		
2		
3		
4		
5		
6		
7		
8		
9		
10		

4) Écoutez et mettez le bon chiffre dans les phrases suivantes.

a. J'ai .... amis français.
b. Elle a .... livres.
c. Il est .... heures.
d. Nous sommes .... dans notre classe.
e. Ils sont ....
f. Quoi ? vous avez .... questions ?
g. Ah bon ! il a .... casquettes chez lui.
h. Voici .... valises pour nous.

2. Donnez la transcription phonétique et indiquez les syllabes.

écriture	[ ]	régularité	[ ]	dizaine	[ ]
berline	[ ]	maltraiter	[ ]	physique	[ ]
perlèche	[ ]	université	[ ]	agréable	[ ]
fabriquer	[ ]	guides	[ ]	mulet	[ ]

3. Répondez aux questions suivantes.

1) 元音字母 e 在什么情况下不发音？
2) 在词末发音的辅音字母有哪几个？
3) 在以哪些辅音结尾的重读闭音节词中，其前面的元音要读长音？
4) 什么是连音？什么又是联诵？
5) 你知道什么是分音符号吗？请举例。
6) 字母 c 什么时候读 [s]？什么时候又读 [k]？
7) 字母 g 什么时候读 [g]？什么时候又读 [ʒ]？
8) 在联诵中，字母 s, x 读 [ ]。

II. Exercices de dialogues

1. Questions sur le *Dialogue 1*.

1) Comment va Paul ?

2) Luc va bien aussi ?

3) Est-ce que Paul présente Hélène ?

4) Hélène, qui est-ce ?

5) Est-ce que Luc est heureux de connaître（认识）Hélène ?

2. Questions sur le *Dialogue 2*.

1) Comment est le temps aujourd'hui ?

2) Les deux amis vont-ils au Palais d'Été ?

3) S'ils ne vont pas au Palais d'Été, où vont-ils alors ?

4) Quand est-ce qu'ils partent ?

5) Pourquoi ne partent-ils pas tout de suite ?

3. Questions sur le *Dialogue 3*.

1) Qui est dans la classe ?

2) Pourquoi Jacqueline est-elle là-bas ?

3) Est-ce un journal ?

4) Quel est le nom de la revue ?

5) Est-ce que c'est une revue chinoise ?

6) Pourquoi il dit : « tu as toujours raison ? »

4. Questions sur le *Dialogue 4*.

1) Quelle heure est-il maintenant ?

2) Pourquoi il demande l'heure ?

3) Chez qui va Jacques aujourd'hui ?

4) À quelle heure est son rendez-vous（见面）avec le prof ?

5) Jacques est-il pressé ? Et pourquoi ?

5. Exercices de structures.

1) très heureux(se)

Voici mon ami Jacques.
Très heureux(se).

C'est mon amie Jeanne.
Voici le professeur de notre classe.
C'est Monsieur Wang.

Je fais les présentations, c'est Lucie.

2) quel, quels, quelle, quelles + 名词

le temps
Quel beau temps !

la classe, l'université, le nom（名字),
les fleurs, les palais, la place

3) quel, quels, quelle, quelles + 名词 + 动词 + ?

Il est 7 heures.
Quelle heure est-il ?

Son nom est Pascal.
C'est la classe B.
J'ai des fleurs.
Nous faisons des exercices.

4) non / ne...pas

Vous êtes français ?
Non, je ne suis pas français.

Êtes-vous professeur ?
Tu apprends l'anglais ?
Va-t-il à Tours ?
Avez-vous l'heure ?
Faisons-nous le ménage maintenant ?
Faut-il（应该）aller là-bas（那里）?

5) beau, belle + 名词

Voici une fleur.
Voici une belle fleur.

une ville　un palais　une place
une revue　un journal　les présentations

6) être d'accord

Nous allons en classe maintenant, ça va ?
Oui, je suis d'accord.

Il va au Louvre（卢浮宫）maintenant, ça va ?
Elles font des exercices maintenant, ça va ?
Vous allez chez Madame Dulac, ça va ?
Tu fais les présentations, ça va ?

7) avoir raison

Il ne va pas chez elle, ça va ?
Oui, il a raison.

Pilar ne va pas chez le professeur aujourd'hui, ça va ?
Elles font des exercices à midi, ça va ?
Jules ne fait pas les présentations, ça va ?
Je pars après le petit-déjeuner, ça va ?

III. Exercices grammaticaux

1. Est-ce *un* ou *une* ?

.... piscine .... boutique .... chemise .... gare .... valise .... cassette
.... élève .... disque .... livre .... salle .... place .... professeur

2. Est-ce *la* , *le* ou *l'* ?

.... place Tian'anmen
.... Arc de Triomphe（凯旋门）
.... France
.... Soleil（太阳）
.... Chine
.... gare de Beijing
.... classe A
.... Université des langues étrangères de Beijing

3. Chassez l'intrus.

1) une tasse - une carafe - une assiette - une porte
2) une chemise - une casquette - un manteau - une cassette
3) un stylo - un livre - un dictionnaire - une revue
4) une piscine - une gare - une boutique - une valise
5) un élève - un professeur - une fille - une étudiante

4. Mettez les phrases suivantes à la forme négative.（将下列句子改为否定式。）

1) Je suis étudiant.
2) Je vais à la salle de lecture（阅览室）N° 5.
3) C'est un journal français.
4) Déranger（打扰）.
5) Nous allons à Marseille（马赛）.

6) Vous faites la présentation de ce livre.

7) Nous partons à midi et demi.

8) Vas-tu chez Jacques ?

5. Posez des questions sur des mots soulignés.（就划线部分提问。）

1) Voici une classe.

2) Voilà un journal.

3) Catherine va à la gare avec sa valise.

4) Nous allons chez Jacques ce soir.

5) Il est déjà 9 heures.

6) Voici le professeur de la classe B.

7) Elle est styliste.

8) Le dictionnaire (字典) est chez le professeur.

6. Exercices à trou.

1) Voici .... journaux.

2) Regarde ! .... va à la bibliothèque（图书馆）avec Luc.

3) Nous .... à Paris demain après-midi.

4) C'est .... chemise blanche（白色的）.

5) N'est-ce pas .... professeur de .... classe A ?

6) Non, merci, je ne vais pas .... la salle de lecture .... toi.

7) – .... heure est- .... ?

– Il est déjà sept .... et demie.

8) Voici .... stylo. C'est .... stylo de Charles.

7. Complétez avec *quel, quelle, quels* ou *quelles*.

1) Il est .... heure ?

2) .... sont tes questions ?

3) .... beau temps !

4) .... est ton numéro ?

5) Vous avez .... problèmes ?

6) .... belle voiture !

7) Vous partez à .... heure ?

8) Vous voulez .... livres ?

8. Mettez la bonne conjugaison du verbe *faire*.（使用 **faire** 的正确变位形式。）

1) Quand .... – vous les exercices ? aujourd'hui ou demain ?

2) Maintenant, je .... mes études à Beijing.

3) Que .... -tu après la classe ?

4) Qu'est-ce qu'ils .... là-bas ?

5) Et Jules, il .... ses études à Paris avec Julie ?

6) Nous .... souvent du sport（锻炼身体）à 4 heures de l'après-midi.

7) Vous .... quoi chez vous ?

8) Ah bon ? Mais qu'est-ce que je .... alors（那我可怎么办）?

9. Quel pronom personnel ?（用何人称代词？）

1) Bonjour ! .... m'appelle Philippe Lebon.

2) .... êtes français, monsieur ?

3) Où vas- .... demain ?

4) Quand partent- .... demain ?

5) Faites- .... souvent du sport ?

6) .... est étudiante à Paris III.

7) Où est-ce que .... allons ce samedi（周六）, au Palais d'Été ?

8) Non, ... n'a pas de question.

IV. Exercices oraux

1. Commentez les images suivantes.

(*Utilisez les mots et expressions comme :* ***sur, sous, dans, chez, voici, voilà, c'est,*** etc.
使用 sur, sous, dans, chez, voici, voilà, c'est 等词汇。)

2. À vous de jouer !

1) Jouez à deux. Faites les présentations.（介绍朋友。）

2) Jouez à deux. Demandez l'heure.（问时间。）

3) Jouez à plusieurs. Rendez visite à un ou une amie.（去友人家做客。）

Leçon 6 La vie est belle !

Dialogue 1 

(Voici Pierre et Gérard dans la rue.[1])

– Comme le temps est magnifique aujourd'hui !

– Oui, le temps est beau et l'air est frais.

– Regarde là-bas[2], Gérard.

– Qu'est-ce qu'il y a ?[3]

– Là, au coin de la rue, il y a un beau jardin.

– C'est vrai, il est très joli. Les fleurs sont très belles ! Comme la vie est belle ![4]

– Et dans le jardin, qui est-ce ? Devine.

– C'est peut-être ...Madame Cusin ?

– Regarde bien ! Ce n'est pas une femme, c'est un homme.

– Ce n'est pas elle ? Alors qui c'est ?

– C'est Monsieur Cusin, je crois. Oui, c'est bien lui.[5]

– Qu'est-ce qu'il fait là-bas ?

– Il travaille, il fait son jardin.

Dialogue 2 

(Les deux amis sont dans la rue.)

– Pierre, est-ce que tu as l'heure ?

– Oui, il est midi et demi. Pourquoi , Guy ?

– J'ai faim et j'ai soif, moi ![6]

– Tu as faim ? ...Oui, c'est l'heure[7]. Regarde là-bas !

– Qu'est-ce que c'est ?

– C'est un café ! Il y a peut-être du pain.

– Regarde bien, Pierre ! Ce n'est pas un café, c'est un magasin !

– Et à côté, cette maison blanche, c'est quoi ?

– Ah ! Tiens ! Un restaurant chinois !

– Mais oui. Quand tu as faim, il y a un restaurant. La vie est belle, non ?

Leçon 6

Vocabulaire 词汇

air [ɛːr] *n.m.* 空气
blanc, blanche [blɑ̃, ɑ̃ːʃ] *a.* 白色的
café [kafe] *n.m.* 咖啡馆
coin [kwɛ̃] *n.m.* 角度
　au coin de [okwɛ̃də] *loc.prép.* 在……角上，在……拐弯处
comme [kɔm] *adv.* 多么地
côté [kote] *n.m.* 侧，旁；方面
　à côté de [akotedə] *loc.prép.* 在……旁边
croire [krwaːr] *v.i.* 相信
Cusin [kyzɛ̃] 居赞（姓）
du [dy] *art.part.* 一些
faim [fɛ̃] *n.f.* 饥饿
femme [fam] *n.f.* 女人；妻子
fleur [flœːr] *n.f.* 花
frais, fraîche [frɛ, frɛʃ] *a.* 清新的
Gérard [ʒeraːr] 吉拉尔（男名）
Guy [gi] 居伊（男名）
homme [ɔm] *n.m.* 男人；人
jardin [ʒardɛ̃] *n.m.* 花园
joli, e [ʒɔli] *a.* 漂亮的，美丽的
lui [lɥi] *pron.pers.* 他
magasin [magazɛ̃] *n.m.* 商店
magnifique [maɲifik] *a.* 好极了的
mais oui [mɛwi] *loc.adv.* 当然是(表示强调)
maison [mɛzɔ̃] *n.f.* 房子
madame [madam] *n.f.* 夫人，太太；女士
pain [pɛ̃] *n.m.* 面包
peut-être [pøtɛtr] *adv.* 可能
Pierre [pjɛːr] 皮埃尔（男名）
près de [prɛdə] *loc.prép.* 在……附近，在……旁边
regarder [rəgarde] *v.t* 看
restaurant [rɛstɔrɑ̃] *n.m.* 餐馆，饭店
soif [swaf] *n.f.* 渴
tiens *interj.* 瞧，啊（表示惊讶等）
travailler [travaje] *v.i.* 劳动，干活
vie [vi] *n.f.* 生活
vrai, e [vrɛ] *a.* 真的，的确

Expressions de classe 课堂用语

Levez la main, S.V.P. !　请举手！
Voilà, c'est tout.　好，就讲到这儿。

Comptons 计数

21 vingt et un/une [vɛ̃teœ̃/yn]
22 vingt-deux [vɛ̃tdø]
23 vingt-trois [vɛ̃trwa]
24 vingt-quatre [vɛ̃tkatr]
25 vingt-cinq [vɛ̃tsɛ̃ːk]
26 vingt-six [vɛ̃tsis]
27 vingt-sept [vɛ̃tsɛt]
28 vingt-huit [vɛ̃tɥit]
29 vingt-neuf [vɛ̃tnœf]
30 trente [trɑ̃ːt]

Notes 注释

1. Voici Pierre et Gérard *dans la rue*. 现在皮埃尔和吉拉尔在街上。

在法语中，地点不同，介词往往也不同。“在街上”要使用介词 dans。

2. *Regarde* là-bas！（你）看那边！

本句是第一组规则动词 regarder 的第二人称单数的命令式。

3. Qu'est-ce qu'*il y a*？有什么呀？

il y a 意为“有……”。il 为无人称代词；用 il y a 引导的句子称作无人称句。如：

Il y a des fleurs sur la table. 桌子上有些花儿。

Il y a encore deux places libres. 还有两个空座位。

4. *Comme* la vie est belle！生活多么美好！

此句是 comme 引导的感叹句。其构成方法为：comme + 陈述句 + !，如：

Comme vous êtes gentil！您太好了！

Comme cette ville est belle！这座城市好漂亮啊！

5. Oui, c'est *bien* lui. 正是他。

副词 bien 含义较多，在这里作“正是，就是”讲。如：

– Vous êtes bien Monsieur Durac？您就是杜拉克先生？

– C'est bien moi. 正是本人。

6. *J'ai faim* et *j'ai soif*, moi！我可是又饿又渴。

1) 重读人称代词 moi 后置往往表示强调。

2) 动词 avoir 加身体感觉名词，构成表示身体感觉的动词短语。如：

avoir faim	饥饿	avoir soif	口渴
avoir chaud	热了	avoir froid	冷了
avoir peur	害怕		

7. c'est l'heure：到时间了。

这是固定用法，指讲话者彼此都清楚的特定时间。

Leçon 6

PHONÉTIQUE 语音

Tableau de phonétique 读音规则表

音类	音素	拼写形式	例词
元音	[ɛ̃]	in, im	Tintin, simple, immangeable
		yn, ym	syntaxe, symbole
		ain, aim, ein, eim	bain, faim, plein, Reims [rɛ̃:s]
		é + en 在词末	lycéen, européen
		en 在某些拉丁文和借词中	agenda, appendice, examen
		en 在某些法国地名中	Saint-Gaudens
固定读音	[jɛ̃]	ien, yen 在词末	bien, lien, moyen, citoyen
	[wɛ̃]	oin	coin, lointain, point, poing, pointillé
	[ø]	eu, œu 在词末开音节	peu, nœud, deux, vœu, œufs
		eu 在 [d] [t] [z] [ʒ] 音前	jeudi, creuse, feutre, Maubeuge
		eû 在个别词中	jeûne
半元音	[j]	i 或 y 在元音前	cahier, lier, lion, crayon, Lyon
		ï 在两元音间	aïeul, faïence
		y 在词首，且后面为元音	yaourt, yeux
		元音 + il 在词尾	travail, œil, bail
		元音 + ill + 元音	taillade, mouiller, caillou, bouillie
固定读音	[i:j]	辅音 + ill + e 在词末	fille, famille, paille
	[ij]	辅音 + ill + 元音	pillage, billet, ciller
		辅音群 + i + 元音	ouvrier, plier, cambriolage
	[ɛj]	ay, ey + 元音字母	ayez, asseyez
	[waj]	oy + 元音字母	royal, Royer, voyou
	[ɥij]	uy + 元音字母	tuyau, essuyer

Comment prononcer 如何发音

1. 元音 [ɛ̃]

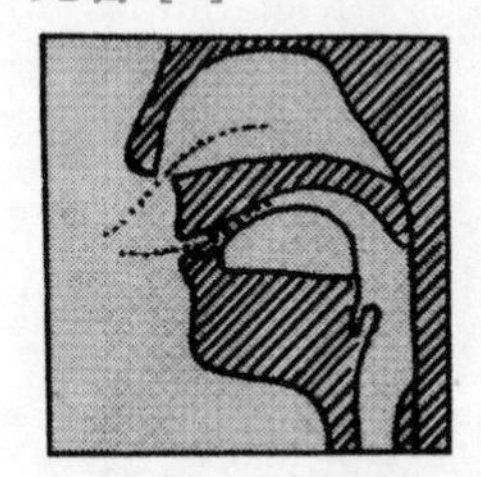

[ɛ̃] 的口腔部位与 [ɛ] 相同，发 [ɛ̃] 时气流从口腔和鼻腔同时送出，成为鼻化元音。

2. 元音 [ø]

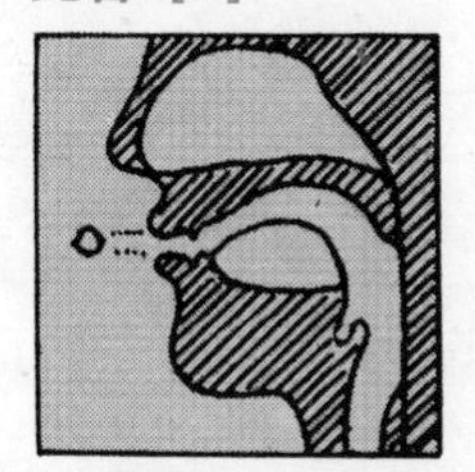

[ø] 的舌位同 [e]。但圆唇后闭口更紧，开口度更小：仅一小指宽。

3. 半元音 [j]

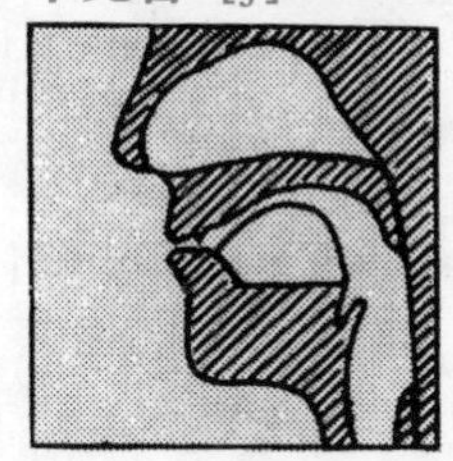

[j] 的发音部位和开口度与[i]大致相同。但发音短促，肌肉更紧张，气流通道更窄，气流通过时产生摩擦。

Connaissances phonétiques 语音知识

1. 鼻化元音（鼻腔元音）

发音时，气流从口腔送出的同时打开鼻腔，并让气流从鼻腔流出的元音称为鼻化元音（鼻腔元音）。其元音音标上方标有鼻化元音符号（~）。从拼写形式上看，发鼻化元音的词都是由"元音字母 +n 或 m"构成的。注意：

1) 鼻化元音后不能再有其他的元音字母或辅音字母 n，m。如：

[ɛ̃] médecin [med(t)sɛ̃]，但 médecine [medsin]。

[œ̃] un [œ̃]，但 une [yn]。

[ɑ̃] an [ɑ̃]，但 Anne [an]。

※ 但也有例外，如：

immangeable [ɛ̃mɑ̃ʒabl]，immanquable [ɛ̃mɑ̃kabl]。

2) 鼻化元音在词末闭音节中都有长音，这种长音叫做历史长音。

2. 元音 [ø]

[ø] 在词末闭音节中有长音，如：feutre [fø:tr]。

3. 在以 [j] 音结尾的重读闭音节中，紧接在 [j] 前的元音读长音，如：**famille** [fami:j]。

4. 辅音 + 字母组合 ille

一般来说，"辅音 + 字母组合 ille" 位于词末时，发 [i: j]，但也有例外，如：mille [mil], ville [vil], village [vila:ʒ], Lille [lil]。

5. 字母 y = i + i

在 "ay (ey, oy, uy) + 元音字母" 中，字母 y 前后均为元音字母，此时可将 y 视为 "i+i"。

6. 长音小结

1) 法语语音中由辅音引起的长音叫做节奏长音，这类长音会受节奏的影响而消失。试比较：

Voici une fille. [vwa-si-yn-fi:j]

Voici la fille de Philippe. [vwa-si-la-fij-də-fi-lip]

2) 而历史长音则不受影响，永远要读出来：

Voilà une chambre. [vwa-la-yn-ʃɑ̃:br]

Voilà la chambre de Pascal. [vwa-la-la-ʃɑ̃:br-də-pas-kal]

7. 音节（3）：关于音节的划分

按照读音，划分音节的基本规则如下：

1) "辅音 + [l] 或 [r]" 所构成的辅音群是一整体，不能分开，如：électrique [e-lɛk-trik], Gabriel [ga-brijɛl]。

2) 但如果 [l] 与 [r] 连接在一起，则必须分开，如：parler [par-le]，perlier [pɛr-lje]。

Sons et lettres 语音与字母

[ɛ-ɛ̃]

mai - main	veine - vin	paix - pain	sein - saine
c'est - sain	fête - faim	baie - bain	mère - main
taît - tein	taire - teint	laid - lin	

[ɛ̃]

lin	timbre	geint	bain	point
vin	simple	teint	main	coin
fin	symbole	peint	faim	foin
pain	impaire	feint	daim	loin
matin	imbu	rein	nain	soin
jardin	impur	sein	vain	moins
chagrin	limpide	plein	train	lointain
mince	crainte	singe	quinze	timbre
linge	épingle	simple	teinte	sainte

[jɛ̃]

bien	gardien	mien	sien	lien
vient	chien	combien	tiens	rien

[ø]

deux	ceux	nœud	bleu	eux	émeute
bœufs	jeux	heureux	feu	vœu	heureuse

[j]

hier - vieille	paille - palier	fière - Vienne
taille - tailler	pierre - bière	mail - amitié
tiers - d'hier	miel - nièce	ciel - pièce
travail - travailler	semailles - oublier	

[œ-ø]

heure - eux	pêcheur - pêcheuse	tisseur - tisseuse
sœur - ceux	bœuf - bœufs	tourneur - tourneuse

[i:j]

bille	famille	cille	fille
pille	cédille	brille	Bastille

[ij]

billet	millet	piller	prier	ouvrier
crier	pillage	familier	ciller	publier

[il]

Lille ville mille villa village villageois

Élocution 咬文嚼字

- Un peintre peint un nain dans un bain plein de parfum.
- Un peu de beurre pour beurrer ce nœud peut-être ?
- Les aiguilles des filles brillent au soleil.
- Le bœuf prit un œuf , des œufs pour les bœufs.
- Tiens ! C'est bien de mettre le mien et le tien dans le sien.

GRAMMAIRE 语法

1. 句子的主要成分（Termes essentiels de la proposition）

句子（proposition），是表达一个完整交际意义的语言单位。法语中，句子的主要成分有主语、谓语、宾语、表语、状语等。请见下表：

<table>
<tr><th colspan="2">主 要 成 分</th><th>例　　　句</th></tr>
<tr><td colspan="2">主　　语</td><td>Je travaille.
Catherine est étudiante.
Il est 2 heures.（无人称主语）</td></tr>
<tr><td colspan="2">谓　　语</td><td>Je travaille.
Catherine est étudiante.
Il est 2 heures.</td></tr>
<tr><td colspan="2">表　　语</td><td>Catherine est étudiante.
Les fleurs sont jolies.</td></tr>
<tr><td rowspan="2">宾语</td><td>直 接 宾 语</td><td>Je fais le ménage.
Je te présente mon ami, Charles.</td></tr>
<tr><td>间 接 宾 语</td><td>Je présente mon ami à Marie.
Je te présente mon ami, Charles.</td></tr>
<tr><td colspan="2">状　　语</td><td>Demain, nous allons à Paris. （时间，地点）
Les deux amis sont toujours dans la rue. （方式）
Les fleurs sont très jolies. （加强语气）
C'est bien Monsieur Cusin. （加强语气）</td></tr>
</table>

2. 缩合冠词（Article contracté）

介词 à 或 de 后接定冠词 le 和 les 时，两者均要改变形式。我们称之为冠词的缩合；缩合后的介词与冠词被称为缩合冠词。请见下表：

介 词	+	定冠词	=	缩合冠词	举　　例
à	+	le	=	au	Nous allons **au** Canada.
à	+	les	=	aux	Vous allez **aux** États-Unis.
de	+	le	=	du	Voici le livre **du** professeur.
de	+	les	=	des	Voilà les livres **des** étudiants.

以下情况不缩合：

介 词	定冠词	不缩合	举 例
à	la	à la	Je vais **à la** gare.
à	l'	à l'	Il va **à l'**hôtel. (l' = le) Il va **à l'**école. (l' = la)
de	la	de la	C'est le professeur **de la** classe A.
de	l'	de l'	C'est le directeur **de l'**hôtel. (l' = le) C'est le directeur **de l'**école. (l' = la)

3. 形容词（Adjectif）(1)

1) 概念：形容词用来修饰 (qualifier) 名词，表示名词所指的人、动物或事物的性质，以及生理的或精神的状态。

2) 形式：本书第 2 课中已谈到，法语中多种词类都有阴、阳性和单、复数 (féminin, masculin, singulier et pluriel) 的区别。形容词更是如此。形容词的性、数应与所修饰名词的性、数保持一致。请见下表：

形容词词形变化表

阳 性		阴 性	
单 数	复 数	单 数	复 数
un fils **heureux**	des fils **heureux**	une fille **heureuse**	des filles **heureuses**
un bus **neuf**	des bus **neufs**	une auto **neuve**	des autos **neuves**
un **premier** mot	des **premiers** mots	une **première** fois	des **premières** fois
un mot **amical**	des mots **amicaux**	une phrase **amicale**	des phrases **amicales**
un garçon **gentil**	des garçons **gentils**	une fille **gentille**	des filles **gentilles**
un lit **blanc**	des lits **blancs**	une maison **blanche**	des maisons **blanches**
un **bon** film	de **bons** films	une **bonne** note	de **bonnes** notes
un **petit** pain	de **petits** pains	une **petite** fille	de **petites** filles
un **joli** jardin	de **jolis** jardins	une **jolie** robe	de **jolies** robes
※ 不定冠词复数 des 在形容词前要改为 de，我们可以将之公式化： **des** + adjectif（形容词）+ nom（名词）= **de** + adjectif + nom			

3) 位置：

①大多数普通形容词置于所修饰名词之后。如：

une maison **blanche** 白房子

des revues **françaises** 法国杂志

②而一些较短（单、双音节）的常用形容词，常置于名词前，像 beau, bon, grand, gros, haut, joli, long, mauvais, nouveau, petit, vieux 等。如：

un **petit** homme 小个子男人　　un **bon** livre 好书

une **grande** ville 大城市　　une **grosse** pierre 大石头

une **haute** tour	高塔（楼）	un **joli** pays	美丽的地方
un **long** voyage	长途旅行	une **mauvaise** route	崎岖不平的路
un **bel** appartement	漂亮的房子	un **vieil** ami	老友

③少数常用形容词的位置可前可后，但含义有所不同。形容词前移往往带有引申的含义或语气的加强。如：

un **grand** homme	一位伟人	un homme **grand**	一个高个子的人
un **vrai** homme	真正的男人	un homme **vrai**	真诚的人
un **pauvre** homme	可怜的人	un homme **pauvre**	穷人
un **triste** personnage	卑鄙小人	un personnage **triste**	伤心的人

4) 特殊情况的 5 个形容词：

在以元音及哑音 h 起始的阳性单数名词前，有 5 个形容词会有特殊的变化，它们是：beau, nouveau, vieux, fou, mou。请见下表：

5 个形容词阳性单数时特殊变化表

阳性单数形容词及名词			示　例
原形	**变形**	**元音或哑音 h 起始的名词**	
beau	bel	un ami, un hôtel	un **bel** ami, un **bel** hôtel
nouveau	nouvel	un ami, un hôtel	un **nouvel** ami, un **nouvel** hôtel
vieux	vieil	un ami, un homme	un **vieil** ami, un **vieil** hôtel
fou	fol	un espoir（希望）	un **fol** espoir（奢望）
mou	mol	un oreiller（枕头）	un **mol** oreiller（软枕头）

5 个形容词恢复阳性复数时变化表

原形	元音及哑音 h 起始的阳性名词前	
	单　数	**复　数**
beau	**un bel** ami ①变形 ②联诵	**de beaux** amis ①恢复原形，变复数，加 x ②des 变 de ③联诵
nouveau	**un nouvel** hôtel ①变形 ②联诵	**de nouveaux** hôtels ①恢复原形，变复数，加 x ②des 变 de ③联诵
vieux	**un vieil** ami ①变形 ②联诵	**de vieux** amis ①恢复原形，复数不变 ②des 变 de ③联诵

续表

原 形	元音及哑音 h 起始的阳性名词前	
	单 数	复 数
fou	**un fol** espoir ①变形 ②联诵	**de fous** espoirs ①恢复原形，变复数，加 s ②des 变 de ③联诵
mou	**un mol** oreiller ①变形 ②联诵	**de mous** oreillers ①恢复原形，变复数，加 s ②des 变 de ③联诵

4. Conjugaison（动词变位）

travailler [travaje]	
je travaille [ʒətravaːj]	nous travaillons [nutravajɔ̃]
tu travailles [tytravaːj]	vous travaillez [vutravaje]
il travaille [iltravaːj]	ils travaillent [iltravaːj]
elle travaille [ɛltravaːj]	elles travaillent [ɛltravaːj]

ÉCRITURE 书写规则

Alinéa (2) 书写移行(2)

1. 书写时最好避免在一个词的中间移行。如果必须中间移行，则要以书写音节为单位，不能将同一音节分开。移行时要加连字符号“ - ”。如：

   Marie habite à Pa-
   ris avec sa mère.

2. 移行时，如非迫不得已，最好避开词末不发音的元音字母。如：

   Marie habi-
   te à Paris.

   就不如写成：

   Marie ha-
   bite à Paris.

3. 相邻的两个元音字母，即使不属于同一音节，移行时也不可分开。如：aé-rer [ae-re]，théâ-tre [tea-tr]。

UN PEU DE CIVILISATION FRANÇAISE
法兰西文化点滴

Les jardins des Français 法国人的花园

1. 法国人也爱养花弄草。城市中难见晾晒的"万国旗"。庭院中、窗台前、阳台上，四季鲜花盛开，令人赏心悦目。
2. 有条件的家庭会在花园里种草种花，休息时间便浇水施肥，除草剪枝，乐此不疲。
3. 各地均有专门的商业网点，出售小到花籽、大到除草机等各种园艺业所需物品。
4. 各电视台有专门的园艺节目，提供相关信息和指导。
5. 报亭中各种园艺杂志琳琅满目。
6. 见到法国人的花园我们会倍感亲切，因为在那儿能见到我们的花园里常见的茄子、辣椒、西红柿，玉米、大豆、向日葵等！

Proverbe 谚语

Chaque chose en son temps.
物各有时。

EXERCICES 练习

I. Exercices de phonétique

1. Exercices d'audition.

1) Écoutez et dites si vous avez entendu la consonne [s] ou [z].

	[s]	[z]
1		
2		
3		
4		
5		
6		
7		
8		
9		
10		

2) Écoutez et dites si vous avez entendu la consonne [ʃ] ou [ʒ].

	[ʃ]	[ʒ]
1		
2		
3		
4		
5		
6		
7		
8		
9		
10		

3) Écoutez et dites si vous avez entendu la consonne [f] ou [v].

	[f]	[v]
1		
2		
3		
4		
5		
6		
7		
8		
9		
10		

4) Vous allez entendre 6 phrases enregistrées. La phrase que vous entendez correspond-elle à la phrase que vous lisez sur votre livre ?

① La vie est belle.

a. oui

b. non

② C'est ma cassette.

a. oui

b. non

③ C'est un tableau de jardin.

a. oui

b. non

④ Chez nous, il y a une belle vue.

a. oui

b. non

⑤ Ses joues sont rouges !

a. oui

b. non

⑥ Ne pas bouger la bouteille.

a. oui

b. non

2. Rayez la lettre qui ne se prononce pas.

d'accord	après	salut	cinq	samedi
Paris	cours	revue	Jeanne	Jacques

3. Lisez les phrases suivantes et faites attention à l'intonation.（读下列句子并注意语调在何处转换。）

1) Regarde !

Regarde là-bas !

Regarde là-bas, Gérard !

2) C'est Morin.

C'est Monsieur Morin.

C'est Monsieur Morin, je crois.

3) Qui est-ce ?

Qui est ce monsieur ?

Qui est ce monsieur près du jardin ?

4) Est-ce qu'il travaille ?

Est-ce que tu as l'heure ?

Qu'est-ce que c'est ?

Qu'est-ce qu'il fait ?

4. Donnez la transcription phonétique et indiquez les syllabes .

guenilles [ ]	yole [ ]	peu [ ]
ingénieur [ ]	médecin [ ]	sympathique [ ]
bailler [ ]	habiller [ ]	Lucien [ ]

Louis travaille à Lille. [ ]

5. Répondez aux questions suivantes.

1) 法文中共有 6 个在词尾发音的辅音字母，除去 ct 之外，还有 ………, ………, ………,

.... 和 ....。

2) 字母 c 在 .... 的情况下，在 a, o, u 之前读 [s] 的音。

3) ou 在 .... 前读 [w] 的音。

4) 构成节奏长音的辅音是 [ ]，[ ]，[ ]，[ ]，[ ]，[ ]。

5) 字母组合 ph 读 [ ] 的音。

II. Exercices de dialogues

1. Questions sur le *Dialogue 1*.

1) Où sont les deux amis maintenant ?

2) Que font-ils dans la rue ?

3) Quel temps faisait-il ce jour-là（当天)?

4) Qu'y a-t-il au coin de la rue ?

5) Qu'est-ce qu'il y a dans le jardin ?

6) Que fait Monsieur Cusin dans son jardin ?

2. Questions sur le *Dialogue 2*.

1) Quelle heure était-il à ce moment-là（此时)?

2) Pourquoi Guy demande-t-il l'heure ?

3) C'est l'heure de faire quoi ?

4) Y a-t-il un restaurant à côté（在附近)?

5) Est-ce un restaurant français ?

6) Comment est ce restaurant ?

7) Pourquoi Pierre dit-il que la vie est belle ?

3. Exercices de structures.

1) à côté de + 名词

la porte / un lit
À côté de la porte, il y a un lit.

le lit / une valise　　le stylo / un papier

la table / mes affaires　　la gare / un restaurant chinois

2) au coin de + 名词

la rue / un petit restaurant
Au coin de la rue, il y a un petit restaurant.

la rue Monge / un beau jardin　　la rue Nice / un café

la rue Avril et la rue Blanche / un cinéma

3) près de ...

un grand magasin / ici
Pardon, y a-t-il un grand restaurant près d'ici ?

un beau jardin / ici
des boutiques / chez vous
une maison blanche / le restaurant
un café / la place

4) avoir + 名词

Vous avez faim ?
Non, merci, je n'ai pas faim.

Tu as faim ?
Tu as chaud ?
Vous avez soif ?
Vous avez peur ?

5) comme + 陈述句 + !

C'est loin .
Comme c'est loin !

Ces fleurs sont belles.
Le français est difficile.
Ils sont gentils.
Il est paresseux.

4. Trouvez la bonne question.

1) Il est midi et demi.
2) Nous faisons notre jardin.
3) Elle se promène dans la rue.
4) Non, je n'ai pas faim.
5) C'est un restaurant chinois.
6) Les fleurs sont très belles.

5. Vrai ou faux ?

1) Les deux amis sont chez eux.
2) Il y a un beau jardin au coin de la rue.
3) Et près du jardin, c'est Madame Cusin.
4) Pierre a faim et il demande l'heure.
5) La maison blanche est un restaurant.
6) La vie est belle d'après（按照）Pierre.

III. Exercices grammaticaux

1. Est-ce *un* ou *une* ?

.... porte .... mur .... médecin .... dame .... livre
.... heure .... cours .... piscine .... gare .... monsieur

2. **Écrivez les chiffres suivants en fançais.** (用法语写出下列数字。)

3 .... 7 .... 10 .... 13 ....

15 .... 20 .... 21 .... 25 ....

29 .... 30 ....

3. **Mettez une préposition dans les phrases suivantes et faites la contraction si nécessaire.**（填入介词，如有必要请缩合。）

1) Il y a un bon restaurant près .... le magasin.

2) Ton frère va-t-il .... l'école primaire（小学）?

3) Il va .... le Canada（加拿大）, je crois.

4) Est-ce le livre .... le professeur ?

5) Paul est peut-être .... le bureau .... le directeur.

6) Ah bon ? Julie va .... cinéma avec toi ?

7) Voici les cahiers .... les étudiants .... la classe B.

8) Comment ? Il va .... l'hôpital（医院）? Je ne crois pas.

4. **Répondez aux questions à la forme négative.**

1) Est-ce que c'est le professeur de français ?

Non, ...

2) Est-ce que c'est Catherine ?

Non, ...

3) Est-ce qu'elle va à la gare ?

Non, ...

4) Est-ce que c'est le livre de Pascal ?

Non, ...

5) Est-ce un café ?

Non, ...

6) Est-ce que tu as faim ?

Non, ...

7) Est-ce que le journal est sur la table ?

Non, ...

8) Est-ce que tu regardes la télévision le matin ?

Non, ...

5. **Accordez les adjectifs donnés.**（配合给出的形容词。）

1) Elle est très (content) ....

2) C'est une (grand) .... école.

3) Pascal a des (beau) .... chemises (blanc) ....

4) Benoît est un (vieux) .... ami.

5) Ici, il y a des (grand) .... chambres bien (propre) ....

6) Je m'appelle Nathalie, (enchanté) ....

7) Elle n'est pas (paresseux) ...., elle travaille beaucoup !

8) Vous avez un (beau) .... appartement（套房）.

6. Mettez les adjectifs donnés à la forme correcte.（给出形容词的正确形式。）

1) Il a un (beau) .... avenir（未来）.

2) Voici un (nouveau) .... hôtel construit en 2005（建于 2005 年）.

3) Monsieur, je vous présente mon (vieux) .... ami, Pascal Lebon.

4) Dans cette ville, il y a des (beau) .... hôtels très modernes.

5) Tiens ! Tu as des (nouveau) .... amis ?

6) Regarde cette photo ! Ce sont des (vieux) .... acteurs de notre pays（国家）.

7. Mettez les phrases suivantes au pluriel.（将下列句子变为复数。）

1) Cet homme est très gentil.

2) Voici un bon restaurant chinois.

3) Cette langue étrangère（外国的）n'est pas facile.

4) C'est un grand homme de notre histoire（历史）.

5) La nouvelle amie de Lili est française.

6) C'est une chemise pour moi ? Merci.

8. Traduisez les phrases suivantes en chinois.（将下列句子译成汉语。）

1) Pardon（对不起）, êtes-vous bien Monsieur Durand ?

2) Elle est à la gare ? Alors, très bien !

3) Vous travaillez vraiment très bien.

4) Eh bien, vous faites le ménage.

5) Vous fumez（吸烟）? Ce n'est pas bien.

6) Ta chambre est bien grande.

IV. Exercices oraux

Commentez les images suivantes.

Leçon 7 Photo de famille

Dialogue 1

(Claire et Paul sont dans la classe, ils regardent une photo ensemble.)

– Viens voir, Paul. [1]
– Qu'est-ce que c'est ?
– Regarde cette photo.
– ...C'est une photo de ta famille ?
– C'est cela. [2] Ce n'est pas bien ?
– Si, si, c'est très bien. [3] Qui est ce jeune homme près de la fenêtre ?
– C'est mon frère Nicolas.
– Quel âge a-t-il ? [4]
– Vingt-quatre ans.
– Qu'est-ce qu'il fait ?
– Il est technicien chez Peugeot.
– Et là, ce sont tes parents ? [5]
– Oui, c'est papa et maman.
– Tes parents ne travaillent plus ?
– Si, papa est ingénieur et maman est styliste.
– Ils habitent à Paris ?
– Non, pas vraiment. Ils habitent à Massy, près de Paris. [6]
– Tu as une famille bien heureuse. [7]
– Merci. C'est gentil de dire ça. [8]

Dialogue 2

– Isabelle, est-ce que Colette a des frères et sœurs ?
– Oui, elle a deux frères et une sœur.
– Est-ce que tu as des photos ?
– Oui, bien sûr... Regarde cette jeune fille, c'est sa sœur Caroline .
– Sa sœur est sympathique. Quelle est sa profession ?

– Elle est professeur.
– Elle habite où ?
– Elle habite à Nice avec son mari, il est aussi professeur.
– Et à côté d'elle, c'est sa mère ?
– Oui, c'est sa maman.
– Ses frères sont aussi à Nice ?
– Non, ils sont étudiants à l'Université de Marseille.[9]

Vocabulaire 词汇

âge [aːʒ] *n.m.* 年龄，年纪
bien sûr [bjɛ̃syːr] *loc.adv.* 当然
Caroline [karɔlin] 卡罗琳娜（女名）
ce [sə] (cet [sɛt]), cette [sɛt] *a.dém.* 这个
Colette [kɔlɛt] 科莱特（女名）
des [de] *art.indéf.pl.* 一些，几个
dire [diːr] *v.t.* 说
ensemble [ɑ̃sɑ̃ːbl] *adv.* 一起；共同
famille [famiːj] *n.f.* 家庭
fenêtre [fənɛtr] *n.f.* 窗户
fille [fiːj] *n.f.* 姑娘
frère [frɛːr] *n.m.* 兄弟
gentil, le [ʒɑ̃ti, iːj] *a.* 友好的；可亲的
habiter [abite] *v.t., v.i.* 居住
ingénieur [ɛ̃ʒenjœːr] *n.m.* 工程师
Isabelle [izabɛl] 伊莎贝尔（女名）
jeune [ʒœn] *a.* 年轻的
maman [mamɑ̃] *n.f.* 妈妈
mari [mari] *n.m.* 丈夫
Marseille [marsɛːj] 马赛
mère [mɛːr] *n.f.* 母亲
ne... plus [nəply] *loc.adv.* 不再
Nicolas [nikɔla] 尼古拉（男名）
papa [papa] *n.m.* 爸爸
Peugeot [pøʒo] 标致汽车（公司）
photo [fɔto] *n.f.* 照片
profession [prɔfɛsjɔ̃] *n.f.* 职业
si [si] *adv.* 不，不是的
sœur [sœːr] *n.f.* 姐妹
son [sɔ̃] *a.poss.* 他的，她的
sympathique [sɛ̃patik] *a.* 热情的，友善的
technicien, ne [tɛknisjɛ̃, ɛn] *n.* 技师
université [yniversite] *n.f.* 大学
venir [vənir] *v.i.* 来，来到
voir [vwaːr] *v.t.* 看见
vraiment [vrɛmɑ̃] *adv.* 的确，确实

Expressions de classe 课堂用语

Répétez, s'il vous plaît. 请重复。
Lisez après moi, s'il vous plaît. 请跟我读。
Répondez à mes questions, s'il vous plaît. 请回答我的问题。

Comptons 计数

31 trente et un / une	[trɑ̃teœ̃ / yn]	36 trente-six	[trɑ̃tsis]
32 trente-deux	[trɑ̃tdø]	37 trente-sept	[trɑ̃tsɛt]
33 trente-trois	[trɑ̃trwa]	38 trente-huit	[trɑ̃tɥit]
34 trente-quatre	[trɑ̃tkatr]	39 trente-neuf	[trɑ̃tnœf]
35 trente-cinq	[trɑ̃tsɛ̃:k]	40 quarante	[karɑ̃:t]

Notes 注释

1. *Viens voir*, Paul. （你）来看呀，保尔。

1) viens 是动词 venir 的第二人称单数命令式。venir faire qch. 意思是"来做某事"。如：

Je viens apprendre le français. 我来学法语。

Il vient travailler. 他来上班。

2) 请注意区分 regarder 与 voir 之间的不同。这种区别与英语中的"look / see"类似。regarder 是看的动作，而 voir 是看的结果。两者都是直接及物动词。如：

Regarde bien ! 看清楚!

Paul regarde la télévision chez lui. 保尔在家看电视。

Maintenant, je vois un homme dans la rue. 现在，我看见街上有个男的。

Je regarde mais je ne vois rien. 我看了，但什么也看不见。

Je vais voir un film. 我看电影。

2. C'est *cela*. 正是。

法语中 ça 和 cela 都是中性代词，用来指一个东西或一件事情。ça 是口语表达形式，而 cela 是较正式的说法，应当注意区别使用。如：

Ça va ? 好吗?

C'est ça ? Oui, c'est ça ! 是这样吗? 对，没错儿!

Cela est-il possible ? 这可能吗?

C'est cela. 正是如此。

3. *Si, si* , c'est très bien ! 不，不，非常好!

法语中回答对方的问题，表达"是"或"不是"的概念时情况比较特殊，除了 oui，non，还可能用到 si。(※ 参见本课语法 3)

4. Quel âge a-t-il ? 他多大了?

1) 提问年龄：Quel + âge + avoir + 主语

Quel âge avez-vous ? 您贵庚?

Quel âge a ce petit garçon ? 这小男孩儿几岁了?

Tu as quel âge ? 你多大了?

2) 回答年龄：主语 + avoir + 数字形容词 + an(s)

J'ai vingt et un ans.

Elle a dix-neuf ans.

Cet enfant a six ans.

5. Et *là*, ce sont tes parents ? 那边两位是你的父母吗?

là 是副词，含意丰富，可表示“这里，那里；那时；在这一点上，在这方面”等意思。请注意下列句子中 là 的区别：

1) Regarde là, c'est un jardin. 看那儿，是个花园。

2) Pose la lettre là. 把信放这儿吧。

3) Oui, il est là. 是的，他在。

4) Il y a là un problème. 这方面有个问题。

5) Que dites-vous là ? 您在说些什么呀？（加强语气）

6. Ils habitent à *Massy*, près de Paris. 他们住在巴黎附近的马西。

Massy 位于巴黎西南近郊，有很多住宅区和学生宿舍楼。坐火车进城需 45 分钟左右。

7. Tu as une famille *bien* heureuse. 你有个很幸福的家庭。

bien 在此作“很”讲，经常与 très 交替使用。从语言上说，bien 显得更考究一些。

8. *C'est gentil de* dire ça. 你这么说太客气了。

C'est + 形容词 + 介词 de + 动词不定式：“做某事（怎么样）……”，如：

C'est difficile d'apprendre le français. 学法语挺难。

Ce n'est pas facile d'y aller. 去那儿可不容易。

9. Non, ils sont étudiants *à l'Université de Marseille*. 他们是马赛大学的学生。

1) 马赛大学有一大、二大和三大之分。

2) 介词 à 在此处表示领属关系。表示为“某单位，某机构”的人时，法语也经常用介词 à 来表示。

Vocabulaire complémentaire 补充词汇

beau-fils [bofis] *n.m.*	姑爷；继子
beau-frère [bofrɛːr] *n.m.*	姐（妹）夫，连襟；大伯，小叔，大（小）舅子
beau-père [bopɛːr] *n.m.*	公公，岳父；继父
beaux-parents [boparɑ̃] *n.m.pl.*	公婆，岳父母
belle-fille [bɛlfiːj] *n.f.*	儿媳妇；继女
belle-mère [bɛlmɛːr] *n.f.*	婆婆，岳母；继母
belle-sœur [bɛlsœːr] *n.f.*	嫂子，弟媳，妯娌；大（小）姑子，大（小）姨子
cousin, e [kuzɛ̃, in] *n.*	堂（表）兄弟，堂（表）姐妹
gendre [ʒɑ̃ːdr] *n.m.*	女婿

grand-maman [grɑ̃mamɑ̃] *n.f.*	奶奶，姥姥（儿语）
grand-mère [grɑ̃mɛ:r] *n.f.*	祖母，外婆
grand-oncle [grɑ̃tɔ̃:kl] *n.m.*	叔祖，伯祖，舅公，姑丈公，舅丈公
grand-papa [grɑ̃papa] *n.m.*	爷爷，姥爷（儿语）
grand-père [grɑ̃pɛ:r] *n.m.*	祖父，外祖父
grands-parents [grɑ̃parɑ̃] *n.m.pl.*	祖父母，外祖父母
grand-tante [grɑ̃tɑ̃:t] *n.f.*	姑婆，姨婆
neveu [nəvø] *n.m.*	侄子，外甥
nièce [njɛs] *n.f.*	侄女，外甥女
oncle [ɔ̃:kl] *n.m.*	伯父，叔父，舅父，姑父，姨夫
petite-fille [pətitfi:j] *n.f.*	孙女，外孙女
petite-nièce [pətitnjɛs] *n.f.*	侄孙女，外甥孙女
petit-fils [pətifis] *n.m.*	孙子，外孙子
petit-neveu [pətinəvø] *n.m.*	侄孙子，外甥孙子
petits-enfants [pətizɑ̃fɑ̃] *n.m.pl.*	（外）孙子们，（外）孙女们
tante [tɑ̃:t] *n.f.*	姑母，姨母，婶母，舅母

PHONÉTIQUE 语音

Tableau de phonétique 读音规则表

音类	音素	拼写形式	例词
元音	[ɔ]	o 在词首或词中	or, occuper, photo, monotone
		o 在闭音节中（[z] 前除外）	col, loge, ove, sotte, morse
		oi 在个别词中	oignon, encoignure
		au 在 [r] 音前及少数词中	aurore, j'aurai, Paul
		um 在词末读 [ɔm]（parfum 除外）	album, forum, maximum
	[o]	o 在词末开音节中	pot, gros, mot
		ô	hôtel, hôpital
		au	gauche, cause, saule, pauvre
		eau	peau, beaucoup
		-ome, -one 为词尾的少数词	atome, idiome, zone
		ao（或oa）在个别词中	curaçao, toast
※ 以-ome, -one 为词尾的词均有节奏长音。			

Comment prononcer 如何发音

1. 元音 [ɔ]

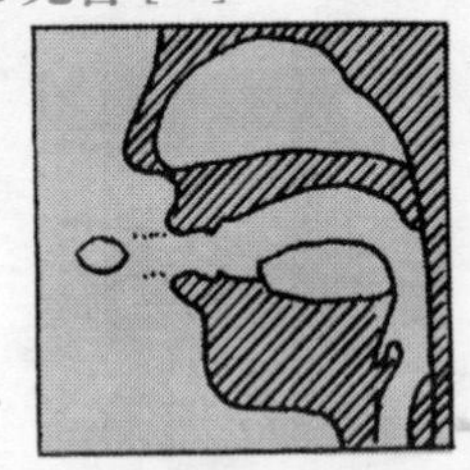

舌尖离开下齿，舌略向后缩，圆唇。

2. 元音 [o]

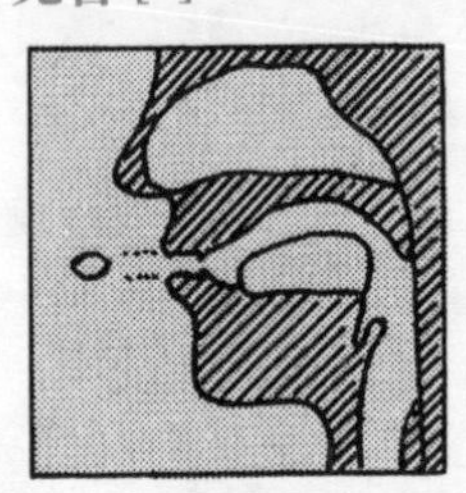

舌后缩，开口度小于 [ɔ]，但略大于 [u]，圆唇。

Connaissances phonétiques 语音知识

1. 字母 ph 读 [f]，**如：photo** [fɔto]，**physique** [fizik]。

2. 元音 [o]

[o] 在词末闭音节中读长音，属历史长音，如：saule [soːl]，gauche [goːʃ]。

3. 字母 y 的读法

字 母	等 于	条 件	举 例
y	i	1. 在两辅音字母之间	stylo [stilo]
		2. 词首	yeux [jø]
	i + i	在两元音字母之间	crayon [krɛjɔ̃]

4. 连词 et

读作 [e]，et 不能与后面的词联诵，如：et elle [e-ɛl]。

5. 元音 [a]

少数词中 e 也读 [a]，如：femme [fam]，solennel [sɔlanɛl]。

Sons et lettres 语音与字母

[u-o]	pou - peau - paume	roue - rôt - rose	bout - beau - baume
	loup - l'eau - l'aube	fou - faux - fausse	chou - chaud - chaude
	mou - maux - mauve		

[œ-o]	sœur - seau	cœur - cause	peur - pause
	leur - lot	meurt - mot	odeur - dose

[ø-o]	feu - faut - Faure	ceux - seau - saute
	peu - peau - paume	bœufs [bø]- beau - baume

[o-ɔ]	beau - bord	mot - mort	vos - votre
	dos - dors	nos - notre	l'eau - lors

[o]	dos	ose	tôt	chaude	eau	tableau
	mot	chose	nôtre	faute	peau	métallo
	nos	pose	vôtre	paume	seau	cheminot

[ɔ]	bord - port	tort - dort	lors - l'or	cor - gorge	mort - mord
	fort - vote	sort - zonal	note - nord	Paul - aurore	choquer - j'aurai

[wa]	pois - bois	toit - doigt	quoi - guingois	proie - broyer	loi - moi
	noir - loir	fois - vois	choix - joie	soie - rasoir	trois - droit

[wɛ̃]	coin	foin	pingouin	joindre
	loin	moins	point	soin

[jɛ̃]	bien	doyen	lien	mien	tiens	sien
	citoyen	Julien	Amiens	bientôt	indien	chien

[sjɔ̃]	addition	ambition	section	alimentation	évolution
	caution	mention	formation	révolution	émancipation

Élocution 咬文嚼字

- Y a un pot d'or à côté de la porte à gauche.
- Comme votre mot d'ordre est monotone !
- La bonne se donne une mauvaise pomme et m'en donne une bonne.
- Grosso modo, *Au bord de l'eau* est un beau roman chinois.
- Cette photo de saule à Sochaux est hors du commun.

1. 动词变位中的"式、时、态"(« Mode, temps , voix » dans la conjugaison)

1) 式 (Mode)

式，又称作"语式"。指动词按使用者在进行语言表达时的需求，或语言所规定的条件做相应变化时所应采用的"方式"。法语动词变位分为六种语式，它们是：

- 直陈式(indicatif)
- 条件式(conditionnel)
- 虚拟式(subjonctif)
- 命令式(impératif)
- 不定式(infinitif)
- 分词式(participial)

前四种为人称语式(mode personnel)，后两种为非人称语式(mode non personnel)。

2) 时 (Temps)

时，首先指"时态"，即动词在变化中所表现出的状态。法语动词变位有三类时态：

- 简单时态(temps simple)
- 复合时态(temps composé)
- 超复合时态(temps surcomposé)

时，亦指"时间"。也正是借助于上述三种"时态"，法语动词变位方能在各种"式"中一目了然地体现出动作本身或彼此之间迥然不同的时间概念。

3) 态 (Voix)

态，指“语态”。法语动词有两种语态，即：

- 主动态（voix active）
- 被动态（voix passive）

2. 第一组规则动词（Verbes réguliers du 1er groupe）

- 法语动词中以 -er 结尾的动词属第一组规则动词（aller 情况特殊，属第三组动词），regarder，habiter，travailler 等均属于第一组动词。
- 第一组动词直陈式现在时的变化规则是：

去掉动词不定式词尾的 -er，再加上直陈式现在时的变位词尾。

- 第一组动词直陈式现在时变位时，各人称的词尾如下：

	单　数	复　数
第一人称	(je)-e	(nous)-ons
第二人称	(tu)-es	(vous)-ez
第三人称阳性	(il)-e	(ils)-ent
第三人称阴性	(elle)-e	(elles)-ent

※ 动词变位中，第三人称复数的词尾 -ent 本身不发音！

※ 虽然第一组动词的变位是规则的，但为了发音的关系（保持原动词发音的稳定性），某些动词的变位会有一些特殊的变化。

- 以 regarder 为例，其直陈式现在时的变位如下：

regarder	
je regarde	nous regardons
tu regardes	vous regardez
il regarde	ils regardent
elle regarde	elles regardent

3. 肯定与否定副词 oui, non, si（Adverbes positifs ou négatifs *oui, non, si*）

法语中回答对方问题，表达“是”或“不是”的概念时情况比较特殊。

回答的方式有三种，分别为：oui，non，si。

1) oui 用于肯定以肯定形式正面提出的问题。

2) non 用于否定以肯定形式正面提出的问题。

或：用于肯定以否定形式反面提出的问题。

3) si 则用来否定以否定形式反面提出的问题。

请看下表中的例句：

	问题（question）	正确回答（bonne réponse）
oui	C'est Paul ? 正面问题，肯定形式	**Oui**, c'est Paul. 肯定肯定形式的正面问题
non	C'est Paul ? 正面问题，肯定形式	**Non**, ce n'est pas Paul. 否定肯定形式的正面问题
non	Ce n'est pas Paul ? 反面提出，否定形式	**Non**, ce n'est pas Paul. 肯定否定形式的反面问题 故：赞同否定的问题要用 non !
si	Ce n'est pas Paul ? 反面提出，否定形式	**Si**, c'est Paul. 否定否定形式的反面问题 故：否定否定的问题要用 si !

4. 指示形容词 ce/cet , cette, ces（Adjectifs démonstratifs *ce/cet , cette, ces*）

1) 指示形容词用来限定或确指名词，其作用与冠词相同。意为“这个，这些”。
2) 名词前如果使用了指示形容词，就不再使用冠词。
3) 指示形容词也有性、数之分。其性、数要与所限定名词的性、数相一致。
其具体形式和用法如下表：

	阳性名词前	阴性名词前
单　数	**ce** monsieur（这位先生） **cet** homme（这位男士） **cet** arbre （这棵树）	**cette** dame（这位女士） **cette** héroïne（这位女英雄） **cette** amie（这位女朋友）
复　数	**ces** messieurs（这些先生们） **ces** hommes（这些男士们） **ces** arbres （这些树）	**ces** dames（这些女士们） **ces** héroïnes（这些女英雄们） **ces** amies（这些女朋友们）

※ 修饰阳性单数名词时，如果名词以元音字母或哑音 h 起始，指示形容词应用 cet，且 cet 与后接名词的词首元音联诵。如：

un ingénieur → **cet** ingénieur [sɛ-tɛ̃ʒenjœːr]

un historien → **cet** historien [sɛ-tistɔrjɛ̃]

※ 指示形容词同冠词一样，其复数形式 ces 阴阳性共用。

5. 冠词的省略（Omission de l'article）

在句中，冠词经常会因为不同的原因被省略。省略冠词的情况请见下表：

	省略原因	例句
1	名词作表语：表明身份、职业、国籍等（ce 作主语时例外）。	Je suis étudiant. Il est professeur ? Nous sommes chinois.
2	名词前有其他限定词：疑问形容词、指示形容词、主有形容词等。	Quel numéro ? Cet hôtel est grand. Notre professeur s'appelle Yves.
3	名词用在罗列中	Hommes, femmes, vieillards, enfants, tous sont dans la rue ! 男女老少都上了街!
4	名词用作呼语	Oui, chef ! Bonjour, camarades !
5	名词用作店名、地名等	Avenue des Champs-Élysées 香榭丽舍大街 Parfumerie 香水店 Salon de coiffure 理发店
6	名词作同位语	Nous, Français... 我们法国人…… Instituteur de campagne, il travaille... 作为乡村教师，他……
※ 用 c'est ... 句型表示职业、国籍等，名词表语前要加冠词。如： C'est un médecin. 这是一位医生。/ 他是个医生。 C'est une Chinoise. 这是一个中国人。/ 她是中国人。		

6. Conjugaison（动词变位）

voir [vwa:r]	
je vois	nous voyons
tu vois	vous voyez
il voit	ils voient
elle voit	elles voient

7 Leçon

ÉCRITURE 书写规则

Apostrophe 省文撇

1. 书写中，应给省文撇留出一个字母的空格位置。
2. 省文撇应在字母空格的上方。
3. 省文撇不能处在移行的位置。

不应写成：

Je fais mes études à l'-
Université de Beijing.

而应写成：

Je fais mes études à
l'Université de Beijing.

UN PEU DE CIVILISATION FRANÇAISE 法兰西文化点滴

La relation familiale en France 法国人的家庭关系

1. 在法国，家人对长辈也会用“你”来称呼。
2. 法国家庭成员彼此间的关系更随便和轻松。
3. 在法国，大部分年满18周岁的年轻人都会选择独立生活，但近年来越来越多的年轻人因经济原因选择与父母生活在一起。
4. 一般说来，法国家庭中父母的文化水平越高，他们对子女的宽容程度也就越大。
5. 在法国，祖父母或外祖父母很少会照看自己的孙辈。
6. 法国年轻人很少向父母伸手要钱。他们往往会努力独自奋斗，而家长也觉得这是天经地义的事情。

Proverbe 谚语

Après la pluie, le beau temps.
雨过天晴。

EXERCICES  练习

I. Exercices de phonétique

1. Exercices d'audition. 

1) Écoutez et dites si vous avez entendu la voyelle [o] ou [ɔ].

	[o]	[ɔ]
1		
2		
3		
4		
5		
6		
7		
8		
9		
10		

2) Écoutez et dites si c'est une affirmation ou une négation.

	affirmation	négation
1		
2		
3		
4		
5		
6		
7		
8		
9		
10		

3) Écoutez l'enregistrement et cochez la bonne réponse.（听录音并划出正确答案。）

① Voici une photo de famille d'Anne.

a. oui

b. non

② Son père est ingénieur chez Renault.

a. oui

b. non

③ Ses parents n'habitent pas Paris.

a. si

b. non

④ Elle n'a pas de frère.

a. si

b. non

⑤ Il n'y a pas de jardin chez eux.

a. si

b. non

⑥ Son frère a dix ans.

a. oui

b. non

2. Mettez une croix dans la colonne correspondante selon la prononciation différente de la lettre *e* dans les mots suivants.（按字母 e 的不同发音，在相应栏中打×。）

发音 / 词与词组	[ə]	[ɛ]	[e]	ne se prononce pas（不发音）
un hôtel				
cette				
vous êtes				
l'exposition				
Chanel				
quel				
c'est				
ce sont				
ils parlent				
l'été				
la lune				
un billet				
la rue				
un regard				
un festival				
un cep				
la gentillesse				

3. Donnez la transcription phonétique et indiquez les syllabes.

mot [ ]　　rose [ ]　　automobile [ ]

auguste [ ]　　choses [ ]　　tableau [ ]

laboratoire [ ]　　journaux [ ]　　fausse [ ]

gros [ ]　　école [ ]　　bibliothèque [ ]

La vie de Gabriel n'est pas monotone. [ ]

II. Exercices de dialogues

1. Questions sur le *Dialogue 1*.

1) Où sont les deux amis maintenant ?

2) Que font-ils dans la classe ?

3) À qui est la photo ?

4) Qui est sur cette photo ?

5) C'est son frère près de la fenêtre ?

6) Que fait-il ?

7) Est-ce que ses parents travaillent encore ?

8) Pensez-vous qu'elle a une famille heureuse ?

2. Questions sur le *Dialogue 2*.

1) Combien de frères et sœurs Colette a-t-elle ?

2) Caroline, qui est-ce ?

3) Comment est sa sœur ?

4) Que fait sa sœur ?

5) Quelle est la profession de son beau-frère ?

6) Est-ce que c'est sa mère à côté d'elle ?

7) Que font ses frères, le savez-vous ?

8) Pourquoi ne sont-ils pas à Nice ?

3. Exercices de structures.

1) Quel âge + avoir + 名词主语 + ? / 名词主语 + avoir + 数字形容词 + an(s).

> cet étudiant / 18 ans
> – *Quel âge a cet étudiant ?*
> – *Cet étudiant a 18 ans.*

le professeur / 35 ans
ce styliste / 44 ans
son frère / 20 ans
le mari de Christine / 38 ans

2) ne... plus

> – Tu as encore faim ?
> – *Non, je n'ai plus faim. Merci.*

Jeanne fait-elle encore le ménage ?
Les Dupont（杜邦一家）habitent-ils encore à Paris ?
Regardent-ils encore la télé ?
Ces enfants vont-ils encore à la piscine ?

3) habiter à + 地点 / habiter + 地点（无介词 à）

> Paul / Nice
> *Paul habite à Nice.*
> *Paul habite Nice.*

Jacques / ici
mon ami / Lille
il / chez vous
ses parents / Toulouse

4) non / si

– Vous n'avez pas faim ?
– Non, merci, je n'ai pas faim.
Si, j'ai faim.

Tu ne travailles pas ?
Paul n'est pas gentil ?
Vous ne regardez plus la télé ?
Les étudiants n'aiment（喜爱）pas le français ?

5) ce, cet, cette, ces

une question / difficile
Cette question est difficile !

des fleurs / belles
un professeur / sympa
un étudiant / grand
une petite fille / paresseuse

III. Exercices grammaticaux

1. Mettez d'abord un article indéfini puis un adjectif démonstratif devant les mots suivants.（在下列名词前先加不定冠词，然后改加指示形容词。）

.... / .... livre
.... / .... sœur
.... / .... maman
.... / .... ingénieur
.... / .... femme
.... / .... homme
.... / .... fille
.... / .... famille
.... / .... mur
.... / .... gare
.... / .... jardin
.... / .... technicienne
.... / .... étudiants de la classe A
.... / .... professeur de notre classe
.... / .... fille de Monsieur Vincent

2. Mettez les noms suivants au pluriel.（把下列名词改成复数。）

un frère ....
une sœur ....
une mère ....
un tapis ....
une amie ....
un professeur ....
un père ....
une fenêtre ....
un monsieur ....
un livre ....
un banc ....
un dictionnaire ....
un nez ....
un choix ....
un camarade ....

3. Écrivez en français les chiffres et les mots suivants.（用法语写出下列数和词）。

十四个家庭　十五本书　十七本字典　三十把椅子
二十个问题　二十五支笔　三十一扇窗户　四十位同学

4. Trouvez la bonne question.

1) – .... ? – Si, c'est Marie.

2) – .... ? – Non, elle est étudiante.
3) – .... ? – Son père est professeur.
4) – .... ? – Elle habite à Shanghai.
5) – .... ? – Oui, elle est très sympa.

5. Faut-il mettre un article ?

1) Luc Morin est .... professeur à l'Université de Marseille.
2) Oui, je suis .... son frère.
3) Regarde ! .... stylo, ... papier, ... photos, ... chaussettes, tout est sur la table !
4) Lucien est .... bon ingénieur.
5) Bonjour, ... monsieur.
6) Si, c'est .... femme très sympathique.
7) Pardon, tu as .... la *Grammaire pratique* de Mauger（莫热的《实用语法》）?
8) Madame, j'ai .... trois questions.

6. Faut-il mettre *c'est*, *il est* ou *elle est* ?

1) .... elle.
2) .... journaliste（记者）.
3) .... une fille sympathique.
4) .... dans la classe.
5) Pascal ? Ah, ... un professeur.
6) .... près de la porte.
7) .... un Français.
8) .... très sympa.

7. Exercice à trous.

Tiens ! Regarde ! Voici .... photo. Sur .... photo, on（人们）voit Paul, ... homme et .... femme. .... homme est .... père .... Paul et .... femme est .... mère .... Paul. .... parents de Paul habitent .... Paris. Ils .... très heureux.

8. Mettez le dialogue ci-dessous dans l'ordre.

☐ a. Bonjour, moi, je suis Céline Dubois. Et vous ?
☐ b. Non, moi, je suis journaliste.
☐ c. Oui, je suis français.
☐ d. Vous êtes français ?
☐ e. Moi, je suis Louis Cusin. Bonjour.
☐ f. Moi, je suis étudiante. Vous aussi ?

☐ g. Au revoir, Louis. À bientôt.

☐ h. Au revoir, Céline.

9. Est-ce *oui*, *non* ou *si* ?

1) – Tu fais les présentations ce soir ? – ...., d'accord.
2) – Va-t-il chez Paul ? – ...., il ne va pas chez lui.
3) – Il n'habite pas ici ? – ...., il habite ici.
4) – Ça ne va pas, toi ? – ...., ça va bien !
5) – C'est son mari ? – ...., ce n'est pas lui !
6) – Ses frères sont étudiants ? – ...., c'est ça !

10. Quelle est la forme correcte du verbe ?（正确的变位形式是什么？）

Il (être).......................... déjà midi et quart. Mais Jacqueline et Bruno (être) .... encore dans la classe ! Alors, que (faire)..........................-ils là-bas ? Oh ! Ils (regarder).......................... une belle photo de famille de Bruno. Chez lui, ils (être) .... quatre（四口人）: son père, sa mère, sa sœur et lui. Ses parents (avoir) .... à peu près（将近）50 ans. Son père (travailler) .... encore, il (être) .... technicien. Sa mère (ne plus travailler) ...., elle (faire) .... le ménage tous les jours(每天)chez eux. Et que (faire) .... sa sœur Clodette ? Elle (être) .... encore très jeune, elle (aller) .... au lycée（中学）. Ce (être) .... vraiment une famille heureuse, qu'est-ce que tu en（penser 想）..........................?

IV. Exercices oraux

Commentez les images suivantes.

(*Utilisez les mots et expressions comme :* ***à côté de, près de, voici, voilà, c'est, il y a***, etc.)

Leçon 8 Faire du rangement

Dialogue 1

(Fanny entre dans la chambre de Pierre.)

– Eh, Pierre, quel désordre ici !
– Oui, un peu...[1]
– Tu ne veux pas faire un peu de rangement ?
– Si, mais je travaille tard hier soir. [2]
– Ce n'est pas une raison ! Sur ton bureau, qu'est-ce que c'est ?
– Ce sont mes cahiers et mes livres.
– Et là, sur ton lit ?
– Oh, c'est mon sac.
– Et ça, c'est quoi ?
– Mon disque et mes revues chinoises. J'apprends le chinois, tu sais ? [3]
– Non... Et sous la table, qu'est-ce que c'est ?
– Ce sont mes affaires.
– Regarde ça... des journaux, deux tasses, des cassettes, des papiers, des crayons, des stylos...et des chaussures. Il y a de tout ! [4]
– Je suis vraiment désolé. Je vais tout de suite ranger.

Dialogue 2

(Un peu plus tard)
– La chambre est enfin propre. Tu vois, tu peux bien faire. [5]
– Merci. Tu veux un petit café ?
– Oui, avec plaisir. [6]
– Tu as l'heure ?
– Il est midi et demi. Pourquoi ?
– J'ai un cours de langue à deux heures.
– Ton cours de chinois ?
– Oui, c'est ça. Mais je ne suis pas pressé.
– Ta classe, c'est où ?

– C'est à dix minutes de marche.[7] Ce n'est pas loin.

– Alors, ça va.

Vocabulaire 词汇

affaires [afɛ:r] *n.f.pl.*	物品
apprendre [aprɑ̃:dr] *v.t.*	学习
bureau [byro] *n.m.*	办公桌
cahier [kaje] *n.m.*	本，簿
cassette [kasɛt] *n.f.*	磁带
chambre [ʃɑ̃:br] *n.f.*	房间
chaussure [ʃosy:r] *n.f.*	鞋
chinois, e [ʃinwa, a:z] *a.*	中文的，汉语的
crayon [krɛjɔ̃] *n.m.*	铅笔
désolé, e [dezɔle] *a.*	感到抱歉的，感到遗憾的
désordre [dezɔrdr] *n.m.*	混乱
disque [disk] *n.m.*	唱片
enfin [ɑ̃fɛ̃] *adv.*	终于
entrer [ɑ̃tre] *v.i.*	进入
hier [jɛ:r] *adv.*	昨天
langue [lɑ̃:g] *n.f.*	语言
lit [li] *n.m.*	床
livre [li:vr] *n.m.*	书
loin [lwɛ̃] *adv.*	远
marche [marʃ] *n.f.*	走路
papier [papje] *n.m.*	纸
parce que [parskə] *loc.conj.*	因为
pouvoir [puvwa:r] *v.t.*	能够
propre [prɔpr] *a.*	干净的
quoi [kwa] *pron.interr.*	什么
rangement [rɑ̃ʒmɑ̃] *n.m.*	整理；放置
ranger [rɑ̃ʒe] *v.t.*	整理；放置
sac [sak] *n.m.*	包，袋，囊
savoir [savwa:r] *v.t.*	知道
soir [swa:r] *n.m.*	晚上
sous [su] *prép.*	在……下面
stylo [stilo] *n.m.*	钢笔
sur [sy:r] *prép.*	在……上面
table [tabl] *n.f.*	桌子
tard [ta:r] *adv.*	迟，晚
tasse [tas] *n.f.*	茶杯
tout [tu] *pron.indéf.*	全部，所有的东西
un peu [œ̃pø] *loc.adv.*	一点儿，少许
vouloir [vulwa:r] *v.t.*	愿意；想

Expressions de classe

– Pardon, Madame. Je pourrais vous poser une question ?

对不起，夫人。我能给您提个问题吗？

– Je vous en prie. 请别客气（请提吧）。

Comptons 计数

41 quarante et un / une [karɑ̃teœ̃/yn]
42 quarante-deux [karɑ̃tdø]
49 quarante-neuf [karɑ̃tnœf]
50 cinquante [sɛ̃kɑ̃ːt]
51 cinquante et un / une [sɛ̃kɑ̃teœ̃/yn]
52 cinquante-deux [sɛ̃kɑ̃tdø]
59 cinquante-neuf [sɛ̃kɑ̃tnœf]
60 soixante [swasɑ̃ːt]
61 soixante et un / une [swasɑ̃teœ̃/yn]
69 soixante-neuf [swasɑ̃tnœf]

Notes 注释

1. Oui, *un peu...* 是，有点儿乱。

un peu 是与 très, beaucoup, bien, longtemps 等相对应的副词短语，表示程度轻微。如：

J'ai un peu faim. 我有点儿饿。

Le temps est un peu chaud. 天有点儿热。

Cela est un peu difficile pour moi. 这个对我有点儿难。

2. *Si*, mais je travaille tard hier soir. 不，愿意。可我昨天晚上工作得太晚了。

si 后的 je veux bien faire le ménage 被省略了。

3. J'apprends le chinois, tu sais ? 我在学汉语，你知道吗？

1) j'apprends 是动词 apprendre 第一人称单数现在时的变位。

2) tu sais 是动词 savoir 第二人称单数现在时的变位。

4. Il y a de *tout* ! 真是什么都有啊！

1) tout 在这里属泛指代词，意为"一切；所有的东西"。如：

Tout va bien. 一切均好。

Tout est là. 东西都齐了。

Tout est facile. 没什么难的（一切都容易）。

2) de在此仅起语法作用，de本身没有任何意义。

5. Tu vois, tu peux *bien* faire. 你看，你能干好的。

副词 bien 在这里修饰 faire 。

6. Oui, *avec plaisir*. 好的，很乐意。

avec plaisir 用来表示愉快地"同意、接受"他人的邀请或建议等。如：

– On va ensemble au cinéma ? 咱们一块儿去看电影吧？

– Oui, avec plaisir. 非常乐意。

– Tu peux venir dîner ? 你能来吃晚饭吗？

– Oui, avec plaisir. 行，很高兴。

7. ***C'est à dix minutes* de marche.** **离这儿步行 10 分钟。**

être + à + 时间，表示“距离……有多长的路”。如：

C'est à 2 minutes d'ici.　离这里两分钟的路。

C'est à 10 minutes de voiture.　离这儿乘（开）车 10 分钟。

C'est à 2 heures de train.　距此地乘火车两小时。

PHONÉTIQUE  语音

Tableau de phonétique 读音规则表

音类	音素	拼写形式	例词
元音	[ɔ̃]	on, om	mon, conte, comte, tomber, Delon, sombre
		un, um 在个别拉丁文借词中	secundo, lumbago
固定读音	[sjɔ̃]	tion（在词尾，前无字母 s）	notion, mention, solution, révolution
	[stjɔ̃]	stion（[t] 送气）	question, gestion, suggestion
辅音	[ɲ]	gn	signe, signal, clignoter, compagnie

Comment prononcer 如何发音

1. 元音 [ɔ̃]

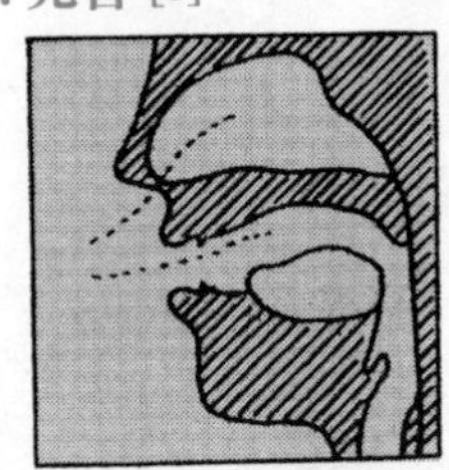

舌尖离开下齿，舌略向后缩，口型与发 [ɔ] 时相同，气流从口腔和鼻腔冲出，形成鼻化元音。

2. 元音 [ɲ]

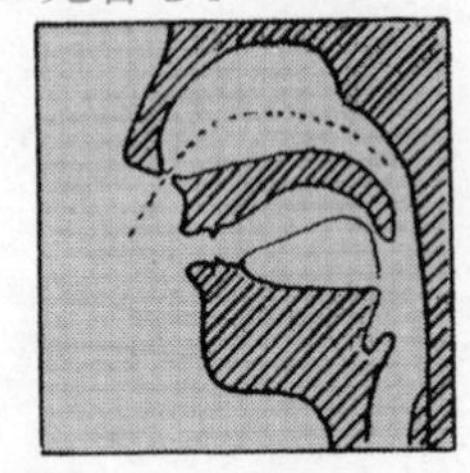

舌尖抵下齿龈，舌面抬起接触硬腭中部，形成阻塞，气流从口腔外出同时打开鼻腔。

Connaissances phonétiques 语音知识

1. 元音 [ɔ̃]

元音 [ɔ̃] 在词末闭音节中有历史长音，如：monde [mɔ̃:d]，oncle [ɔ̃:kl]。

2. 字母 ti 的发音

1) 当 ti 后面是元音字母，而 t 前又没有 [s] 音时，ti 读 [si] 或 [sj]，如：démocratie [demɔkrasi]，partiel [parsjɛl]。

2) 当 ti 后面是元音字母，而 t 前有 [s] 时，ti 读 [stj]。

3. 腭化（palatalisation）

辅音 [t]，[d] 在半元音 [j] 前时，常有"腭化"（palatalisation）现象。也就是说发音部位从舌尖与牙齿到舌面中部，并向前硬腭抬起，有些像汉语中的 y。如：cordial [kɔrdjal]，tiède [tjɛd]。

4. 音的同化（assimilation）

两个相临的音，由于彼此发音方法或发音部位不同，所以发音时很难在极短时间内改变发音的方法或发音的部位。说话快时，往往因为来不及变化发音方法或部位，而使相邻两个音中的一个音受到另一个音的影响，这就叫做"音的同化"。法语中较常见的是后一音影响前一音。如：

observer [ɔbsɛrve]，受 [s] 音影响，同化后为 [ɔpsɛrve]；
médecin [medsɛ̃]，受 [s] 音影响，同化后为 [metsɛ̃]；
chef de classe [ʃɛfdəklas]，受 [d] 影响，同化后为 [ʃɛvdəklas]。
※ 在以上三例中，[b]、[d]、[f] 分别与 [p]、[t]、[v] 相近。

5. 后元音 [ɑ] (2)

法语元音音素中还有一个后元音 [ɑ]。

1) 现代法语中，[ɑ] 正逐渐被 [a] 同化。

2) 但 [ɑ] 在法国，尤其是包括巴黎在内的北方地区，仍然被广泛使用。如：ne...pas，cas，las，repas，là-bas，cadre 等词中，以及在带有 [wɑ]，[ɑ:z] 等音素的词中。

Sons et lettres 语音与字母

[ɔ̃]

mon	ton	son	nom	ponton
bonbon	conte	songe	fond	nombre
tronc	fonction	jonction	long	longue

[ɔ̃]

fond - vont	comte - gong	son - Dijon
ton - donc	pont - bond	hachons - nageons

8 Leçon

[o-õ-ɔ̃]	mot - mont - monte	peau - pont - pompe
	sot - son - sonde	faux - fond - fonte
	veau - vont - ronge	nos - non -nombre

[ɔ̃-ɔ]	don - donne	nom - nomme	bon - bonne	pont - Paul
	son - sonne	savon - savonne	ton - tonne	rond - ronronne

[ɔ-o-ɔ̃]	bord - beau - bombe	hors - haut - honte	cor - côte - comte
	lors - lot - longue	dort -dos - donc	mort - mot - montre
	fort - faut - fonte	nord - nos - nombre	sort - seau - songe

[ɔ̃]	montagne	bonjour	compagnon	bonsoir	crayon
	donnions	pompe	songer	gageons	sombre

[sjɔ̃]	révolution	natation	notion	punition	intonation
	animation	nation	caution	préparation	prononciation

[stjɔ̃]	gestion	question	suggestion

[ɲ]	peigne - peigner - peignis	baigne - baigner - baigna
	signe - signer - signa	ligne - signet - signal
	digne - vigne - vignette	Espagne - campagne - compagnon

Élocution 咬文嚼字

- Dindon dîne, dit-on, du dos dodu d'un dodu dindon.
- Au signal, les agneaux espagnols se sont alignés à la ligne.
- Un bon pont est long, mais un long pont n'est pas bon.
- À la campagne, un campagnard, accompagné de sa compagne, cherche au peigne fin des campagnols.

GRAMMAIRE 语法

1. 主有形容词（Adjectif possessif）

1) 主有形容词属限定词，用来表示领属关系（或称所属关系）并限定名词。其作用与冠词、指示形容词相同，可对比英语中的形容词性物主代词。

2) 主有形容词是形容词中的一种，故其形式也分单、复数和阴、阳性，也应与其所限定名词的性、数相一致。

3) 名词前如果用了主有形容词，就不再使用冠词、指示形容词等其他限定词。请见下表：

主有形容词词形表

所有者人称	被限定的所有物（或人）的性、数		
	阳 性 单 数	阴 性 单 数	复　数
我的	mon	ma	mes
你的	ton	ta	tes
他（她、它）的	son	sa	ses
我们的	notre		nos
你们（您）的	votre		vos
他（她、它）们的	leur		leurs

4) 重要提示：

① 主有形容词本身并不表示所有者的性别。

② 主有形容词阴、阳性的使用取决于被限定的所有物或人，而不是所有者本人的性别！

> 应遵循的定律是：人称与所有者一致；性、数和所有物（或人）一致。

③ 如果被限定的名词是以元音字母或哑音 h 起始的阴性单数名词，或被限定的阴性单数名词前有一个以元音字母或哑音 h 起始的阴性单数形容词，那么，为了读音的关系，则应使用 mon，ton，son 来代替 ma，ta，sa。请比较以下两类情况：

- ma，ta，sa 在以元音字母或哑音 h 起始的阴性单数名词要改为 **mon**，**ton**，**son**：

  ma mère（我的母亲）　ma amie ✗ → **mon a**mie ✓（我的女友）

  ta montre（你的手表）　ta horloge ✗ → **ton h**orloge ✓（你的座钟）

  sa fille（他/她的女儿）　sa étudiante ✗ → **son é**tudiante ✓（他/她的学生）

- 如果被限定的阴性单数名词前有以元音字母或哑音 h 起始的阴性单数形容词，那么 ma，ta，sa 仍要改为 **mon**，**ton**，**son**：

  ma classe（我的班）ma ancienne classe ✗ → **mon a**ncienne classe ✓（我从前的班）

ta mémoire（你的记性）ta heureuse mémoire ✘ → **ton h**eureuse mémoire ✔（你的好记性）

sa fille（他 / 她的女儿）sa unique fille ✘ → **son u**nique fille ✔（他 / 她的独生女儿）

● 主有形容词与所限定名词联诵

只要被主有形容词限定的名词是以元音字母或哑音 h 起始的，那么全部主有形容词都会与其发生联诵！ ma，ta，sa 被规定改为 mon，ton，son 的根本原因也是为了保证读音的方便和流畅。

为方便大家理解和记忆，特列出下表：

主有形容词关系及特殊变化表

所有者	关系	被限定的所有物或人	使用主有形容词例句
mon，ton，son ma，ta，sa	单数 ↓ 单数	un livre	mon livre / ton livre / son livre
		une maison	ma maison / ta maison / sa maison
		une horloge	mon horloge / ton horloge / son horloge
		un ami	mon ami / ton ami / son ami
		une femme	ma femme / ta femme / sa femme
		une amie	mon amie / ton amie / son amie
		une héroïne	mon héroïne / ton héroïne / son héroïne
mes，tes，ses	单数 ↓ 复数	des livres	mes livres / tes livres / ses livres
		des maisons	mes maisons / tes maisons / ses maisons
		des amis	mes amis / tes amis / ses amis
		des amies	mes amies / tes amies / ses amies
notre，votre， leur	复数 ↓ 单数	un livre	notre livre / votre livre / leur livre
		une maison	notre maison / votre maison / leur maison
		un ami	notre ami / votre ami / leur ami
		une amie	notre amie / votre amie / leur amie
nos，vos，leurs	复数 ↓ 复数	des livres	nos livres / vos livres / leurs livres
		des maisons	nos maisons / vos maisons / leurs maisons
		des amis	nos amis / vos amis / leurs amis
		des amies	nos amies / vos amies / leurs amies

2. 直陈式现在时（Présent de l'indicatif）

直陈式现在时是法语动词中使用最多的一种时态，常用于表达以下的概念：

1) 表示说话时正在发生的事情、动作或现状。如：

Le professeur **est** là ?　　老师（此时）在吗？

Il **entre** dans ma chambre.　　他进了我的房间。

La classe **est** bien propre.　　教室非常干净。

Il ne **sait** pas cela, je **crois**.　　我觉得他不知道这事儿。

2) 直陈式现在时加时间词，表示延续时间较长，或习惯性的动作、状态。如：

Elle **fait** le ménage tous les jours.　　她每天都打扫房间。

Thomas ne **travaille** plus depuis longtemps.　　托马斯有好长时间不工作了。

Le samedi, ils **vont** à la campagne.　　每个星期六他们都去乡下。

3) 有时，表示现在和表示习惯的现在时会出现在同一句中，但所表示的概念不同。如：

– Vous **parlez** français ?　您讲法语吗？

– Oui, je le **parle**, mais aujourd'hui je ne le **parle** pas. 法语我是讲的，可今天不讲。

（前者表示习惯，后者表示现在暂时的情况。）

– **Fumez**-vous ? 您抽烟吗？

– Oui, je **fume**, mais je ne **fume** pas aujourd'hui. 烟我是抽的，可是今天不抽。

（前者表示习惯，后者表示今天临时的情况。）

4) 表示没有时间限制的客观事实或普遍真理。如：

La Chine **est** grande.　　中国幅员辽阔。

Il **neige** souvent en hiver.　　冬天常下雪。

Petit à petit, l'oiseau **fait** son nid.　　千里之行，始于足下。

3. pouvoir, vouloir

1）动词 pouvoir 和 vouloir 是第三组不规则动词。它们的变位形式分别如下：

pouvoir	
je peux	nous pouvons
tu peux	vous pouvez
il peut	ils peuvent
elle peut	elles peuvent

vouloir	
je veux	nous voulons
tu veux	vous voulez
il veut	ils veulent
elle veut	elles veulent

2) 用法：

① pouvoir 和 vouloir 与英语的情态动词类似。它们本身并不表示具体的动作，表示的往往只是“能、可以”或“想、愿意”的概念。如：

– Tu **peux** parler le français maintenant ? 你现在能讲法语吗？
– Oui, je **peux** le parler un peu. 能，我能讲几句。

– On va au cinéma, tu **veux** ? 咱去看电影，你愿意吗？
– Oui, je **veux** bien. 行，我太愿意了。

② 在省略的前提下，pouvoir 和 vouloir 经常单独使用。如：

Il peut faire ce travail, je **peux** aussi. 这活儿他能干，我也行。
（faire ce travail 被省略）
Aller au cinéma ? Je ne **veux** pas. 电影院？我可不想去。
（aller au cinéma 被省略）

③ 多数情况下，pouvoir 和 vouloir 后直接跟动词。如：

Tu **peux** venir ? 你能来吗？
Voulez-vous attendre un instant ? 您能否稍等？

④ vouloir 后可直接跟宾语。如：

Chéri, tu **veux** un café ? 亲爱的，想要杯咖啡吗？
Ça, je ne **veux** pas. 这我可不想要。（= Je ne veux pas ça.）

3) 情态动词的作用：

pouvoir, vouloir 属于法语情态动词的范畴。情态动词后可以直接跟其他动词。表达中使用情态动词不仅可以使句子本身更富感情色彩，同时更实际的是避免了后接动词变位的麻烦。

4. Conjugaison（动词变位）

1) apprendre

apprendre [aprɑ̃:dr]	
j'apprends	nous apprenons
tu apprends	vous apprenez
il apprend	ils apprennent
elle apprend	elles apprennent

2) entrer

entrer [ɑ̃:tre]	
j'entre	nous entrons
tu entres	vous entrez
il entre	ils entrent
elle entre	elles entrent

3) savoir

savoir [savwaːr]	
je sais	nous savons
tu sais	vous savez
il sait	ils savent
elle sait	elles savent

ÉCRITURE

书写规则

Signes de ponctuation 标点符号

1. (.) Point, 句号。

1) 表示一句话已经结束，如：

Il va à la gare.

2) 用在缩写词的后面，如：

v.t. (verbe transitif)

2. (?) Point d'interrogation, 问号。

在疑问句末，如：

Quelle heure est-il ?

3. (!) Point d'exclamation, 感叹号。

用在感叹句末，如：

Que c'est beau !

4. (,) Virgule, 逗号。

表示一句话中间较短的停顿，如：

Pascal, Annie, Catherine et Paul sont à la bibliothèque.

5. (;) Point-virgule (point et virgule), 分号。

一句话中中等长度的停顿，如：

Pascal, qui lit un journal, se retourne ; il ouvre grand les yeux.

6. (:) Deux points, 冒号。

提起下面的引语或解释：

Il dit : « J'aime la langue française. »

Ils sont quatre, ce sont : Cécile, Pierre, Luc et Jean-Paul.

7.（...）Points de suspension, 省略号。

表示句中省略的部分：

On mange beaucoup : du porc, du poisson, des fruits, du pain...

8. ( ) Parenthèses, 圆括号；［ ］ **Crochets,** 方括号。

表示句中注释的部分，或者是解释语义，或者是补充说明。方括号比较少用，有时在圆括号之外再加方括号。

9. (« ... ») Guillemets, 引号。

法语原文中引导直接引语的引号通常为 «...»；而中国法语界常按汉语习惯使用 "..."。表示文中引用的部分，如果有几段引用的文字，通常在每一段的开始以及最后一段的结束处加上引号。如果引文的本身结尾处需一标点，这一标点应放在引号里面。

Il demande : « Où vas-tu ? »

Je réponds : « Je vais à Paris. »

否则，标点应放引号外面：

On va en Afrique pour le « Safari ».

10. (—) Tiret, 破折号。

1) 表示句中注释的部分，和括号的作用相似。

2) 用在对话之中，表示发言者的变换：

– Salut, Marc !

– Salut, Luc !

11.（*）Astérisque, 星号。

1) 表示有附注。

2) 用在专有名词的第一个字母后面，表示省略。Il va chez Madame de B***。

3) 字典中经常看到以 h 开头的单词前标有星号，这个星号表明这个词中的 h 是嘘音 h。

UN PEU DE CIVILISATION FRANÇAISE 法兰西文化点滴

Le ménage 家务

在法国，烦琐的家务主要还是由家庭主妇们来承担。但随着人们观念的改变，越来越多的男人们开始主动加入到家务劳动中。那么到底有多少男人在做家务呢？

1. 50% 的男主人做采购。
2. 46% 的丈夫帮助妻子刷洗餐具。
3. 49% 的父亲接送孩子上学。
4. 1/3 的父亲会给孩子穿衣服。
5. 32% 的男主人下厨做饭。
6. 29.5% 的男主人负责打扫卫生。

Proverbe 谚语

Bien faire et laisser dire.
尽力而为，不畏人言。

EXERCICES 练习

I. Exercices de phonétique

1. Exercices d'audition. 

1) Écoutez et dites si l'on parle d'un homme ou d'une femme ? (听并说出被谈论的是男性还是女性？)

	homme	femme
1		
2		
3		
4		
5		
6		
7		
8		
9		
10		

2) Écoutez et dites si vous avez entendu la phrase **a** ou la phrase **b**.

① **a**. Il y a des papiers sur la table.

b. Il y a des cahiers sur la table.

② **a**. Elle ne sait pas le nom.

b. Elle ne sait pas les noms.

③ **a**. Son fils apprend le français.

b. Ton fils apprend le français.

④ **a**. Quel beau temps !

b. Quels beaux champs !

⑤ **a**. C'est à six minutes de marche.

b. C'est à dix minutes de marche.

⑥ **a**. J'aime le thé.

b. J'aime l'été.

3) Écoutez et dites où sont les articles（物品）.

	article	endroit
1	son sac	
2	ses livres	
3	sa chemise	
4	ses crayons	
5	ses chaussures	
6	son bureau	
7	ses revues	
8	sa tasse	

2. Marquez les liaisons suivant le modèle.（根据示例用"↺"符号划出连音处。）

J'habite à Beijing.　　C'est une revue.

1) Il est à Lille.
2) Marc est ingénieur à Nice.
3) Elle habite à Paris avec Annie.
4) Il est cinq heures et demie.
5) C'est un ami ou c'est une amie ?

3. Donnez la transcription phonétique et indiquez les syllabes.

mignon	[ ]	mignonne	[ ]	version	[ ]
échantillon	[ ]	compagnon	[ ]	ronde	[ ]
plomb	[ ]	papillon	[ ]	son	[ ]
sonner	[ ]	bonnet	[ ]	bonbon	[ ]
sombre	[ ]	donc	[ ]	gong	[ ]

Comptons les moutons de mon oncle avec le petit bonhomme.

[ ]

4. Répondez aux questions suivantes.

1) 鼻化元音在什么条件下有长音？
2) 不定冠词复数 des 和后面的名词在什么情况下联诵？
3) in 应发［　］；而 un 应发［　］。但是它们都可以发成［　］，因为在现代法语中这种区别正在逐步消失。
4) 字母 ou 碰到 ill 时，读［　］。
5) ill 在辅音后应读［　］。
6)［o］在什么情况下有长音？

II. Exercices de dialogues

1. Questions sur le *Dialogue 1*.

1) Comment est la chambre de Pierre ?
2) Pourquoi sa chambre est-elle comme ça ?
3) D'après vous, est-ce que c'est une bonne raison ?
4) Selon vous, Pierre est-il paresseux（懒惰）?
5) Qu'est-ce qu'il y a sur le bureau ?
6) Et sur son lit ?
7) Pourquoi y a-t-il un disque et des revues chez lui ?
8) Sous la table, qu'est-ce qu'il y a ?
9) Pierre range-t-il tout de suite sa chambre ?

2. Questions sur le *Dialogue 2*.

1) Qui fait un café ?
2) Pourquoi fait-il un café ?
3) Quelle heure est-il maintenant ?
4) Pourquoi Pierre demande-t-il l'heure ?
5) Qu'est-ce qu'il a comme cours ?
6) Son cours est à quelle heure ?
7) Est-ce que sa classe est loin ?

3. Exercices de structures.

1) pouvoir

> – Peux-tu partir aujourd'hui ?
> *– Oui, je peux.*
> *Non, je suis désolé(e), je ne peux pas partir.*

Jeanne peut faire encore le ménage ?

Pouvez-vous encore travailler ?

Peuvent-ils parler français ?

Peux-tu aller à la piscine avec moi ?

2) vouloir

– Voulez-vous apprendre le chinois ?
– *Oui, je veux bien apprendre le chinois.*
Non, merci. Je ne veux pas.

Veux-tu travailler ici ?
Vous voulez regarder la télé ?
Paul veut-il voir ce film ?
Votre ami veut-il aller au cinéma à midi ?

3) apprendre + 名词

– Tu apprends quoi ?
– *J'apprends le français.*

les langues　　le chinois　　les maths（数学）
le vocabulaire　　la grammaire　　la prononciation

4) c'est à + 时间名词（表示距离）

– C'est loin ?
– *Non, ce n'est pas loin, c'est à 2 minutes.*

une heure de marche　　dix minutes
cinq minutes de voiture　　deux heures de train

5) Adjectifs possessifs

– Est-ce ton sac ?
– *Oui, c'est mon sac.*
Non, ce n'est pas mon sac, c'est son sac.

Est-ce ta voiture ?
Est-ce votre amie ?
Est-ce votre professeur de français ?
Est-ce que ce sont tes parents ?
Est-ce que ce sont leurs camarades de classe ?
Est-ce votre école ?
Est-ce que ce sont les livres de Paul ?
Est-ce que ce sont les parents des étudiants de la classe A ?

4. Trouvez la bonne réplique.

1) – Quel désordre dans ta chambre !	a. – Non, je ne sais pas.
2) – Je travaille tard hier !	b. – Oui, merci. Un petit café alors ?
3) – J'apprends le chinois, tu ne sais pas ?	c. – Ce n'est pas loin.
4) – La chambre est enfin propre.	d. – Il est midi et demi.
5) – Tu as l'heure ?	e. – Mais ce n'est pas une raison !
6) – Ta classe, c'est où ?	f. – C'est parce que je travaille tard hier soir.

5. Mettez le dialogue suivant en ordre.（给下列对话排序。）

a. Oui, ça va bien ! Et toi, Sophie ?

b. Elle est grande et bien rangée（整洁）.

c. Merci, c'est gentil de dire ça.

d. Oui, c'est ma chambre.

e. Salut, Christophe ! Ça va ?

f. Très bien. C'est ta chambre ici ?

III. Exercices grammaticaux

1. Mettez un adjectif possessif devant les mots suivants.（在下列名词前加主有形容词。）

.... livres	.... sœur	.... maman
.... professeur	.... femme	.... appareil
.... filles	.... famille	.... classe
.... téléphone	.... jardin	.... amies

2. Quel adjectif possessif faut-il mettre ?（该用哪个主有形容词？）

1) Je suis .... ancienne élève.

2) Il va dans .... ancienne maison.

3) Catherine va au cinéma avec .... ancienne amie.

4) Elle retourne（回到）dans .... ancienne ville.

5) Tu as .... ancienne adresse ?

6) Pierre, est-ce que c'est la photo de .... ancienne école ?

7) .... anciennes revues sont sur la table.

8) Elle est où, ... ancienne chambre ?

3. Mettez les phrases suivantes au féminin.（将主语改为阴性，并配合其相应成分。）

1) Il est étudiant à Marseille.

2) Ils sont très contents.

3) Nous sommes très heureux.

4) Ces garçons travaillent dur（努力）.

5) Je suis vraiment désolé.

6) N'est-ce pas leur fils ?

7) Que fait ton oncle ?

8) Il est journaliste, n'est-ce pas ?

4. Trouvez les questions convenables.

1) – .... ?   – Si, c'est Marie là-bas.

2) – .... ?   – Moi, je suis Benoît Duval.

3) – .... ?   – Oui, j'apprends le chinois.

4) – .... ?   – Oui, il est là.

5) – .... ?   – Il fait le ménage dans sa chambre.

6) – .... ?   – Oui, il a raison, je crois.

5. Complétez les phrases suivantes avec un adjectif possessif et un nom.（用主有形容词和名词把下列句子补充完整。）

1) Le père de .... père est ....

2) La fille de .... mère est ....

3) Le fils de .... fils est ....

4) Les filles de .... tante sont ....

5) Les garçons de .... oncle sont ....

6) La femme de .... oncle est ....

7) Le mari de .... tante est ....

8) Le frère de .... mère est ....

6. Exercices à trous.

1) C'est l'heure et j'ai .... faim.

2) Je suis ...., je ne peux pas faire ce travail（工作）.

3) – Ça ne va pas ?

– ...., ..., tout va très bien.

4) – Ça ne va pas ?

– ...., pas très bien.

5) Où .... Catherine et Caroline, tu sais ?

6) Le dimanche（每周日）, Thomas .... toujours à la bibliothèque.

7) Alors, ... - tu un petit café ?

8) Tes affaires sont .... ton lit.

7. Mettez les verbes entre parenthèses à la forme qui convient.（将动词变为适当形式。）

1) Marie et Dominique (apprendre) .... l'anglais.

2) Où (travailler) .... Fanny et Nicole ?

3) À quelle heure Jacques (avoir) .... son cours de langue ?

4) Ils (vouloir) .... peut-être ranger tout de suite ?

5) Que (faire) .... Catherine et Isabelle aujourd'hui ?

6) – Quand (partir) .... Christian ?

– Il veut (partir) .... demain matin（明天早上）.

7) Qu'est-ce que vous (savoir) .... encore ?

8) Ce n'est pas si（如此地）facile, vous (voir) .... ?

8. Chassez l'intrus.

1) photo - image - cassette - disque -déjeuner

2) fils - sœur - professeur - père - fille

3) travail - faire - regarder - voir - être

4) étudiante - prof - monsieur - étudiant

5) peut - être - bien - déjà - aussi - bonjour

6) matin - maison - soir - midi - minuit

9. Associez les mots des deux colonnes.

1) avoir	a. désolé
2) voir	b. des exercices
3) être	c. faim
4) faire	d. au bureau
5) entrer	e. la télévision
6) regarder	f. un film

IV. Exercices oraux

1. Exercices sur les adjectifs possessifs.

*(Utilisez les expressions comme : **est-ce que c'est ton..., non, ce n'est pas mon..., c'est son ...**, etc.)*

2. Commentez les images suivantes.

*(Utilisez les mots et expressions : **désordre, faire le ménage, propre**, etc.)*

Leçon 9 Au campus

Dialogue Au campus

(À l'entrée de l'université, un professeur français rencontre une étudiante chinoise.)

– Pardon, mademoiselle.

– Oui, monsieur. Qu'est-ce que c'est ?[1]

– L'Université des langues étrangères, c'est bien ici ?[2]

– Oui, c'est devant vous.

– Et le département de français, s'il vous plaît ?

– Ah, le département de français ? Vous voyez, c'est juste en face, au premier étage, à droite.[3]

– Merci, mademoiselle. Vous êtes vraiment très gentille.

– Il n'y a pas de quoi[4], monsieur, à votre service.

– Je me présente, je m'appelle Polo, Polo Lecomte.

– Je suis très heureuse de vous connaître, monsieur. Et moi, je m'appelle Li Li.

– Li Li...Êtes-vous chinoise ?

– Oui. Je suis chinoise et je suis étudiante ici.

– Ah, enchanté. Li... Li... Pouvez-vous épeler votre nom ?

– Certainement. L... i... L... i...

– Oh, je vois. Merci. Êtes-vous du département de français ?[5]

– Oui, c'est cela, j'y apprends le français depuis bientôt deux ans[6].

– C'est pas vrai ? Vous parlez très bien français.[7]

– Merci. Et vous, monsieur, vous êtes français ?

– Oui, c'est exact. Je viens de France.

– Et... pourquoi venez-vous en Chine ?

– Je viens en Chine pour une conférence.

– Alors, bon séjour en Chine ! Au revoir.

– Au revoir, mademoiselle. Et merci encore.

Leçon 9

Texte Le portrait de Sabine Lenoir

Qui est cette jeune fille charmante sur la photo ? Comment s'appelle-t-elle ? Que fait-elle en Chine ? Vous voulez sûrement connaître la réponse à ces questions.

Elle s'appelle Sabine Lenoir. C'est une Française et elle vient de Paris.[8] Elle a 19 ans et elle est en Chine depuis un an. Elle fait actuellement ses études à l'Université des langues étrangères de Beijing.[9] Elle apprend le chinois dans une petite classe du Département de chinois. « J'aime le chinois, dit-elle souvent, c'est une langue difficile, mais très utile. » Elle travaille beaucoup en classe et elle parle déjà bien chinois. Les professeurs et ses camarades de classe sont très gentils avec elle. Elle est très heureuse à Beijing.

Vocabulaire 词汇

à droite [adrwat] *loc. adv.*	在右边；向右
actuellement [aktɥɛlmɑ̃] *adv.*	目前
aimer [ɛme] *v.t.*	爱
bientôt *adv.*	很快，马上
camarade [kamarad] *n.*	同志
campus [kɑ̃pys] *n.m.*	校园
certainement [sɛrtɛnmɑ̃] *adv.*	确实地，肯定地
charmant, e [ʃarmɑ̃, ɑ̃:t] *a.*	迷人的
conférence [kɔ̃ferɑ̃:s] *n.f.*	会议；讲座
connaître [kɔnɛtr] *v.t.*	认识；了解，知道
de [d(ə)] *prép.*	从……（表示来源、起源）
département [departəmɑ̃] *n.m.*	系，部，处
depuis *prép.*	从……以来
devant [dəvɑ̃] *prép.*	在……前
difficile [difisil] *a.*	困难的
en [ɑ̃] *prép.*	在……（置于名词前）
en face [ɑ̃fas] *loc. adv.*	在对面
encore [ɑ̃kɔ:r] *adv.*	还，尚，仍
entrée [ɑ̃tre] *n.f.*	入口；大门
épeler [eple] *v.t.*	拼读
étage [eta:ʒ] *n.m.*	楼层
étranger, ère [etrɑ̃ʒe, ɛ:r] *a.*	外国的
exact, e [ɛgzakt] *a.*	正确的
français [frɑ̃sɛ] *n.m.*	法语
laisser [lɛse] *v.t.*	让；留；任凭
Lecomte [ləkɔ̃:t]	勒孔特（姓）
Lenoir [lənwa:r]	勒努瓦（姓）
pardon [pardɔ̃] *n.m.*	对不起
parler [parle] *v.t.ind.*	说
petit, e [p(ə)ti, it] *a.*	小的
Polo [polo]	波洛（男名）
portrait [pɔrtrɛ] *n.m.*	肖像；描绘
premier, ère [prəmje, ɛ:r] *a.*	第一的
présenter (se) [səprezɑ̃te] *v.pr.*	自我介绍
question [kɛstjɔ̃] *n.f.*	问题
rencontrer [rɑ̃kɔ̃tre] *v.t.*	遇见
réponse [repɔ̃:s] *n.f.*	答案
Sabine [sabin]	萨宾娜（女名）
séjour [seʒu:r] *n.m.*	逗留
service [sɛrvis] *n.m.*	服务
souvent [suvɑ̃] *adv.*	经常地
sûrement [syrmɑ̃] *adv.*	肯定地，无疑地
utile [ytil] *a.*	有用的
y [i] *adv.*	那儿

Expressions de classe 课堂用语

– Excusez-moi, voulez-vous répéter ? 请原谅，您能重复一下吗？
– Volontiers. 很乐意（当然愿意）。
– Merci beaucoup. 太感谢了。

Comptons 计数

70 soixante-dix [swasɑ̃tdis]
71 soixante et onze [swasɑ̃teɔ̃:z]
72 soixante-douze [swasɑ̃tdu:z]
77 soixante-dix-sept [swasɑ̃tdisɛt]
79 soixante-dix-neuf [swasɑ̃tdiznœf]
80 quatre-vingts [katrəvɛ̃]
81 quatre-vingt-un / une [katrəvɛ̃œ̃/yn]
82 quatre-vingt-deux [katrəvɛ̃dø]
89 quatre-vingt-neuf [katrəvɛ̃nœf]
90 quatre-vingt-dix [katrəvɛ̃dis]

※ 法语“七十”的概念为“60+10”。“七十一”为“60 et 11”。
而“七十二”又恢复为“60+12”，然后依此类推。
※ “八十”的概念则为“4 × 20”，故 vingts 后加 s。但“八十”后有其他数字形容词时，则不加 s。
※ “九十”的概念是“4×20+10”。比利时、瑞士法语中“七十、八十和九十”的说法与法国法语不同，分别为：septante，huitante 和 nonante。

Notes 注释

1. Qu'est-ce que c'est ? 您有什么事吗?
此处 qu'est-ce que c'est 不再指“这是什么”，而在口语中表示“有何事情”，
同样情形下还可说“Qu'est-ce qu'il y a ?”，表示“ 有什么事儿吗（怎么了）？”。

2. L'Université des langues étrangères, c'est *bien* ici ? 外语大学，就是这儿吗?
副词 bien 在这里表示强调。如：
Vous êtes bien Monsieur Dutour ? 您就是杜图尔先生?
Tu es bien d'accord ? 你真的同意了?
C'est bien ça ! 正是（这个）！

3. Vous voyez, c'est *juste* en face, au *premier étage*, à droite. 您瞧，就是对面，二层右边。
1) 此处 juste 为副词，作“就；正好”讲。
juste 本身可能是形容词、名词或副词，要由其在句中的作用来确定。

2) 与汉语的表达习惯不同，法语将楼层分为：底层，一层，二层，……。法语“底层”为我们的一层；一层为我们的二层；依此类推。（序数词见第 11 课语法 1）

4. Il n'y a pas *de quoi* : 没有什么好谢的；不必客气。

这是口语表达方式，表示请对方不要客气。de quoi 指“必要的东西”。类似的口语说法还有“De rien ”。

5. *Êtes-vous du* département de français ? 您是法语系的吗?

此处：être de + 名词 = 是……的（成员、一部分）。如：

Je suis de ce groupe. 我是这个小组的。

Ces filles sont d'une autre école. 这些女孩是另一所学校的。

6. j'*y* apprends le français depuis bientôt deux ans : 我在这里学法语快两年了。

y 是副代词，用来代替已提到过的由介词 à 等引导的地点状语。此处代替法语系。如：

Il va à Paris. Il y arrive à 2 heures. 他去巴黎，两点钟到那儿。（代替 à Paris）

Paul est chez ses parents. Il y reste encore une semaine. 保尔在他父母家，他还得在那里呆一周。（代替 chez ses parents）

7. C'est pas vrai ? Vous *parlez* très bien *français*. 这不是真的吧？您法语讲得真好。

1)“讲某种语言”的句型为：parler + le + 语言，如：

parler l'anglais 说英语

parler le chinois 讲汉语

2)“某种语言”的构成：le + 国家阳性形容词，如：

le portugais 葡萄牙语，l'espagnol 西班牙语，le coréen 朝鲜语，le russe 俄语。

3) 口语中经常使用 parler + 语言　这种省略了定冠词 le 的句型。两者含义相同。如：

Il parle le français. 他说法语。

Il parle français. 他说法语。

8. C'est *une Française* et elle vient de Paris. 这是位法国人，她来自巴黎。

1) 表示国籍时，如果带有冠词或数词，则一定要大写。如：

Voici une Chinoise. 这是一位中国妇女。

Je rencontre deux Canadiens dans la rue. 我在街上遇见两个加拿大人。

2) 但如果在句中作表语，则大、小写均可。如：

Je suis chinois / Chinois.

Elle est française / Française.

※ 传统法语中，表示国籍的名词首字母应大写。但现代法语中已越来越流行不再大写。但切记：如带有冠词或数词，则一定大写。

9. Elle *fait* actuellement *ses études* à l'Université des langues étrangères de Beijing. 她目前在北京外国语大学学习。

法语中“学习”有三种说法，彼此间略有区别：

1) apprendre：往往指从头学起尚未学过的东西。如：

J'apprends le français depuis un mois. 我（开始）学法语有一个月了。

2) étudier：常指在原来学习的基础上继续深入学习或研究。如：

J'étudie le français. 我在钻研法语。

3) faire ses études：泛指"读书,上学",表示状态的成分较多。可在 études 后加补语，指"学……"。如：

Je fais mes études de français ici. 我在这儿学习法语。

PHONÉTIQUE 语音

Tableau de phonétique 读音规则表

音类	音素	拼写形式	例词
元音	[ɑ̃]	an, am	sans, chambre, banque, tante
		en, em	lent, tente, ensemble, embêter
		en + 元音，在少数词词首	enivrer, enorgueillir
		en 在 m, n 前，并在词首	enneiger, emmener, ennui, emmêler
		aon 在少数词中	paon, faon, taon
		aen 在地名中	Caen
		ient 并联时	client, clientèle, orient, oriental, patienter
半元音	[ɥ]	u 在元音前	huit, duel, mutualité, duo, cuisine

Comment prononcer 如何发音

1. 元音 [ɑ̃]

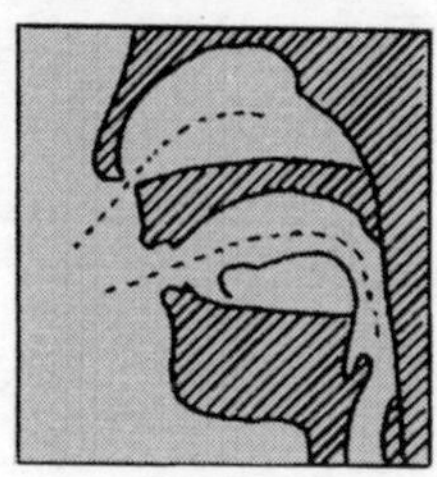

发音部位近似于 [a]，舌略向后缩，开口度略大，气流从口、鼻腔同时冲出。

2. 半元音 [ɥ]

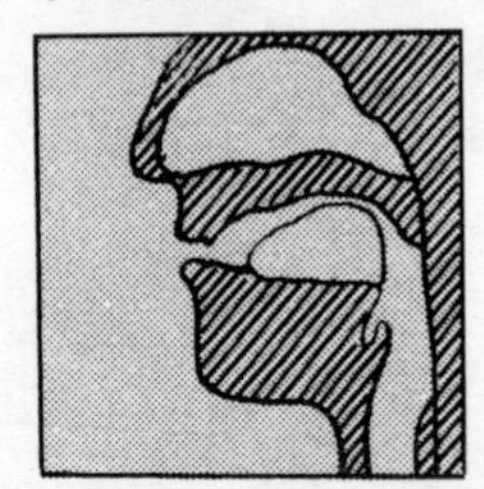

[ɥ] 是与元音 [y] 相对应的半元音。发音短促，口腔肌肉紧张，同时迅速过渡到作为音节主体的元音。

Connaissances phonétiques 语音知识

1. 元音 [ɑ̃]

鼻化元音 [ɑ̃] 在词末闭音节中有长音。如：chante [ʃɑ̃:t]，étudiante [etydjɑ̃:t]。

2. 关于长音

法语语音中有两种不同的长音：节奏长音和历史长音。

1) 节奏长音：

[r - v - z - ʒ - l - j - vr] 在重读音节末尾时，其前面的元音读长音，这种长音叫做节奏长音。节奏长音受重音变化的影响，有时会消失。如：

un professeur [œ̃prɔfɛsœ:r]，un professeur français [œ̃prɔfɛsœr-frɑ̃sɛ]。

2) 历史长音：

[o - ø] 和鼻化元音 [ɑ̃ - ɔ̃ - ɛ̃ - œ̃] 在词末闭音节中要读长音，这一类长音称为历史长音。历史长音不受重音变化的影响，永远要读出来。如：

une étudiante [ynetydjɑ̃:t]，une étudiante belge [ynetydjɑ̃:t-bɛlʒ]。

3. 半元音 [w]、[j]、[ɥ]

与半元音 [w] [j] 和 [ɥ] 相对应的三个元音是 [u] [i] 和 [y]。它们的发音方法基本相同。但半元音的发音肌肉更紧张，空气通道更窄，因而产生辅音所特有的摩擦音。半元音必须与其后的元音紧密结合，读音时迅速从半元音过渡到下一元音。请参看下表 [w] 的读音情况：

Semi-voyelle [w]			
读 音	拼写形式	条 件	举 例
[w]	ou	在元音前	oui [wi]
	w	在少数词中	watt [wat]
[wa]	oi, oî		moi [mwa]，boîte [bwat]
[waj]	oy	在元音前	voyage [vwaja:ʒ]

4. 鼻化元音的特点

法语中共有 [ɑ̃ - ɔ̃ - ɛ̃ - œ̃] 四个鼻化元音，它们有下列共同特点：

1) 发音时口形与相应的元音 [a - o - ɛ - œ] 基本相同，但软腭下降，气流同时从鼻腔和口腔冲出。

2) 构成鼻化元音的字母组合后不能再有元音字母或相同的 m 或 n；否则构成鼻化元音的条件便被破坏，也就无法读出鼻化元音了。如：

an [ɑ̃] ≠ année [ane]

un [œ̃] ≠ une [yn]

compte [kɔ̃:t] ≠ comme [kɔm]

3) 鼻化元音组合中，字母组合（am, em, om, um）后往往有辅音字母 p 或 b 出现，后无字母或接其他字母的情况甚少，也不做开音节。如：

ample，embarras，ombre，humble。(例外：comte，parfum)

但由字母 n 组合形成的鼻化元音后可接其他辅音或作开音节。如：

an，ancre，enfant，son，commun。

4) 四个鼻化元音在词末闭音节中都有历史长音。

5. 联诵中的变音

在联诵中，有些辅音字母要改变原来的发音。如：

1) s, x 读 [z]：les yeux [lezjø]，deux heures [døzœ:r]

2) d 读 [t]：quand il regarde [kɑ̃-til-rə-gard]

3) f 读 [v]：neuf heures [nœ-vœ:r]，neuf ans [nœ-vɑ̃]

Sons et lettres 语音与字母

[ɑ̃-ɑ̃:]		
pan - pente	temps - tempe	lent - lampe
dans - danse	ment - manche	fanfan - fente
dans - danse	lent - lente	champs - chance
franc - France	jambette - jambe	diamant - dimanche
camp -vacances	rang - range	champs - chambre

[ɑ̃:-ɑ̃]		
chante - chanter	angle - sanglant	range - rangement
tante - trente	membre - mentir	tranche - tranchant

[a-ɑ̃]		
année - an	panne - pan	plane - plan
Jeanne - Jean	lame - lampe	manette - maman

[ɑ̃-ɔ̃:]

ans - oncle | sang - sombre | pan - pompe
dans - donc | banc - bombe | camp - compte
lent - longue | membre - montre | temps - tombe

[ɥ]

tua - sua - nuage | tuer - diluer
duel - manuel - mutuel | saluer - saluez
puer - buée - nuée | ruer - remuer

[ɥi]

huit - suite | huile - ruine | puis - puisque
réduit - buis | nuit - huil | aujourd'hui

[y-ɥi]

fut - fuit - fuite | lu - lui - l'huile
pu - puis - puisse | su - suit - Suisse

Élocution 咬文嚼字

- Dans ta tente ma tante chante quand dans ma tente ta tante danse.
- Huit Suisses suivent Julie aux buissons en juillet.
- À l'écran, un tendre dentiste tend une dent fendue au vent.
- La nuit, une lueur d'huile luit dans ce puits sous une lune luisante.
- Dans le temps, les chants des gens s'entendaient dans les champs.

1. 名词复数的构成（Formation des noms au pluriel）

法语中，绝大多数名词加 s 即构成复数，但少数名词变化不同。为方便大家记忆，现将常见普通名词复数构成的基本形式列入下表：

常见名词复数构成表				
变项 / 词尾 / 类别	单数名词	变化规则	复数名词	说明
大多数名词	un homme	加 s	des hommes	
-ou	un sou	加 s	des sous	7 个加 **x** ：bijou, caillou, chou, genou, hibou, joujou, pou
-ail	un rail	加 s	des rails	7 个变为 **aux**：bail, corail,émail, soupirail, travail, vantail, vitrail
-al	un journal	改为 aux	des journaux	个别加 **s**：cal，festival
-au, -eu，-eau	un noyau un pieu un veau	加 x	des noyaux des pieux des veaux	个别加 **s**：landau, sarrau bleu, pneu
-s, -x, -z	un bois une voix un nez	不变	des bois des voix des nez	
三个特殊变化名词	l'aïeul, le ciel, l'œil		les aïeux, les cieux, les yeux	
两个发音特殊名词	un œuf [œf], un bœuf [bœf]		des œufs [ø], des bœufs [bø]	
1) 少数名词的单、复数之间存在意义上的差别，甚至意义完全不同。 2) 关于专有名词、抽象名词和复合名词的复数构成见后续语法。				

2. 名词阴性的构成（Formation des noms féminins）

一般来说，法语中的名词（普通、专有名词；具体、抽象名词；个体、集体名词等）性属非阴即阳。

此处“阴性名词”专指有关人或动植物名词。这类名词的阴性变化复杂。现仅将其中常见的变化形式列入以下三个表中，以方便大家理解和记忆。

一般人或动物名词阴性构成表				
变项 / 词尾类别	阳性名词	变化规则	阴性名词	说　明
-e	camarade	不变	camarade	阴阳性共用
-ais,-ain,-al, -an,-and,-in, -is,-ois,-ol,-ant	Français cousin étudiant	加 e	Française cousine étudiante	
-ier	ouvrier	改为 -ière	ouvrière	
-eur	vendeur	改为 -euse	vendeuse	
-teur	directeur	改为 -trice	directrice	
-teur	chanteur	改为 -teuse	chanteuse	与动词有关※
-en,-on	lion	重复字母 n 再加 e	lionne	
-f	Juif	改为 -ve	Juive	
-x	époux	改为 -se	épouse	
※ “与动词有关”是指这类名词是从以 -er 结尾的动词演化而来。				

人或动物名词特殊形式表			
人的阳性名词	人的阴性名词	动物阳性名词	动物阴性名词
un homme 男人	une femme 女人	un bouc 公山羊	une chèvre 母山羊
un monsieur 先生	une dame 女士	un bélier 公绵羊	une brebis 母绵羊
un mari 丈夫	une femme 妻子	un coq 公鸡	une poule 母鸡
un copain 伙伴	une copine 女伴	un canard 公鸭	une cane 母鸭
un père 父亲	une mère 母亲	un jars 公鹅	une oie 母鹅
un fils 儿子	une fille 女儿	un cerf 公鹿	une biche 母鹿
un garçon 男孩儿	une fille 女孩儿	un singe 公猴	une guenon 母猴
un frère 兄弟	une sœur 姐妹	un taureau 公牛	une vache 母牛
un oncle 叔，伯	une tante 姨，婶	un loup 公狼	une louve 母狼
un parrain 教父	une marraine 教母	un verrat 公猪	une truie 母猪
※ 如此表所示，有时，同一对人或动物，其名词阳性和阴性的形式完全不同。这类名词往往与“家”的概念或环境有关。			

阴性名词其他构成法		
① 部分表示职业从事者的名词无相应阴性形式；若指女性从业者，解决的方法通常是在相关阳性名词前加 femme（女性）。		
阳性名词	变化规则	阴性名词
un auteur（男作家）	加 femme	une femme auteur（女作家）
un peintre（男画家）		une femme peintre（女画家）
un professeur（男老师）		une femme professeur（女老师）
② 大部分指动物的名词仅有阳性或阴性形式；若想确指其雌雄，通常在相关名词后加 mâle（雄性 / 公）或 femelle（雌性 / 母）。		
动物名词	阳性名词（加 mâle）	阴性名词（加 femelle）
un serpent（蛇）	un serpent mâle（公蛇）	un serpent femelle（母蛇）
un poisson（鱼）	un poisson mâle（雄鱼）	un poisson femelle（雌鱼）
une hirondelle（燕子）	une hirondelle mâle（雄燕）	une hirondelle femelle（雌燕）
③ 绝大部分植物类名词也仅有阳性或阴性形式；若想确指其雌雄，采取与②相同的方法。		
植物名词	阳性名词（加 mâle）	阴性名词（加 femelle）
un arbre（树）	un arbre mâle（雄树）	un arbre femelle（雌树）
une fleur（花）	une fleur mâle（雄花）	une fleur femelle（雌花）

※ 名词的性除上述一般变化外，少数名词的变化异常特殊，此处暂不赘述。

3. 专有地域名词前的介词（Préposition devant les noms propres de lieu）

1) 法语地域名词也有阴、阳性之分，并带有定冠词。如：

① 国名：la Chine（中国），le Canada（加拿大），les États-Unis（美国）。

② 省名：la Bretagne（布列塔尼），la Normandie（诺曼底），le Hebei（河北省）。

③ 地区名：la Provence（普罗旺斯地区），le Midi（法国南部）。

④ 海洋、山脉名：le Pacifique（太平洋），les Alpes（阿尔卑斯山）。

※ 法语的城市名前通常无冠词。

2) 在地域名词前使用介词时，应遵循以下原则（以 aller à... 和 venir de... 为例）：

① 阴性单数地域名词用作地点状语时，地域名词前要省略冠词，且用介词 en（代替介词 à）或 de（代替介词 de）引导；

※ 若是以元音或哑音 h 起始，en 要与之连音；de 要省音，改成 d'。

阴性复数地域名词用作地点状语时，地域名词前的定冠词 les 保留，且与介词 à 或 de 缩合成 aux 或 des。

※ 若是以元音或哑音 h 起始，aux 或 des 要与之联诵。

动 词	阴性地域名词	变 化 原 因
Je vais	**en** France.	单数，省略冠词，改用介词 en
Je viens	**de** France.	单数，省略冠词，改用介词 de
Je vais	**en** Argentine.（阿根廷）	单数，以元音起始，所以联诵
Je viens	**d'**Argentine.	单数，以元音起始，所以省音
Je vais	**aux** Philippines.（菲律宾）	复数，介词 à 与 les 缩合为 aux
Je viens	**des** Philippines.	复数，介词 de 与 les 缩合为 des

② 以元音或哑音 h 起始的阳性地域名词用作地点状语时，地域名词前要省略冠词，且用介词 en 或 de 引导，同时 en 要与该词联诵；de 要省音，改成 d'；而复数（阳性）以元音或哑音 h 起始的阳性地域名词用作地点状语时，地域名词前的定冠词 les 保留，且与介词 à 或 de 缩合成 aux 或 des，同时 aux 或 des 要与之联诵。

动 词	元、哑音 h 起始阳性名词	变 化 原 因
Je vais	**en** Iran.	单数，省略冠词，改用介词 en，联诵
Je viens	**d'** Iran.	单数，省略冠词，改用介词 de，联诵
Je vais	**aux** États-Unis.	复数，介词 à 与 les 缩合为 aux，联诵
Je viens	**des** États-Unis.	复数，介词 de 与 les 缩合为 des，联诵

③ 以辅音起始的阳性地域名词用作地点状语时，地域名词前的定冠词 le/les 保留，且与介词 à 或 de 缩合成 au/aux 或 du/des。

动 词	辅音起始阳性名词	变 化 原 因
Je vais	**au** Canada.（加拿大）	单数，保留冠词，介词 à 与 le 缩合成 au
Je viens	**du** Canada.	单数，保留冠词，介词 de 与 le 缩合成 du
Je vais	**aux** Pays-Bas.（荷兰）	复数，保留冠词，介词 à 与 les 缩合为 aux
Je viens	**des** Pays-Bas.	复数，保留冠词，介词 de 与 les 缩合为 des

4. 主语与表语的配合（Accord entre le sujet et l'attribut）

掌握主语与表语的配合，首先应当明晰两个概念：系（动）词和表语。

1) 系（动）词（copule）

简单地讲，用来表示某种状态或性质的动词被称为“系（动）词”。这类动词并不表示具体的动作，而是表示特征、心情、品质或身份、职业等属于静态的概念。这类动词的典型代表是动词 être，另外还有像 devenir，sembler，paraître 等动词，其实际意义与 être 相同，也属于表示“变成、好像、显得”等概念的系（动）词。

2) 表语（attribut）

顾名思义，“表语”即“表示语”。如果主语和有关品质之间是用系（动）词 être

来做连接，那么这个表示品质的词就是“表语”。狭义地讲，这里所谓的“表语”就是指“主语表语”（attribut du sujet）。表语可以是名词、形容词、代词、数词、分词、动词不定式或整个分句。

3) 主语与（主语）表语的配合

因为（主语）表语所修饰的是主语本身的特征、心情、品质或身份、职业，故其性、数必须与主语的性、数相一致！（动词不定式或分句因无性数变化例外。）

仅以主语与（主语）表语在系（动）词 être 条件下的配合为例：

表语类别	例　　句
名词	Polo Lecomte est **français**. 波洛是法国人。（专有名词） Elles sont **étudiantes**. 她们是大学生。（普通名词）
形容词	Cette jeune fille est **grande**. 这姑娘个子高。（品质形容词） **Quelles** sont vos questions ? 你们的问题是什么？（疑问形容词）
代词	**Qui** êtes-vous ? 您是哪位？（疑问代词） Le professeur, c'est **moi**. 老师就是我。（重读人称代词）
数词	Nous sommes **douze**. 我们是十二个人。（基数词） Elle est **la première**. 她是第一名。（序数词）
分词	Elles sont **intéressées**. 她们被牵涉其中。（过去分词）
动词	Vouloir, c'est **pouvoir**. 有志者，事竟成。（动词不定式）

5. Conjugaison（动词变位）

1) connaître

connaître [kɔnɛtr]	
je connais	nous connaissons
tu connais	vous connaissez
il conna**î**t	ils connaissent
elle conna**î**t	elles connaissent

2) dire

dire [diːr]	
je dis	nous disons
tu dis	vous di**tes** [vudit]
il dit	ils disent
elle dit	elles disent

3) se présenter

se présenter [səprezɑ̃te]	
je **me** présente	nous **nous** présentons
tu **te** présentes	vous **vous** présentez
il **se** présente	ils **se** présentent
elle **se** présente	elles **se** présentent
※ 代词式动词在动词变位时，主语代词后的自反代词须随之作相应的变化！	

4) venir

venir [vəniːr]	
je viens	nous venons
tu viens	vous venez
il vient	ils viennent
elle vient	elles viennent

ÉCRITURE 书写规则

Signes d'orthographe 书写符号

1. (ˊ) Accent aigu, 尖音符（闭音符）。
用于 é, 表示读［e］。如：été，Pékin 。

2. (ˋ) Accent grave, 钝音符（开音符）。
1) 用于 è，表示读［ɛ］。如：mère, père 。
2) 用于 à，ù：用来区别意义不同的词。如：la, là；ou, où 。

3. (ˆ) Accent circonflexe, 长音符。
1) 用于 ê：表示读［ɛ］。如：tête，fête 。
2) 用于 ô：表示读［o］。如：côte，pôle 。
3) 用于 â：表示读［a］。如：âme，mâle 。
4) 用于 î，û：使词义不受影响。如：île，dû 。

4. (¨)Tréma, 分音符。
放在元音字母上，表示应与前接的元音字母分开读音。如：naïf [naif]，maïs [mais]，aiguë [egy]。
※ 1) 字母 i 上如加有其他符号，原有的一点取消：ï, î 。
2) 大写字母上的符号可有可无，目前倾向于保留下来：à - À, écrit- Écrit 。

5. **(¸) Cédille,** 软音符（变音符）。

放在字母 c 下，表示 c 在字母 a，o, u 前读［s］。如：français，leçon，reçu 。

6. **(') Apostrophe,** 省文撇。

用在省音中，代替被省去的元音字母（往往是 a 或 e ）。如：l'heure, c'est, s'il 。

7. **(-) Trait d'union,** 连字符。

用来连接同一个语法单位内的词。如：grand-père，aimez-vous，est-ce。

UN PEU DE CIVILISATION FRANÇAISE
法兰西文化点滴

Un petit cadeau fait l'amitié 礼轻情意重

1. 初次受邀，常会送花给女主人。谨记: 送成束的红玫瑰时要慎重。且莫送菊花——那是献给逝者的！
2. 去熟人家做客，不妨给男主人带瓶两三年的红葡萄酒，俗话说“好酒邀好友”！
3. 至交相邀，当然可以送花带酒，但也可“自告奋勇”，准备好头道菜、饭后甜点或饮料。
4. 友人相邀小酌，不用送礼，致上谢意即可。
5. 参加婚礼或生日宴，礼物随便送。
6. 同事离开单位，众人凑份子送礼。走的人往往会回请大家喝上一杯。

Proverbe 谚语

À bon chat, bon rat.
棋逢对手，将遇良才。

EXERCICES 练习

I. Exercices de phonétique

1. Exercices d'audition.

1) Écoutez et dites si vous avez entendu la voyelle [ɑ̃] ou [ɛ̃].

	[ɑ̃]	[ɛ̃]
1		
2		
3		
4		
5		
6		
7		
8		
9		
10		

2) Avez-vous entendu une liaison dans l'énoncé ?（您听到句中的联诵了吗？）

	oui	non
1		
2		
3		
4		
5		
6		
7		
8		
9		
10		

3) Écoutez et dites si vous avez entendu la phrase **a** ou la phrase **b**.

① **a.** Tiens ! C'est lui.
b. Tiens ! C'est Louis.

② **a.** J'entends les chants.
b. J'entends les gens.

③ **a.** Tu connais la bande ?
b. Tu connais la pente ?

④ **a.** Elles sont douces.
b. Elles sont douze.

⑤ **a.** Une nuit coûte 10 €.
b. Huit nuits coûtent 10 €.

2. Écoutez et dites quelle langue parle la personne.（听并说出每个人讲何种语言。）

Vocabulaire nécessaire（必要词汇）：l'anglais（英语），le russe（俄语），l'espagnol（西班牙语），l'arabe（阿拉伯语）。

1ère personne	
2e personne	
3e personne	
4e personne	
5e personne	
6e personne	

3. Lisez les phrases suivantes et faites attention à l'intonation.

1) Ce n'est pas difficile.

2) Elles ne sont pas françaises.

3) Je ne regarde pas la télévision.

4) Nous ne sommes pas là pour le moment.

5) Ils n'habitent pas à Paris maintenant.

6) Ah ! Tu ne lis pas le journal ?

7) Non, je ne travaille pas le samedi.

8) Comment ? Ce n'est pas son frère ?

4. Donnez la transcription phonétique et indiquez les syllabes.

danser	[ ]	manger	[ ]	vendeuse	[ ]
échanger	[ ]	campagne	[ ]	ranger	[ ]
empêcher	[ ]	gants	[ ]	langue	[ ]
sien	[ ]	suggestion	[ ]	suivre	[ ]
nuitée	[ ]	canne	[ ]	dictionnaire	[ ]

Ces gens dans la rue sont vraiment contents.

[ ]

5. Répondez aux questions suivantes.

1) 与三个半元音相对应的元音是哪三个？
2) 联诵中，哪两个字母读 [z]?
3) 哪几个元音有历史长音？
4) 重音对哪种长音有影响？请举例。

II. Exercices de dialogues

1. Questions sur le *Dialogue*.

1) Quelle est la nationalité（国籍）de Monsieur Lecomte ?
2) Où est-il maintenant ?
3) Que cherche-t-il ?
4) À qui s'adresse-t-il（与……讲话）?
5) Qui est cette jeune fille ?
6) De quel département est-elle ?
7) Depuis combien de temps apprend-elle le français ?
8) Est-ce qu'elle parle bien français maintenant ?
9) Pourquoi Monsieur Lecomte vient-il en Chine ?
10) Savez-vous où est le département de français ?

2. Questions sur le *Texte*.（课文问题。）

1) Qui est la jeune fille sur la photo ?
2) Comment s'appelle-t-elle ?
3) Que fait-elle en Chine ?
4) Connaissez-vous la réponse à toutes ces questions ?
5) D'où vient-elle ?
6) Quel âge a-t-elle ?
7) Depuis combien de temps est-elle en Chine ?
8) Où fait-elle ses études de chinois actuellement ?

9) Dans quel département travaille-t-elle ?
10) Comment trouve-t-elle la langue chinoise ?
11) Elle travaille bien ?
12) Comment sont les professeurs et ses camarades de classe avec elle ?

3. Exercices de structures.

1) faire des études + de + 学科

Apprend-il le français ?
Oui, il fait des études de français.

Apprenez-vous une langue étrangère ?
Apprennent-ils les maths（数学）?
Tu apprends la physique ?
Ces filles apprennent-elles le chinois ?

2) aller à + 冠词 + 地点

Tu vas où ? Les États-Unis ?
Oui, je vais aux États-Unis.
Non, je ne vais pas aux États-Unis.

Jeanne va où ? La France ?
Vous allez où ? Le Canada ?
Où allons-nous ? L'Europe（欧洲）?
Où veux-tu aller ? L'Iraq（伊拉克）?

3) être + 形容词表语 + de + faire qch.

Tu vas à Beijing, tu es content ?
Oui, je suis content d'aller à Beijing.

Tu apprends le français, tu es content ?
Vous allez à la campagne, vous êtes heureux ?
Elles vont à Paris, elles sont contentes ?
Vous connaissez Gérard Depardieu, vous êtes heureux ?

4) venir de + 冠词 + 地点

D'où venez-vous ? / les États-Unis
Je viens des États-Unis.

D'où vient-elle ? / la Norvège（挪威）
D'où viennent ces jeunes filles ? / le Tibet（西藏）
D'où vient ce monsieur ? / le Canada
Il vient d'où ? / les Caraïbes（加勒比海地区）

5) se présenter

Tu rencontres Monsieur Delattre ?
Oui, et nous nous présentons.

Elle rencontre Fanny ?
Il rencontre ses camarades de classe ?
Vous rencontrez les Dupont ?
Est-ce que le professeur a déjà recontré ses nouveaux étudiants ?

III. Exercices grammaticaux

1. Mettez les noms suivants au pluriel.

singulier	pluriel	singulier	pluriel
monsieur		un tapis	
madame		un œil	
mademoiselle		un œuf	
un journal		une voix	
un crayon		un portrait	

2. Donnez le féminin des noms suivants.

masculin	féminin	masculin	féminin
un vendeur		un acteur	
un professeur		un père	
un arbre		un étudiant	
un fils		un facteur	
un lion		un garçon	
un ami		un coq	
un frère		un homme	
un styliste		un journaliste	
un écrivain（作家）		un élève	

3. Faites l'accord.

1) Est-ce que ces leçons sont (difficile) .... ?
2) Julie n'est pas (petit) ....
3) Ces (petit) .... enfants sont très (content) ....
4) Sa (nouveau) .... amie est (grand) ....
5) Mes amis, vous êtes vraiment très (gentil) ....
6) Cette étudiante (étranger) .... est (seul) .... mais (heureux) ....
7) Ces histoires（故事）sont tout à fait（完全）(vrai) ....
8) Merci, monsieur. Voilà (tout) .... mes questions.

4. Donnez la forme correcte des conjugaisons suivantes.

1) Qu'est-ce que vous (dire) .... ?
2) Quand (venir) .... -elles en France ?
3) Oh ! Comme elle (parler) .... bien !
4) Je ne (voir) .... pas pourquoi il ne (vouloir) .... pas le (faire) ....
5) Quoi ? Elle (connaître) .... Gérard Depardieu ? Ce ne (être) .... pas possible !
6) Mais, je ne (savoir) .... pas comment tu y (aller) ....

5. Mettez les phrases suivantes à la forme négative.

1) Maman lit.
2) Paul regarde la télévision.
3) Je suis professeur.
4) C'est une chemise chinoise.
5) Ce sont des Français.
6) Claire révise ses leçons.
7) Marie est française.
8) Vous êtes professeur.

6. Trouvez la question convenable.

1) Pierre et sa sœur sont à la maison.
2) Oui, je suis chinois.
3) C'est une revue française.
4) Voici ma sœur Caroline.
5) Il est presque midi et demi.
6) Sabine lit des journaux dans la classe.

7. Écrivez au singulier les noms suivants.

pluriel	singulier
les portraits	
les journaux	
les bureaux	
les photos	
les femmes	
les maisons	
les yeux	
les leçons	
les Français	
les Anglaises	

8. Complétez avec *le, la, l', à la, à l'*.

1) .... professeur est à .... maison.
2) .... français est difficile.
3) .... camarade Li Hua va .... piscine.
4) Louise va .... Université des langues étrangères.
5) .... sœur de Pierre est gentille.
6) .... jeune femme près de .... fenêtre est Agnès Dupuis.

9. Traduisez les mots suivants en français.

六十件衬衣　　六十一位姑娘　　七十间教室　　七十一个问题
七十九个单词　　八十岁　　八十一个字母　　九十次

IV. Exercices oraux

Pratiquez comme dans le texte.（模仿课文中的情景实践。）

1. 设想路上碰到老师，互致问候。
2. 向邻座打听班里的一位同学（如：他/她是学生吗？学法语吗？……）。

3. 以课文为例，介绍同学。

Leçon 10 Au téléphone

Dialogue 1 Au téléphone[1]

(Le téléphone sonne chez les Dupont. [2] Madame Dupont décroche.)

– Allô, bonjour.

– Bonjour, madame. Ici, c'est André Duval.

– Pardon, c'est de la part de qui ? [3]

– André Duval à l'appareil.[4]

– Pardon ?

– André, André Duval.

– Je suis vraiment désolée, monsieur.[5] Vous pouvez épeler, s'il vous plaît ?

– D-U-V-A-L, de la compagnie Air France.

– Ah oui, de Roissy.[6]

– C'est ça. Je voudrais parler à votre fils, Thomas.[7] Il est là ?

– Oui, oui, il lit des journaux dans sa chambre.[8] Attendez, je vous passe Thomas.[9]

– Merci, madame.

Dialogue 2 Prendre un rendez-vous[10]

– Allô, oui ?

– Salut, Thomas. Tu es là ?

– Je lis et je révise mes leçons. Il y a un examen la semaine prochaine.

– Cet examen est vraiment important ?

– Bien sûr. Pourquoi ?

– Ce soir, il y a des amis à la maison. Tu viens ?

– C'est à quelle heure ?

– Vers neuf heures.

– O.K. D'accord, je viens.

– Alors, c'est entendu ?

– Entendu !

– Et sais-tu où est Vincent ? C'est pour la cuisine.

– Le samedi, il va toujours à la bibliothèque. Il a son portable.

– Mais je n'ai pas son numéro.

– C'est le 06 45 66 32 00. [11]

– Merci, c'est gentil.

– De rien.

– Alors, rendez-vous ce soir et bonne journée[12] !

– Toi aussi ! À ce soir !

Vocabulaire 词汇

Agnès [aɲɛs]	阿涅斯（女名）	leçon [ləsɔ̃] *n.f.*	课，功课，课程
Air France [ɛrfrɑ̃:s]	法兰西航空公司（简称法航）	lire [li:r] *v.t.*	读
allô [alo] *interj.*	喂（电话用语）	mes [me] *a.poss.*	我的
André [ɑ̃dre]	安德烈（男名）	numéro [nymero] *n.m.*	号码
appareil [aparɛ:j] *n.m.*	机器；电话	O.K., OK [ɔke(ɛ)] *interj.*	好，行
attendre [atɑ̃:dr] *v.t.*	等候	part [pa:r] *n.f.*	方面
bibliothèque [biblijɔtɛk] *n.f.*	图书馆	passer [pase] *v.t.*	转给
compagnie [kɔ̃paɲi] *n.f.*	公司，商社	portable [pɔrtabl] *n.m.*	手机
cuisine [kɥizin] *n.f.*	做饭	prendre [prɑ̃:dr] *v.t.*	受，接受
de rien [dərjɛ̃] *loc. adv.*	没关系	prochain, e [prɔʃɛ̃, ɛn] *a.*	下一个的
décrocher [dekrɔʃe] *v.t.*	拿起（电话听筒）	rendez-vous [rɑ̃devu] *n.m.*	约会，会面
Dupont [dypɔ̃]	杜邦（姓）	réviser [revize] *v.t.*	复习
Duval [dyval]	杜瓦尔（男名）	samedi [samdi] *n.m.*	星期六
entendu, e [ɑ̃tɑ̃dy] *a.*	谈妥的，一言为定	semaine [səmɛn] *n.f.*	周，星期
examen [ɛgzamɛ̃] *n.m.*	考试	sonner [sɔne] *v.i.*	响
fils [fis] *n.m.*	儿子	Thomas [tɔma]	托马斯（男名）
important, e [ɛ̃pɔrtɑ̃, ɑ̃:t] *a.*	重要的	vers [vɛ:r] *prép.*	将近
journée [ʒurne] *n.f.*	一天	Vincent [vɛ̃sɑ̃]	万桑（男名；姓）

Expressions de Classe 课堂用语

– Est-ce que je vous dérange ? 我打扰您吗 ？

– Non, pas du tout. 不，一点儿也不。

– Ça sonne, reposez-vous un peu. 打铃了，你们休息会儿。

– À bientôt! 回头见！

Comptons 计数

91 quatre-vingt-onze [katrəvɛ̃ɔ̃:z]
99 quatre-vingt-dix-neuf [katrəvɛ̃diznœf]
100 cent [sɑ̃]
101 cent un / une [sɑ̃œ̃ / yn]
110 cent dix [sɑ̃dis]
180 cent quatre-vingts [sɑ̃katrəvɛ̃]
200 deux cents [døsɑ̃]
201 deux cent un / une [døsɑ̃œ̃ / yn]
1 000 mille [mil]

※"百"的变化规则与"二十"相同，两个以上的"百"要加 s。
※但"百"后若有其他数字，则不加 s。

Notes 注释

1. *Au téléphone*. 接（打）电话。
être au téléphone 接（打）电话

2. Le téléphone sonne chez *les Dupont*. 杜邦家的电话响了。
1) 法语姓名前加 les 表示"某某一家人"，但后面不加"s"。如：les Hugo 雨果一家，les Dufour 迪富尔一家， les Eiffel 埃菲尔一家。
2) 如果姓名后加了"s"，则往往表示该姓为王族或皇室。如：les Bourbons 波旁王朝，les Bonapartes 波拿巴家族，les Henris 亨利王室。

3. Pardon, *c'est de la part de qui ?* 对不起，请问是哪里（谁来的电话）？
法国人接听电话时，会用以下两种方式来询问对方身份：
1) de la part de... 从……方面，以……的名义：
C'est de la part de qui ？请问是谁来的电话？请问您贵姓？
2) qn être à l'appareil 某人在打电话
Qui est à l'appareil ? 谁在打电话？请问您是哪位？

4. André Duval *à l'appareil*. 我是安德烈·杜瓦尔。
appareil 指仪器、装置等，泛指电话机、照相机、飞机等，具体含义须视上、下文而定。

5. Je suis vraiment *désolée*, monsieur. 真的十分抱歉，先生。
法语中致歉的概念可大致分为两类：
1) pardon, excusez (excuse)-moi 往往用于打扰他人、请求重复等情形中。如：
Oh, pardon, madame. 哟，对不起，夫人。（碰了人家或先于女士进门等）
Excusez-moi, monsieur, vous avez l'heure ? 先生，打扰一下，请问几点了？
Pardon, mademoiselle， voulez-vous répéter ? 对不起，小姐，能再重复一遍吗？

2) je regrette, je suis désolé(e) 常用于不可为或无能为力的情形中。如：

Non, je regrette, vous ne pouvez pas le changer. 对不起，不行，您不能更换。

Désolé, je ne peux vraiment pas. 抱歉，我真的不行。

6. Ah oui, de *Roissy*. 啊，对了，您是鲁瓦西机场的。

即鲁瓦西-戴高乐机场（Roissy Charles de Gaulle, Charles de Gaulle），位于距巴黎东北25公里的鲁瓦西地区。鲁瓦西机场和奥利机场（Orly）是巴黎著名的两大国际机场。

7. Je *voudrais parler à* votre fils, Thomas. 我想和您的儿子托马斯通话。

1) voudrais 是 vouloir 条件式现在时的用法，表示婉转的语气。如：

Je voudrais vous poser une question. 我想给您提个问题。

Je voudrais venir ce soir. 我想今晚来。

2) parler à qn 跟（对）某人讲话 如：

Il parle au professeur. 他在跟老师说话。

Le professeur parle aux étudiants. 老师在对学生讲话。

8. Oui, oui, il *lit des journaux* dans sa chambre. 在，在，他在房间里看报呢。

法语表示"看"时有三种不同的用法：

1) 看电视：regarder la télévision ；

2) 看电影：voir un film；

3) 看报纸：lire un journal。

9. Attendez, je vous passe Thomas. 请稍等，我让托马斯来接您的电话。

1) attendez : 动词 attendre 的第二人称复数命令式。

2) passer qn à qn 电话用语，意思是"把电话转给某人"。例句中 vous 是间接宾语人称代词，代替 à vous，应前置到相关动词之前。

10. *prendre* un rendez-vous : 定约会。

1) prendre 是法语最常用的动词之一，与不同词汇组合可产生不同的意义。如：

prendre le train 乘火车

prendre un repas 吃饭

prendre des notes 记笔记

2) aller au rendez-vous 赴约

avoir un rendez-vous (avec qn) （与某人）有约会

11. C'est *le 06 45 66 32 00.* 电话号码是 06 45 66 32 00。

1) 定冠词 le 经常用在日期、电话号码、门牌号等前。如：

le 14 juillet 七月十四日（法国国庆日）

le 23, rue Monge 蒙日大街 23 号

Son numéro est le 01 41 13 22 25. 他的电话号码是 01 41 13 22 25。

2) 目前，法国境内的电话号码通常为十位数字，其中前两位数字是（地）区号。在口头 表述时按照两位一组来读，如：zéro un, quarante et un, treize, vingt-deux, vingt-cinq（01 41 13 22 25）。

12. bonne journée : 祝你一天愉快！

bonne journée 不同于 bonjour ：

1) bonjour 已被引申为“您好”，是白天见面时彼此间正式的问候语。

2) bonne journée 意为“愿你这一天过得好”，多用于白天分手时。

PHONÉTIQUE 语音

Tableau de phonétique 读音规则表

Prononciation de *-cc, -sc, x, -ex*

1. 按照字母 c 的读法，字母组合 cc 和 sc 有以下读法：

字母	读音	拼写形式	例 词
cc	[k]	在 a, o, u 或辅音前	accuser [akyze]，accrue [akry]
	[ks]	在 e, i 前	accès [aksɛ]，accident [aksidɑ̃]
sc	[sk]	在 a, o, u 或辅音前	scolaire [skɔlɛːr]，escale [ɛskal]
	[s]	在 e, i, y 前	scie [si]，scène [sɛn]，Scylla [sila]

2. 字母 x 和字母组合 -ex 的读法：

字母	读音	拼写形式	例 词
x	不发音	在词尾	deux [dø], doux [du], eaux [o]
	[s]	个别词	six [sis], dix [dis]
	[ks]	在词中	texte [tɛkst], axe [aks]
	[gz]	在词首	Xavier [gzavje], xylophone [gzilɔfɔn]
ex	[ɛks]	在辅音前	excès [ɛksɛ]
	[ɛgz]	在元音前	exercice [ɛgzɛrsis], inexact [inɛgzakt]

Leçon 10

Connaissances phonétiques 语音知识

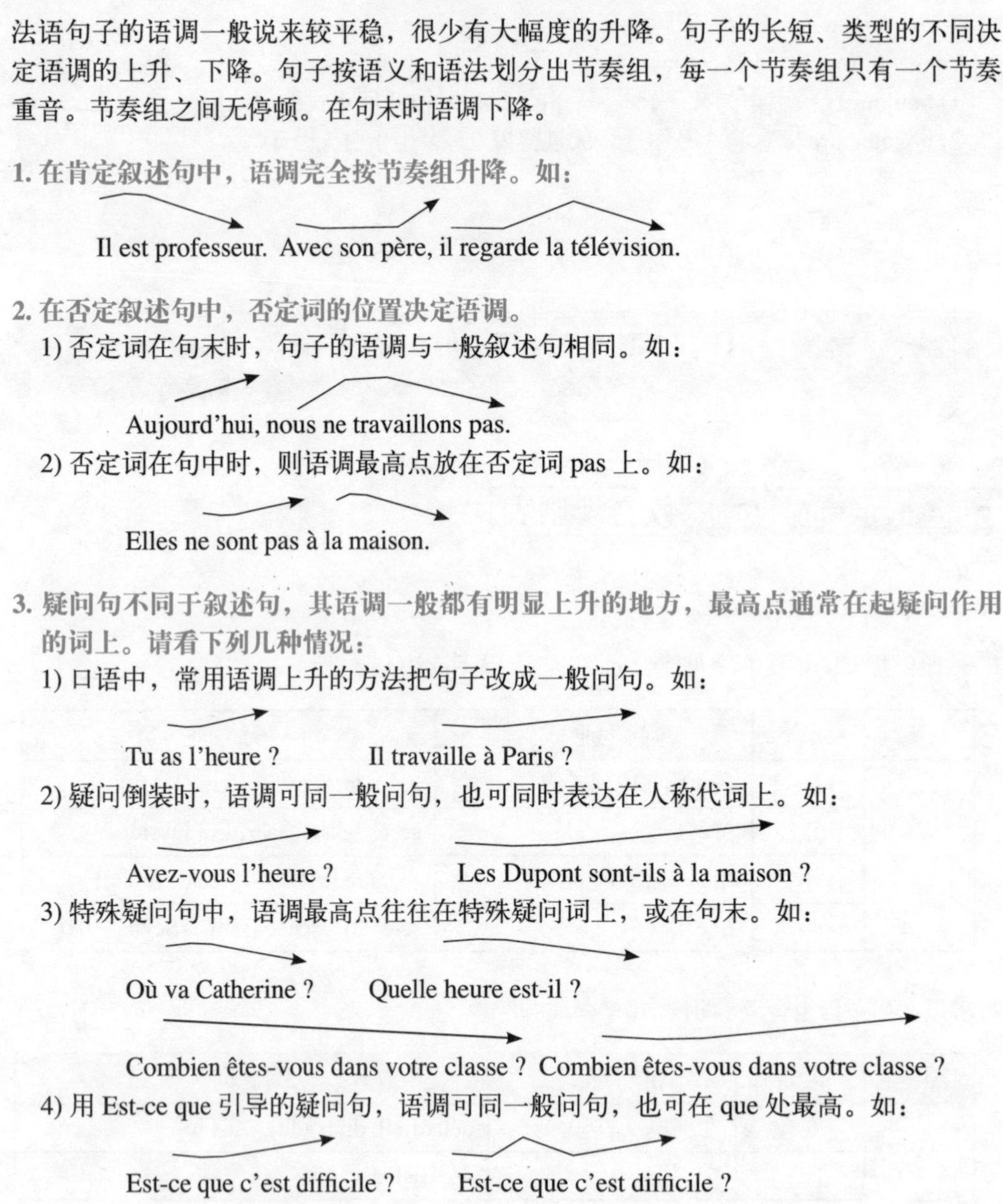

法语句子的基本语调

法语句子的语调一般说来较平稳，很少有大幅度的升降。句子的长短、类型的不同决定语调的上升、下降。句子按语义和语法划分出节奏组，每一个节奏组只有一个节奏重音。节奏组之间无停顿。在句末时语调下降。

1. 在肯定叙述句中，语调完全按节奏组升降。如：

Il est professeur. Avec son père, il regarde la télévision.

2. 在否定叙述句中，否定词的位置决定语调。

1) 否定词在句末时，句子的语调与一般叙述句相同。如：

Aujourd'hui, nous ne travaillons pas.

2) 否定词在句中时，则语调最高点放在否定词 pas 上。如：

Elles ne sont pas à la maison.

3. 疑问句不同于叙述句，其语调一般都有明显上升的地方，最高点通常在起疑问作用的词上。请看下列几种情况：

1) 口语中，常用语调上升的方法把句子改成一般问句。如：

Tu as l'heure ? Il travaille à Paris ?

2) 疑问倒装时，语调可同一般问句，也可同时表达在人称代词上。如：

Avez-vous l'heure ? Les Dupont sont-ils à la maison ?

3) 特殊疑问句中，语调最高点往往在特殊疑问词上，或在句末。如：

Où va Catherine ? Quelle heure est-il ?

Combien êtes-vous dans votre classe ? Combien êtes-vous dans votre classe ?

4) 用 Est-ce que 引导的疑问句，语调可同一般问句，也可在 que 处最高。如：

Est-ce que c'est difficile ? Est-ce que c'est difficile ?

Sons et lettres 语音与字母

[ɑ̃-ɑ̃ː]

pan - pente
dans - danse
temps - tempe
ment - manche
lent - lampe
fanfan - fente

[ɔ-o-u]

mort - mot - mou
vol - veau - vous
cor - côte - cou
sol - sot - sou
lors - lot - loup
fol - faux - fou
nord - nos - nous
bol - beau - boue
tort - tôt - tout

[ɛ̃-ɑ̃-ɔ̃-ɔ̃ː]

pain - pan - pont - pompe
teint - tant - ton - tombe
fin - fend - font - fonde
lin - lent - long - longue
sein - sang - son - songe
bain - banc - bond - bombe
daim - dans - don - donc
vin - vent - vont - savon
main - ment - mont - montre
quinze - camp - bon - comte

[u-w]

bout - boit - bouée
doux - doigt - douer
fou - fois - fouée
vous - voie - vouer
chou - choix - échouer
sous - soit - souhait
proue - proie - prouesse
trou - trois - croiser
loup - loi - louer
joue - joie - jouer

[wɛ̃]

coin
loin
moins
poing
fin
point
joint
soin

[i-j]

bis - bière
dis - Didier
git - gibier
vie - vieux
lit - lier
nid - nier
hie - hier
si - sieste
ici - scier
fit - fier
riz - riez
chic - chier
mis - miel
pie - Pierre
qui - inquiet
zigzag - disiez

[p-b]

pas - ba
peur - beurre
pu - bu
pain - bain
peu - bœufs
pie - bis
petit - belote
porc - bord
pot - beau
pou - boue
pais - baie
pont - bond

Leçon 10

[k-g]

cas - gare	queue - gueuse	que - guenon	cœur -gueule
qui - Guy	curée - gustatif	côte - Gaule	camp - gant
colle - gorge	comte - gond	cou - goût	quinze -guinguette

[t-d]

tas - date	tout - doux	acteur - odeur
tic - dites	tant - dans	toc - dort
ton - donc	tu - dure	teint - dinde

[f-v]

phare - vase	fut - revue	fête - veste
fente - vente	fit - vite	fin - vin
faut - veau	font - vont	fort - vote
feu - vœu	four - voûte	faisait - venir

[s-z]

sac - zag	sou - mazout	sec - zeste
sur - zut	sort - zone [zo:n]	sang - amusant
cycle - zig	songe - gazon	ceux - gazeux

[ʃ-ʒ]

chat - jamais	cheveu - jeter	chic - giser
choux - jaoue	choc - George	machin - à jeun
chaud - jaune	chère - gêne	cachons - engageons

[l-m-n]

la - ma - nage	loup - mou - nous
le - me - ne	leur - meurt - neuf
lit - mis - nid	leucémie - émeute - nœud
lot - mot - nos	lent - ment - nanan
lors - mort - nord	long - mont - non
lu - mur - nue	linge - mince - nymphe

[y=i+i]

balayer	doyen	soyez	crayon	employer
joyeux	loyer	noyer	voyons	moyenne

Faites bien la différence (区别对待):

字母 *e* 在各种条件下的不同读音				
[ɛ]	[e]	[ə]	[a]	不发音
belle	les	ce	femme	Chine
fermait	été	regard	solennel	Jean
père	épée	vendredi	poêle [pwal]	samedi
tête	garder	faisons		gaiement
seize	pied	satisfaisant		
paquet	chez			
maître	j'ai			
vrai				
Noël				

Élocution 咬文嚼字

DE BELLES CITATIONS FRANÇAISES
SUR LE LIVRE

Qui veut se connaître, qu'il ouvre un livre.

Jean PAULHAN

Vous aimez les livres ? Vous voici heureux pour la vie.

Jules CLARÉTIE

La lecture, une porte ouverte sur un monde enchanté.

François MAURIAC

La lecture de tous les bons livres est comme une conversation avec les plus honnêtes gens des siècles passés.

René DESCARTES

Une bibliothèque, c'est le carrefour de tous les rêves de l'humanité.

Julien GREEN

La véritable université de nos jours est une collection de livres.

Thomas CARLYLE

GRAMMAIRE 语法

1. 法语的词类（Genre de mot）

法语中的词成千上万，可以根据它们的形式、意义和在句中的作用将其分为九类，即法语中通常所谓的“九品词”：

1) 名词（nom / substantif）

名词用来表示人、动物、事物或某种概念。名词有阴阳性（masculin ou féminin）和单复数（singulier ou pluriel）之分。名词分为有普通名词和专有名词之分。

2) 限定词（déterminant）

限定词是一种辅助词，用来引导或限定名词。限定词大致可分为如下几类：

① 冠词（article）
② 数词（数量词，数字形容词）（adjectif numéral）
③ 指示形容词（adjectif démonstratif）
④ 主有形容词（adjectif possessif）
⑤ 泛指形容词（adjectif indéfini）
⑥ 疑问形容词（adjectif interrogatif）
⑦ 感叹形容词（adjectif interjectif）

3) 形容词（adjectif）

形容词用来表示人、动物、事物或概念的性质或状态。形容词一般有性、数变化，应与所修饰名词的性数一致。形容词可根据来源、结构、意义的不同分成若干系列。

4) 代词（pronom）

代词用来代替名词、动词、形容词、短语、词组或分句、句子。少数代词可独立使用，并不代替别的词和句子。

按惯例，法语代词可分为七种：人称代词、副代词、指示代词、主有代词、关系代词、疑问代词和泛指代词。

七种代词按其性质不同可分为两大系列：不变代词和可变代词。

5) 动词（verbe）

动词用来表示人、动物、事物或概念的动作或状态。法语动词有人称和词形的变化，这种变化称之为“动词变位”。

法语动词有许多分类方法。采用结构分类法，可将其分为四类：

①从动词的搭配结构看，可分为及物动词、不及物动词和代动词三类。换言之，后接宾语者为及物动词，后无宾语者为不及物动词，以自反代词作宾语者为代动词。

②从动词的主语看，有的是有人称的，有的是无人称的。因此动词又分人称动词和无人称动词。

③从动词的功能看，法语动词可分为独立动词和辅助动词（亦称助动词）。

④从动词的“体”的角度看，法语动词又可分为非延续性动词和延续动词。法语许多动词在不同语境中属于不同的类别。

法语动词有两种语态，主动态和被动态。

6) 副词（adverbe）

副词用来修饰动词、形容词、其他副词或整个句子，表示状态、方式、程度、数量、地点、时间、肯定、否定等概念。副词是实义词，没有词形变化，属不变词类。

※ 极个别副词会有性、数变化，如“tout”。

7) 介词（préposition）

介词用来联系各个句子成分，表明它们之间的关系。介词一般放在其后置成分的前面，所以过去的语法书将介词称为“前置词”。

介词无词形变化，属不变词类。但介词中的 à 和 de（包括带有 à 和 de 的介词短语）会经常与定冠词 le, la, les 缩合。

8) 连词（conjonction）

连词用来连接性质相同的词、词组或分句；或连接性质不同的分句（如主句和从句）。

连词无词形变化，属不变词类。

连词分两类：并列连词和从属连词。前者用来连接作用相同的词、词组或分句；而后者则用来连接主句和从句。

9) 叹词（interjection）

叹词用来从语气上赋予句子感情色彩。叹词是一种语气词，属不变词类，无词形变化。

叹词可分为四类：纯叹词、转化叹词、叹词短语和拟声叹词。

2. 直陈式的特点（Caractéristiques de l'indicatif）

- 直陈式表示主观上认为确实存在的情况或动作。
- 直陈式的主要时态有: 现在时，未完成过去时，简单过去时，复合过去时，愈过去时，简单将来时。
- 直陈式的次要时态有：最近将来时，最近过去时，先过去时，过去将来时，先将来时以及几种超复合时态。
- 直陈式是法语动词变位的基本形式，与其他五种语式相比，其使用频率更高，适用范围更广。

3. 及物动词与不及物动词（Verbes transitifs et intransitifs）

根据动词的作用，法语将动词分为及物动词与不及物动词两类：

1) 及物动词（le verbe transitif：缩写为 v.t.）

这一类动词所表示的动作不仅与主语有关，还影响到一个宾语。如：

Elle **enseigne** *le français*. 她教法语。

Ils **regardent** *la télévision*. 他们看电视。

2) 不及物动词（le verbe intransitif：缩写为 v.i.）

这一类动词所表示的动作仅仅和主语有关，不影响其他宾语。如：

Il **travaille** depuis trois ans. 他已经工作三年了。

Nous **allons** à la piscine. 我们去游泳池。

4. 语言级差 (Les niveaux de langue)

法语学习的入门阶段——语音课程到此就要告一段落了。在进入基础课程的学习之前，很有必要将“语言级差”这个概念介绍给大家，并由衷地希望通过这种介绍，使法语学习者能够从法语学习的入门阶段起，就对法语语言不同等级之间的区别有一个大致的了解，并逐步培养起“语言级差”的概念，进而用之规范和指导自己的所学。

首先，语言有新旧之分。辞典中的“词”浩若烟海，自然多有涉及古旧、过时的词例或说法。如果不分来由、一律照搬，那么说出、写出的话肯定会有令人感到可笑的地方。再者，对那些过于超前的新奇、怪异的词语和用法也应斟酌场合或情景，不可不问青红皂白，随心所欲地滥用。第三是问题的焦点所在：语言是一种社会行为，各种词语及其表达方式在社会成员们长期的使用过程中已经逐渐形成了相对固定的使用者和使用范围，通俗地讲就是“什么人，在什么地方，说什么话”。这种约定俗成的社会行为“约定”是需要全体语言的参与者共同遵守的。若独出心裁或漫不经心地违背了这种约定，结果往往会令人啼笑皆非。

那么，到底什么是“语言级差”呢？

通常，语言的各种表达形式可按雅俗不同，或功能相异，分成若干类型。这种类型之间的差别就是所谓的“语言级差”或称“语言等级的区别”。一般说来，法语的表达形式可分为如下几类：

1) 书面语（le français écrit）

书面语（或称雅语）主要指以下几个方面：

- 文学语言，尤其是 1940 年以前法国作家们所使用的语言；
- 各种文体语言，包括小说、报告、论文、信函等；
- 媒体（报刊、杂志、广告、广播、电视等）语言中带有书面语性质的语言。以“饿”为例：

  Il est affamé. 他饥肠辘辘。

  Il a grand faim. 他腹中空空。

2) 日常用语或标准语（le français courant / le français standard）

日常用语（或称标准语）是指普通法国人（具有中等文化程度以上的）在与上级、关系不够亲密者或陌生人讲话时所使用的语言，介乎于书面语与民间语之间。以“饿”为例：

Il a très faim. 他很饿。（有可能指吃不饱）

Il a une faim de loup. 他饿极了。

Il a l'estomac dans les talons. 他饿得前心贴后背。

3) 通俗语（le français familier）

通俗语是指彼此关系密切的亲朋好友之间所使用的语言。

以“饿”为例：

Il a un creux dans l’estomac. 他肚子饿得咕噜咕噜直叫。

Il a les dents longues. 他饿得不行了。

Il meurt de faim. 他快饿死了。

4) 民间语（le français populaire）

民间语一般指民间百姓在类似于街头巷尾这种一般场合中无拘无束时所使用的很随便的语言。

以“饿”为例：

Il a la dent（la dalle). 他饿了。

Il crève de faim. 他饿瘪了。

5) 俚语或粗鄙语（le français argotique / le français vulgaire）

俚语与粗鄙语的界线模糊。俚语或粗鄙语通常指那些难登大雅之堂的、或庸俗甚至低级的表达方式。这种语言通常为某些人群在某一特定范围或环境中所使用的特殊语言表达方式，其所用词语的实际含义往往与该词语的原始含义大相径庭。正常的大众语言交际中鲜见此类语言现象。作为一种语言现象，建议大家对俚语或粗鄙语有所了解即可，语言交际中少用为佳。

以“饿”为例：

Il crève la dalle. 他饿得要命。

Il claque du bec. 他饿极了。

Il tortille des courants d’air. 他饿得都找不着北了。

法语并非我们的母语。作为中国人，我们对它远不如对汉语那样敏感和自然。其实，从交际的角度看，能用外语把一件事情表达清楚已属不易，语言等级的差别问题也算不上是什么“大是大非”的问题。但仅仅满足于把一件事情说清楚不过是对语言学习者最基本的要求。如果希望在讲法语的人面前能使用正常的法语，同时又不希望自己显得“与众不同”，那就必须在口、笔语各种常用表达方式的区别和学习上下番功夫，做到成竹在胸。

也正是为此目的，本书较多地采用了相对规范的法语表达形式。所谓“规范”，是指在课文、练习等各部分行文中有意识地较多使用了书面语、常用语这两种比较正规的语言表达形式，以培养学生从一开始就学习、掌握并使用规范的法语表达形式进行表达。但另一方面，从开拓学生视野，并更多了解法语各种语言表达形式的角度出发，本书也有控制地在课文和练习中介绍了一些使用频率较高的通俗语和民间语等口语中常用的表达形式，如“salut, ça va，c’est pas, t’as”，疑问句不用疑问词只上升语调，等等。我们希望这些不同等级语言材料的补充能为大家的法语学习锦上添花。

最后，在口、笔语实践中又应如何把握不同级差或范围语言的使用标准呢？编者的意见是：

口语：日常会话中使用常用语，落落大方，不失体统；但偶尔来一点通俗语或民间语，也未尝不可。一切视当时情况、对方文化水平和谈话语气而定。但无论如何，应避免粗俗、陈旧和矫揉造作的表达方式。

笔语：写一篇像样的文字，如报告、演说、论文、公函等，应使用书面语或常用语。如果写对话（小说、剧本），视所写题材的语境和人物可能要使用各种级差的语言。但与朋友通信，使用常用语或通俗语会令人更感亲切。

中国有句老话，叫做“纲举目张”。“语言级差”就是语言交际中的一条“纲”。在掌握好各种语言基础知识的同时，有意识并有针对性地学会把握“语言级差”这个“纲”，那么在语言表达和交流的自由王国中任意驰骋的的那一天就离我们不远了。

5. Conjugaison（动词变位）

1) attendre

attendre [atɑ̃:dr]	
j'attends	nous attendons
tu attends	vous attendez
il attend	ils attendent
elle attend	elles attendent

2) épeler

épeler [epəle]	
j'épe**ll**e	nous épelons
tu épe**ll**es	vous épelez
il épe**ll**e	ils épe**ll**ent
elle épe**ll**e	elles épe**ll**ent

3) lire

lire [li:r]	
je lis	nous lisons
tu lis	vous lisez
il lit	ils lisent
elle lit	elles lisent

4) parler

parler [parle]	
je parle	nous parlons
tu parles	vous parlez
il parle	ils parlent
elle parle	elles parlent

5) prendre

prendre [prɑ̃:dr]	
je prends	nous prenons
tu prends	vous prenez
il prend	ils prennent
elle prend	elles prennent

UN PEU DE CIVILISATION FRANÇAISE
法兰西文化点滴

Quelques chiffres sur le téléphone 有关电话的几组数字

1. 1938 年：约 100 万法国人的家里已经安装了电话。
2. 1958 年：家中有电话的法国人达到 200 万左右。
3. 1993 年：这一数字上升到 3 100 万左右。同年，手机出现在法国。
4. 1998 年：约 98% 的法国家庭都有了电话。约 870 万法国人（约占 18 岁以上法国人总数的 1/6）用上了手机。
5. 2000 年：仅用两年的时间，手机的拥有量便翻了一番。
6. 2005 年：一半以上的法国人都有了手机，约 3 000 万部。

Leçon 10

Proverbe 谚语

C'est en forgeant qu'on devient forgeron.
打铁成铁匠。熟能生巧。

EXERCICES 练习

I. Exercices de phonétique

1. Exercices d'audition. 

1) L'appel est-il familial ou amical?（电话是家人还是朋友打来的？）

	Familial	amical
1		
2		
3		
4		
5		
6		
7		
8		

2) Écoutez et dites si vous avez entendu la phrase **a** ou la phrase **b**.

① **a.** Il y a dix amis à la maison.
b. Il y a six amis à la maison.

② **a.** Elle épelle le nom.
b. Elle épelle les noms.

③ **a.** Je voudrais parler à mon fils.
b. Je voudrais parler à son fils.

④ **a.** Thomas lit des journaux.
b. Thomas lit les journaux.

⑤ **a.** Cet examen est très important.

b. Cet examen était important.

3) Écoutez et dites à quelle heure sont les rendez-vous.（听并说出见面在几点钟。）

1er rendez-vous	
2e rendez-vous	
3e rendez-vous	
4e rendez-vous	
5e rendez-vous	
6e rendez-vous	

2. Mettez une croix dans la colonne correspondante selon la prononciation différente de la lettre *e* dans les mots suivants.（按字母 e 的不同发音，在相应栏中打 ×。）

发音 / 词与词组	[ə]	[ɛ]	[e]	ne se prononce pas（不发音）
un hôtel				
cette				
vous êtes				
l'exposition				
Chanel				
quel				
c'est				
ce sont				
ils parlent				
l'été				
la lune				
un billet				
la rue				
un regard				
un festival				
un cep				
la gentillesse				

3. Faites la différence !（鉴别练习！）

（法语中，字母 s, ss, sc, c,ç ç, t 和 x 都可能发 [s]。下表中给出的词或句子中它们有些发 [s]，有些不发 [s]，或发其他音。请将这些字母的发音用音标注明，并说明其原因。）

词与句子	发音情况及原因
Il est assis.	est 是动词，s 不发；ss [s] ；s 词尾不发
français	
messieurs	
C'est pas facile.	
vous aussi	
des surprises	
les sujets	
voici six autos	
des scies	
la réception	
une escale	
Vous êtes six.	
Asseyez-vous.	
patient	
successif	
un taxi	
exact	
démocratie	

II. Exercices de dialogues

1. Questions sur le *Dialogue 1.*

1) Chez qui le téléphone sonne-t-il ?

2) Qui est-ce qui décroche le téléphone ?

3) Qui est à l'appareil ?

4) Pourquoi Madame Dupont est-elle désolée ?

5) Où travaille Monsieur Duval ?

6) À qui veut-il parler ?

7) Thomas est-il là ?

8) Que fait-il alors ?

2. Questions sur le *Dialogue 2*.

1) Que fait Thomas chez lui ?
2) Pourquoi révise-t-il ses leçons ?
3) Est-ce un examen important ?
4) Où va-t-il ce soir ?
5) À quelle heure est le rendez-vous ?
6) Et savez-vous où est Vincent ?
7) Est-ce qu'André connaît le numéro de son portable ?
8) Savez-vous quel est le numéro de son portable ?

3. Exercices de structures.

1) allô..., c'est de la part de qui..., c'est... à l'appareil

> Allô, c'est de la part de qui ?
> Allô, qui est à l'appareil ?
> *C'est François à l'appareil.*
> *C'est de la part de François.*

Allô, c'est de la part de qui ?
Allô, qui est à l'appareil ?

2) 时间 + prochain (e)

> Cette semaine, tu vas à Beijing ?
> *Non, je vais à Beijing la semaine prochaine.*

Cette semaine, Jacques va chez Julie ?
Ce week-end, vous allez à la campagne（乡下）?
Ce mois-ci, elles vont à Paris ?
Cette année, les Duval vont en Chine ?

3) parler à qn

> À qui parles-tu ? / Monique
> *Je parle à Monique.*

À qui parle-t-elle ? / le professeur
À qui parlez-vous ? / le fils des Dupont

À qui cette fille parle-t-elle ? / le directeur

À qui notre professeur parle-t-il ? / les étudiants de la classe A

III. Exercices grammaticaux

1. Mettez l'article qui convient.（用适当的冠词填空。）

1) Paris est .... grande ville.

2) Vous avez .... amis là-bas ?

3) .... soir, je ne regarde pas souvent .... télé.

4) C'est .... examen très important.

5) Je fais .... présentations : voici .... parents de Nicole.

6) Faire .... cuisine ? Non, je suis désolé, je ne peux pas.

2. Mettez une préposition, un article ou un article contracté.

1) Voilà .... maison .... Richaud.

2) Là-bas, c'est .... professeur .... la classe C.

3) Le dimanche, ils vont souvent .... cinéma.

4) On va .... France ou .... Canada l'année prochaine ?

5) Ce monsieur parle .... filles de notre classe.

6) Vient-elle .... Canada ou .... États-Unis ?

3. Complétez avec le possessif qui convient.

1) Tu ne connais pas .... amie ? Elle s'appelle Fabienne.

☐ ma ☐ son ☐ sa

2) Nous sommes trois dans .... famille.

☐ leur ☐ votre ☐ notre

3) C'est à dix minutes de .... université.

☐ son ☐ sa ☐ ta

4) Les parents ne voient pas beaucoup .... enfants pendant la semaine.

☐ ses ☐ leur ☐ leurs

5) Les amis de .... amis sont .... amis.

☐ notre ☐ votre ☐ nos

6) Où sont .... affaires, tu ne sais pas ?

☐ mon ☐ mes ☐ ton

4. Donnez le féminin des mots suivants.（给出下列词的阴性。）

masculin	féminin	masculin	féminin
élève		ancien	
étudiant		bon	
fils		content	
frère		désolé	
garçon		enchanté	
journaliste		gentil	
monsieur		heureux	
oncle		long	
père		nouveau	
professeur		mauvais	

5. Trouvez la question convenable.

1) – .... ?
2) – .... ?
3) – .... ?
4) – .... ?
5) – .... ?

a. – Ici, c'est Marie à l'appareil.
b. – Moi, je suis Benoît Duval.
c. – Oui, D U V A L, André Duval.
d. – Oui, il est là.
e. – Il lit des journaux dans sa chambre.

6. Mettez un adjectif démonstratif.（用指示形容词填空。）

1) .... monsieur habite .... maison avec .... étudiant.
2) .... homme et .... femme sont français.
3) .... ingénieur va présenter .... travaux（工程）.
4) .... journal et .... revues sont en français, je crois.
5) .... enfant a sept ans, elle va dans .... école primaire（小学）.
6) .... exercices de grammaires sont un peu difficiles.

7. Écrivez en français les heures suivantes.（用法文写出下列时间。）

1) 凌晨一点 ....
2) 早晨八点 ....
3) 上午十点 ....
4) 中午十二点 ....
5) 下午两点半 ....
6) 晚上七点四十五 ....

8. Écrivez en français les chiffres suivants.

1) 71 ....

2) 80 ....

3) 81 ....

4) 200 ....

5) 201 ....

6) 999 ....

9. Exercices à trous.

1) .... un instant, je vous passe Monsieur Duval.

2) Je suis .... est-ce que vous pouvez .... votre nom ?

3) – ...., bonjour. .... est à .... ?

4) Est-ce que tu as le .... du .... de Vincent ?

5) Où .... Catherine et Caroline, tu .... ?

6) Le dimanche（每周日）, on ne .... pas.

10. La conjugaison.

1) Marie et Dominique (faire) .... des exercices dans la classe.

2) Quelle langue (apprendre) .... -elles ?

3) À quelle heure ses frères (venir) .... -ils ?

4) Que (vouloir) .... -vous encore ?

5) Qu'est-ce que Catherine et Isabelle (lire) .... aujourd'hui ?

6) Ils (prendre) .... un rendez-vous pour la semaine prochaine.

7) – Voulez-vous (épeler) .... votre nom, monsieur ?
   – Oui, je (épeler) .... mon nom maintenant.

8) Je (attendre) .... mon amie depuis une heure déjà !

9) Vous ne (prendre) .... pas de notes（笔记）en cours ?

10) Est-ce que tu (comprendre 懂得) .... l'espagnol ?

11. Associez les mots des deux colonnes.（连线练习。）

1) avoir	a. à la maison
2) épeler	b. des exercices
3) être	c. faim
4) faire	d. *Le Monde* （《世界报》）
5) lire	e. la télévision
6) regarder	f. un nom

12. Mettez le dialogue ci-dessous dans l'ordre.（给下列对话排序。）

☐ a. Non. Ici, c'est Thomas.
☐ b. Allô, c'est toi Marc ?
☐ c. Votre numéro, c'est bien le 04 44 55 66 77 ?
☐ d. Ah ! Je suis désolé.
☐ e. Non, c'est une erreur（错误）.

IV. Exercices oraux

Commentez les images suivantes.

(Utilisez les mots et expressions : ***le téléphone, allô, décrocher, sonner, attendez,*** *etc.)*

Révision de phonétique

Exercices sur la phonétique
语音练习

1. Positionnement des voyelles dans la cavité buccale.（元音舌位示意图。）

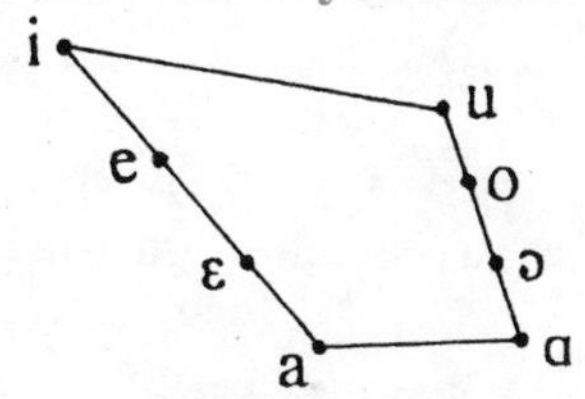

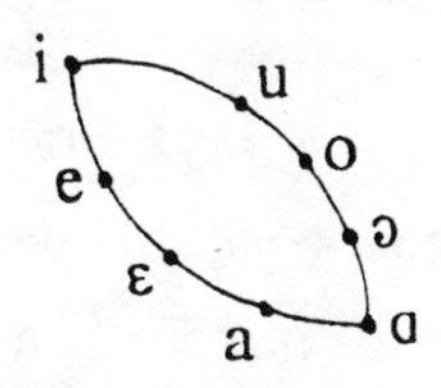

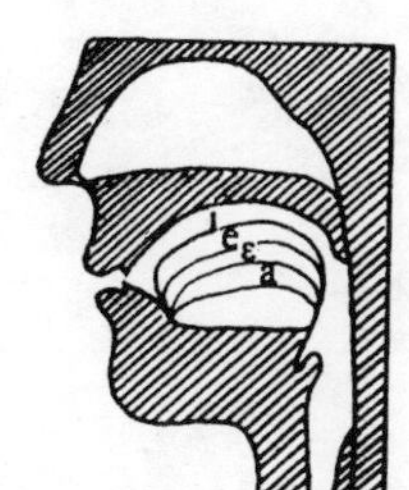

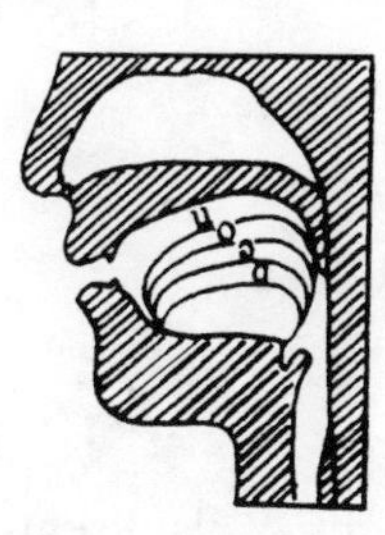

2. Exercices de phonétique complémentaires.（补充语音练习。）

[a] **a, à, â**

salle　mal　face　car　gare　part　cage　camarade
place　table　carte　quatre　marche　oval　patate　parent
aval　canal　dalle　sac　voilà　là-bas　pâle　mât

[ɛ] **e, è, ai, ei**

sept　sel　mer　faite　fer　père　mère　frère
plaire　Claire　Seine　neige　Germaine　chaise　ferme　à travers

[e] **es, é, -er, -ez**

ses　les　mes　tes　des　ces　dé　épée　bébé
vénérer　répéter　créer　précéder　nez　chez　venez　parlez　chantez

Révision de phonétique

[ɛ-e]

fermer permettez rester respecter fêter alerter
chercher mêler connecter arrêter fouetter aider

[e - ɛ]

mes - maître des - dette fée - fête
gué - guette bée - bête et - est

[ə - œ] **e, eu, œu**

me te se ce le ne je que de
leur peur neuf bœuf sœur veuve mœurs pleure fleur cœur
je te donne je me lave je demeure que de beurre

[ø] **eu, œu**

peu feu ceux nœud deux bœufs vœu bleu gueuse il pleut

[ø - œ]

vœu - veuve bœufs - bœuf
ceux - sœur queue - cœur
nœud - neuf peu - peur

[i] **i, y**

il lit ils lisent il dit ils disent il rit ils rient
lire dire rire vite mis mise gris grise prise physique

[y] **u**

tu rue une lune dune cure pur mur plus
plume bru brune nuque turc tunique usine utile inutile
C'est une rue. C'est une statue. C'est une revue.
C'est une tulipe. C'est une figure. C'est une tribune.

[u] **ou**

pouce bouge tous doux coup goût sou
zoom choux joue fou vous clou plouf
engloutir accroupir joujou rougir four toujours bonjour

[o] **au, eau, o, ô**

au	aube	aussi	peau	pause	poser	sauce
sauvage	rôt	rose	roseau	aussitôt	morceau	bouleau
côte	clôture	mots	pôle	sot	gros	grosse

[ɔ] **o, au**

comme	col	somme	sol	sotte	pomme
Paul	homme	aurore	j'aurai	port	porte
poste	propre	monotone	automne	chocolat	cloche

[ɑ̃] **an, am, en, em**

pan	pente	temps	tempe	lent	lampe
dans	danse	tante	trente	tranche	tranchant
chant	chante	champs	chambre	mentir	membre

[ɛ̃] **in, im, ain, aim, ein**

faim	pain	main	nain	vin	bain	mince	dinde
plein	crin	train	brin	impaire	rein	frein	Reims ([rɛ̃ːs])

[œ̃] **un, um**

un chacun défunt commun aucun parfum emprunt tribun brun

※ curriculum [kyrikylɔm] ultimatum [yltimatɔm]

[ɔ̃] **on, om**

son	ton	ponton	nom	bon	bonbon	conte
songe	fond	nombre	plomb	tronc	comte	fonction

[p - b]

pie - bis
épée - bébé
paix - baie
patte - battre
port - bord
peau - beau
peu - bœuf
Paul - bol

peur - beurre
pente - banque
pain - bain
pente - bande
pont - bond
coupe - courbe
Europe - robe
carpe - barbe

poudre - bourg
pur - buvait
âpre - sabre
poule - boule

[t - d]

type - dîner
tes - des
était - regardait
tôt - dos
tous deux
des taies
toute - doute
auteur - odeur
autant - pendant
route - boude
tes dés
ta date
ta douceur
data

[tj - dj]

amitié - adieu
entier - étudier
quartier, chrétien
Nous partions.
moitié - radieux
pitié - dieux
question, diable, diamant

[k - g]

qui - Guy
remarquer - distinguer
quête - guette
car - gare
côte - gauche
comme - gomme
coupe - goutte
queue - gueuse
cœur - rigueur
comte - gong
camp - gant
quinze - gain
conflit - gonfler
Pâques - bague
coule - gouge
cor - gorge

[f - v]

frais - vrai
feu - vœu
fous - vous
faire - vers
enfant - savant
faim - vain
vif - vive
falloir - valoir
souffre - s'ouvre
offrir - ouvrir
foire - voir
foin - avoine
confiance - viande
photographe - grave
girafe - cave
serf - sève

faut - vaut	pouf - louve
neuf - neuve	vif - vive

[r]

car	vers	clair	mur	rire	cour	rat
rue	robe	rien	soir	voir	roi	Paris
camarade	arrive	près	André	gris	grand	traverse
prix	professeur	entre	rentrer	sortir	regarder	large

[r + consonne]

harpon	arbalète	arlequin	carpe	énergie	serpe	serpent
certain	cerveau	cervelle	service	hermétique	université	scorbut
scorpion	orbite	arpent	ardent	arcade	archive	carte
escarmouche	hernie	artiste	larve	lardon	large	larguer
larme	porche	morsure	serviette	Charles	permettre	architecture

[s - z]

assis - Asie	sœur - les œuvres
vice - vise	leçon - saison
vissait - visait	place - gaz
sur - azur	adresse - treize
ceux - les œufs	Nice - mise

[ʃ - ʒ]

Chine - gîte	chute - juste
fâché - âgé	bouche - bouge
cher - germe	cherche - charge
chaque - Jacques	champs - Jean
chou - joue	cochon - mangeons
choc - Georges	crache - neige
cherchait - nageait	hache - cage

[s + consonne]

stylo	spécial	liste	poste	instant	score	escale	discuter
question	inspirer	institut	insister	transformer	transcription	constitution	installer

[m]

ma	me	mi	mot	mur	mai	mêler
mouche	mal	mentir	mime	même	pomme	thème

[consonne + m]

fermer	fermons	admire	armure	armée
almée	marasme	atmosphère	germe	paradigme

[l - n]

lit - nid	val - vanne
parler - cerner	bol - bonne
latte - natte	mêle - mène
solo - domino	ville - épine
loque - note	lune - nulle
il pleut - le pneu	nylon - linon
lampe - Nantes	saule - faune

[ɲ]

signer	signait	signal	agneau	vignoble	soigneux	compagnon
craignante	signe	vigne	peigne	cigogne	compagne	stagnant

[j]

travail	médaille	taille	soleil	seuil	feuille	caillou	maillot
cahier	papier	pied	yeux	yole	rayer	rayure	rayon

[ij]

oublier	prier	ouvrier	février	prière	peuplier	bibliothèque
triomphe	riette	fillette	tilleul	filleul	famille	fille

[j]

tien	sien	mien	rien	chien	bien	soutien
combien	vient	revient	lien	italien	citoyen	moyenneté

[ɥ]

lui	puis	pluie	buis	fui	Suisse	muid
cuire	huit	cuisons	suite	bruit	réduit	reluire
reluise	nuire	ruine	tuile	huile	menuisier	aujourd'hui
buée	nuée	puer	ruer	tuer	diluer	saluer
situer	remuer	conspuer	muet	luette	duel	fluet
ruelle	suette	usuel	casuel	rituel	annuel	nuit

[w]

oie	pois	fois	bois	roi	dois	moi
toi	soi	loi	ouest	mouette	fouet	louer
nouer	voyelle	voyage	voir	avoine	envoyer	soyeux
noir	poire	soir	boire	poil	poivre	armoire
soin	moins	foin	coin	point	oui	Louis

[gz]

exacte exagérer exercice exécuter exiger exemple exode exubérance

[ks]

axe accès excès mixte relaxe fixe taxi exciter successif

[kst]

texte sexte externe extrême extra extrait

[ksp]

expert exprès expliquer exprimer exposer exploit

[kt]

correct acte dictée adjectif lecture nocturne

3. Groupes de trois consonnes.（三个辅音的词。）

astre	arbre	cuistre	ordre	portrait	esprit	meurtrier
marbre	mercredi	instrument	construire	structure	mordre	construction

4. Exercices de phonétique sur des règles de prononciation.（读音规则语音练习。）

relache	repas	rase	maîtresse	diamètre	forêt	bel
être	veine	paraître	billet	tes	quartier	crypte

bœuf	mythe	soigneuse	absolu	prose	langouste	triangle
nœud	sûrement	drôle	lampe	juge	escamoter	cause
gymnastique	accès	curieuse	éteinte	girouette	inexpressive	suffixe
absente	médecin	chanvre	obscure	boxe	façon	kilo
vieil	adieu	mince	gaillard	accouchement	expert	pliant
couteau	réponse	sympathie	gousset	exotique	sien	espoir
retard	emprunte	ravage	étui	escroquerie	grignoter	crac
aigu	kiosque	dictionnaire	pointe	herbe	amitié	prosaïque

5. **Exercices de phonétique sur des groupes de mots et des phrases courtes.**（词组和短句练习。）

Le bon pain bis.

Le buis borde le puits.

Du bon porc gras.

Le port de Bordeaux.

Mon père boit peu de bière.

Ce pot est beau.

Le plat est brûlé.

Les prunes ne sont pas brunes.

Un paon blanc à plumes bleues.

Le gros crampon.

Les gros crocs du chien gris.

Le grand car mène à la gare de Carcassonne.

Les arcades de la bourgade.

Les grandes crues de la Garonne.

Joues-tu aux quilles, Guillaume ?

Cette caille est un régal.

Regarde la carte.

Donne ce gâteau en cadeau.

Victor dort.

Montre le toit du doigt.

Où sont tes dés?

Denis et Thérèse vont tout droit à Troyes.

Le drapeau tricolore.

Camarade André, entrez.

Le train va de Paris à Bordeaux.

L'ardeur des artistes.

Vous entendez le tonnerre.

La chaise gêne.

Le jeune chien joue dans le jardin.

La douche est chaude.

Jean et Charles mangent des choux.

J'achète des chaussures jaunes.

Seize jolis chapeaux.

Je voyage en Jordanie.

Tu dessines la Chine chez Julie ?

Suzanne achète une jupe jaune.

La lune luit.

Nulle lumière n'est allumée.

Nous lisons des noms.

Posez le panier sur le palier.

Allons voir l'ânon.

De longues nattes noires.

Mon nom est long, non ?

Hélène n'a ni drap ni lit.

La laine est noire.

Nantes est sur la Loire.

Où va l'oie? L'oie va au bois.

Je ne vois pas les pois.

La soie de Chine.

Le rat ronge le fromage.

Le paysan conduit sa charrue.

Les autos roulent dans la rue.

Les arbres de la forêt sont verts.

Le pont est très bon.

Nous travaillons avec ardeur.

Nous chérissons notre patrie.

Règles générales de prononciation
法语读音基本规则表

字母	音素	说明	举例
a	[a]		la, âge
ai	[ɛ]		chaise
	[e]	少数词中	gai, quai
aim	[ɛ̃]	*	faim
ain	[ɛ̃]	*	main
am	[ɑ̃]	*	lampe
an	[ɑ̃]	*	dans
au	[o]		cause
	[ɔ]	r 前及少数词中	aurore, Paul, mauvais
c	[s]	e, i, y 前	ceci, cycle
	[k]	a, o, u 及辅音字母前	carte, côté, cure, clé
		词末（送气）	sec
ç	[s]		français, graçon, reçu
cc	[k]	a, o, u 前	accuser
	[ks]	e, i, y 前	accepter
ch	[ʃ]		chambre
	[k]	个别词中，辅音前	orchestre, technique
e	[ɛ]	闭音节中	merci, avec
		两个相同的辅音字母前	elle
		词末 -et	carnet
	[e]	词末 -er, -ez	parler, parlez
		es 在单音节词末	des, ses
	[ə]	单音节词末	le, de
		词首开音节	semaine
		【辅辅 e 辅】	vendredi
	不发音	词末	perte
		元音前后	Jean, remerciement
		【元辅 e 辅元】	samedi
é	[e]		été
è	[ɛ]		frère
ê	[ɛ]		fête
eau	[o]		tableau

字母	音素	说明	举例
ei	[ε]		neige
ein	[ε̃]	*	peintre
eim	[ε̃]	*	Reims
em	[ɑ̃]	*	temps
emm	[am]	少数词中	femme
en	[ɑ̃]	*	entre
	[ε̃]	少数词中	pentagone
eu	[ø]	词末开音节	deux, bleu
		[z] 前	creuse
	[œ]	除上述两种情况外	neuf, heure
g	[ʒ]	e, i, y 前	gens, gifle, gymnase
	[g]	a, o, u 及辅音字母前	gare, gomme, aigu, gris
gn	[ɲ]		campagne
	[gn]	少数词中	stagnant
h	不发音		habiter, héros
i	[i]		livre
	[j]	元音前	ciel
	[ij]	“辅音 + l 或 r + i” + 元音	ouvrier, publier
ien	[jε̃]	*	bien
il	[j]	词末，在元音后	soleil
	[i]	词末，在辅音后	gentil, fusil
ill	[j]	元音后	travailler
	[ij]	辅音后	fille
	[il]	少数词中	ville, mille, village
im	[ε̃]	*	impossible
in	[ε̃]	*	cinq, matin
j	[ʒ]		juge, pyjama, déjà
o	[o]	词末开音节中	kilo, studio
		[z] 前	reposer
	[ɔ]	除以上两种情况外	photo, porte
ô	[o]		hôtel
œu	[ø]	同 eu	vœu, nœu
	[œ]	同 eu	sœur, œuvre
oi, oî	[wa]		moi, boîte
oin	[wε̃]		loin, coin
om	[ɔ̃]	*	nom
on	[ɔ̃]	*	son

字母	音素	说明	举例
ou	[u] [w]	* 元音前	jour, nous oui, ouest
ph	[f]		phrase, physique
q	[k]		coq, piqûre
qu	[k]		publique, pique-nique, quel
s	[s] [z]	 两元音字母间	son, séjour valise, chaise
ti	[si] [sj]	t 前无 s	démocratie nation
u	[y] [ɥ]	元音前	plume huit
um	[œ̃] [ɔm]	词末	parfum ultimatum
un	[œ̃]		brun, commun
uy	[ɥij]		fuyard
w	[v] [w]		wagon tramway
x	[ks] [gz] [s] [z]	词首 ex- , inex- , 词中 元音前 少数词中	texte, exprès, axe, luxe exemple, inexact six, dix, Bruxelles deuxième, sixième
y	[i] [j] = i + i = i	辅音前 元音前 两个元音字母之间 专有名词中的两个元音字母之间	stylo il y a crayon l'Himalaya, la Haye
ym	[ɛ̃]	*	lymphe, symbole
yn	[ɛ̃]	*	lynchage, lynx

※ 1. * 鼻化元音后不能接元音字母或 m, n 。

2. am, em, im, om, um... 等后面若有辅音一般是字母 p 或 b。

3. 下列规则未列入表内：

1) à, â; i, ï; ù, ü 分别等于 a, i, u 。

2) c, f, l, r 在词末时一般要发音。

Tableau des phonèmes français
法语音素表

音素	拼法	说明	举例
[i]	i, î	在辅音前后	finir, île
	ï	在 a, o 后	naïf, égoïste
	y		lyre, type
[y]	u, û		sur, sûr
	eu	在少数词中	j'eus, eu
[e]	é		été
	-er	在词末	marcher, se fier, léger
	-ez	在词末	assez, nez, chantez
	-ed, -eds	在词末	pied, je m'assieds
	-es	在单音节词中	les, des, ses
	e	1. 词首 desc-, dess-, ess-, eff 中	descendre, dessert, essai, effet effort
		2. 在某些拉丁文词末	vice versa [vis(e)vɛrsa], fac-similé [faksimile]
		3. 某些拉丁文和希腊借词中	et cetera [ɛtsetera] (etc), œdème
[ɛ]	è		mère
	ê		fête
	ë		Noël
	e	1. 在闭音节中	bec, cher, fier, traverser
		2. 在相同的两个辅音字母前	belle, mettre, adresse
		3. 在词末 -et, -ec 中	navet, aspect, respect（例外：direct [dirɛkt]）
	ei		neiger, seize
	ai, aî		vrai, maître
	ay, ey		tramway, Fontenay, trolley, Ney

音素	拼法	说明	举　　例
[ø]	eu, œu eu 	在词末开音节中 1. 在 [z]、[ʒ] 前 2. 在某些词中	peu, il peut, peut-être, vœu, nœud, œufs, bœufs creuser, précieuse, Maubeuge neutre, jeudi, feutre, meute, euphonie, européen, jeûne
[œ]	eu, œu œ ue	 在少数词中 在字母 c, g 后	heure, ils veulent, déjeuner, gageur(但 gageure [gaʒy:r]), sœur, bœuf œil cueillir, accueil, orgueil
[ə]	e ai on	1. 在单音节词末 2. 在【辅辅 e 辅】中 3. 在词首开音节中 在少数词中	le, de, me gouvernement, entreprise tenir, premier nous faisons, je faisais, faisant, faisable, satisfaisant monsieur
[a]	a, à â -as e	 在某些动词形式中 在某些词和动词形式中 少数 mm, nn 前，位于词中	carte, chasse, déjà, voilà nous donnâmes, vous donnâtes, qu'il donnât bras, matelas, tu as, tu donneras femme, évidemment, solennel
[ɑ]	â -as a	 在词末 1. 在 -asse 中 2. 在 [z] 前 3. 词末为 - aille 的名词中 4. 在 -ation 中 5. 在 bl, br, dr, vr 前	pâle, théâtre pas, gras, las [lɑs], hélas [elɑs] grasse, lasse, classe, passer gaz, base, phrase paille, taille, semaille prononciation fable, sabre, cadre, cadavre

音素	拼法	说明	举　　例
[o]	ô		côte, drôle, tôt（例外：[ɔ] hôtel,hôpital)
	o	1. 在词末开音节中	mot, métro, repos, les os
		2. 在词末 [z] 前	chose, rose
		3. 在 -otion 中	émotion, notion
		4. -osse 结尾的部分词中	grosse, fosse (例外：[ɔ] bosse, brosse, crosse, rosse)
		5. 在 -ome 中	atome, idiome, axiome, tome (例外：[ɔ] onome, astronome)
		6. 在 -one 结尾的个别词中	zone, cyclone
	au		saule, chaud, gauche
	eau		eau, beau, bateau
[ɔ]	o		porte, économe, l'os
	au	1. 在 [r] 前	aurore, saure, j'aurai, je saurai
		2. 在少数词中	Paul, mauvais, augmenter
	oi	在少数词中	oignon
	u	词末 -um 中读 [ɔm]	album, maximum (例外：parfum [parfœ̃])
[u]	ou		ou, joujou
	où		où
	oû		goût
	aoû		août
[ɛ̃]	in	后无元音字母或 m, n	pin, vin, moulin
	im		timbre, simple (例外：[ɛ̃] immangeable, immanquable)
	ain		pain
	aim		faim
	ein		plein
	eim		Reims
	yn		syndicat
	ym		symbole
	en	1. 在 i 后	bien, rien, parisien (例外：[ɑ̃] orient, science, convénient, ingrédient)
		2. 在 é 后	européen, méditerranéen
		3. 在某些拉丁文和外国语借词中	examen, appendice, pentagone, agenda, rhododendron, mémento, benzine, pensum (例外：[ɛn] Eden, lichen, pollen, spécimen, dolmen)
		4. 在某些专有名词中	Agen, Saint-Gaudens, Rubens, Stendhal

音素	拼法	说明	举　　例
[œ̃]	un		brun, lundi
	um		parfum, humble
	eun	在少数词中	à jeun [ajœ̃]
[ɑ̃]	en		lent, dent
	en	后接元音字母或字母 n，但在词首	enorgueillir, enivrer ennui, enneiger（例外： ennemi [ɛnmi]，hennir [eniːr]）
	em		temps, novembre
	em	后接 m，但在词首	emmener, emmailloter
	an		chanter
	am		camp, chambre
	aon	在少数词中	paon, faon
[ɔ̃]	on		bon, oncle
	om		nom, ombre
	un, um	某些拉丁文借词	secundo, lumbago
[j]	i, ï	在元音前	ciel, aïeul, faïence, diable
	-il	在元音后	travail, soleil, ail
	ill	在元音后	bataille, bataillon, mouiller
	y	1. 在词首	yeux, il y a, ça y est
		2. 在少数词（尤其是专有名词）中	fayot, tayaut, brayette, bayer, bayadère, mayonnaise, boyard, goyave, cacaoyère, gruyère, Ayen, Bayard, Bayonne, Goya, Cayenne, Himalaya, Loyola, La Fayette, Mayence
		3. 在两个元音中 (y = i + i)	crayon, voyelle, essuyer, tuyau, fuyard, bruyant, écuyer（比较 pays [pei]; paysan [peizɑ̃]）
[ij]	ill	在辅音后	fille, billet（例外：[il] ville, distiller, tranquille,village, mille；个别词可有两种读法 [ij 或 il]，如：vaciller。）
	i	“辅音+l或r+i”+元音	plier, crier
[jɛ̃]	ien		bien, lien, mien, doyen
[ɥ]	u	在元音前	nuit, muet, nuage, juin
[w]	ou	在元音前	oui, jouet, douane
	w		tramway

音素	拼法	说明	举　　例
[wa]	oi, oy		moi, bois, moyen, roi, doigt
	œ	在少数词中	mœlle, mœllon
	oê		poêle
[wɛ̃]	oin	在少数词中	point, moins
[b]	b, bb		blanc, abbé
	-b	在少数词末	baobab, club, tub, snob, nabab
[p]	p, pp		porte, apporter
	-p	在少数词末	cap, croup, hop, stop
[d]	d, dd		deux, addition
	-d	在少数词末	sud, Alfred, David, Madrid
[t]	t, tt		table, attendre
	th		thé, théâtre
	-t	在少数词末 字母t可发音也可不发音	net, dot, exact, direct, but, fait, vivat, fat, août
[g]	g	在a, o, u和辅音字母前	gare, gorge, augmenter, légume
	-g	在少数词末	zigzag
	gu	在e, i, y前	guerre, guide, Guy
	c	在个别词中	second, seconder
[gz]	x	“ex, inex ” + 元音且在词首	Xavier, examen, inexact
[k]	c, cc	在a, o, u和辅音字母前	carte, comme, culture, accord
	-c	在词末	sac, caduc, avec, lac, bec （例外：不发音 tabac, estomac, blanc, franc, tronc, banc, jonc, porc）
	ch	1. 一些希腊文借词中	chaos, chœur, écho, orchestre, psychologie, archaïque, orchidée
		2. 在r, n前	chrétien, technique, chronique
		3. 某些专有名词中	Michel-Ange, Munich, Moloch
	qu		quel, musique,
	q	在个别词末	cinq, coq
	k		kilo, képi, kolkhoze
[ks]	x		fixer, réflexion, expliquer
	-x		index, Félix, phénix
	cc	在e, i前	accent, accident

音素	拼法	说明	举　　例
[z]	z		zéro, horizon, zigzag
	s	1. 在两元音字母之间	rose, magasin
		2. 在少数词中	subsister, subsistance, transit
	x	在少数词中	deuxième, sixième, dixième
[s]	s, ss		si, espoir, penser, passer
	s	在两元音字母之间，但在复合词的第二成分开始处	vraisemblable, antisocial, monosyllabique, cosignataire, parasol, tournesol, préséance
	-s, -ss	在词末	fils, express, albatros, albinos
	c	在 e, æ, i, y 前	ce, cæsium, civil, bicyclette
	ç	在 a, o, u 前	ça, leçon, reçu
	sc	在 e, i 前	scène, science
	t	在 i 前	nation, partiel, patient, initial, balbutier, minutie, ambitieux, aristocratie, diplomatie
	x	在少数词中	six, dix, soixante, Bruxelles
[ʒ]	j		je, jamais, jadis, déjà
	g	在 e, i, y 前	manger, agiter, gymnastique
	ge	在 a, o, u 前	obligeant, mangeons, geôle, gageure [gaʒyːr]
[ʃ]	ch		Chine, chasse, choux
	sh		shako, shérif
	sch		schéma
[v]	v		valise
	w		wagon
[f]	f, ff		façon, effort
	-f		neuf
	ph		phonétique, phrase
[l]	l, ll		lac, ville
	-l	在词末	fil, cil （例外：不发音 gentil, outil, sourcil, nombril, fusil）
[n]	n, nn		ne, nord, connaître, année
	mn		automne, condamner
[m]	m, mm		miel, pomme
[ɲ]	gn		campagne
[r]	r, rr		rare, guerre
	-r	在单音节词末	cher, fer

Leçon 11 La première classe

Dialogue 1 La première classe

(À l'Université des langues, dans une classe, les étudiants sont assis. Il est presque huit heures du matin, le professeur entre.)

– Bonjour, mesdemoiselles et messieurs.

– (Tout le monde ensemble) Bonjour, monsieur.

– Comment allez-vous ?

– Très bien. Merci. Et vous ?

– Moi aussi, merci. Bon, nous commençons...

(À ce moment-là, le chef de classe lève la main.[1])

– Oui, Monsieur le chef. Qu'est-ce qu'il y a ?

– Monsieur, nous avons un nouvel ami. Il s'appelle Didier Bontemps. Il vient de Paris.

– Enchanté, Monsieur Bontemps.

– Enchanté, Monsieur le professeur. Je suis très content de pouvoir suivre votre cours.[2]

– Vous apprenez aussi le chinois, je suppose ?

– Oui, vous avez raison. J'apprends le chinois depuis un an à Paris IV.[3]

– Ah ! C'est une école connue. Est-ce une langue difficile, le chinois ?

– Oui, assez difficile, mais très utile.[4]

– Ça va, les études ? [5]

– Oui, ça va bien, merci.

– C'est très bien. Si vous avez des questions, n'hésitez pas.[6]

– Merci beaucoup, monsieur.

– De rien. Maintenant, on commence.

Dialogue 2 La langue est difficile !

(À midi, au restaurant de l'université, quelques étudiants mangent ensemble avec Didier Bontemps. Ils parlent de leur première classe.[7])

– Didier, la première classe, ça va ?

– Oui. Le prof est très sympathique. Mais je ne comprends pas tout.

– Pourquoi ? Il y a un problème ?

– Non, pas vraiment. Seulement, pour moi, il parle un peu vite. Je comprends difficilement.

– Ah bon ? Mais c'est normal, tu sais. Puisque c'est ta première classe.

– Oui, c'est cela. Mais la grammaire aussi est très compliquée.

– C'est vrai. La grammaire chinoise, c'est pas facile.[8]

– Non... Et la prononciation non plus ! En chinois, il y a encore ces fameux « 4 tons » ! [9] Un mot devient donc facilement quatre !

– Et alors, d'après vous, qu'est-ce qui est le plus difficile ? [10]

– Le plus difficile, je crois, c'est l'écriture du chinois.

– Comment ça ? [11]

– Vous savez, à mes yeux, le caractère chinois, ce n'est pas un mot, mais une image !

(Rires de tous...)

– Oui, oui, je dis la vérité. Vous ne croyez pas ?

– Si, si, nous croyons bien. Mais, tu viens ici pour apprendre le chinois. Et le premier pas coûte toujours.[12]

– Tout à fait ! Ça ne fait rien. Si je travaille bien, ça ira ![13]

– En français on dit : « Avec de la patience, on arrive à tout. »[14]

– On dit encore : « Petit à petit, l'oiseau fait son nid. »[15]

Et ils disent ensemble : « Les petits ruisseaux font les grandes rivières. »

(Tout le monde éclate de rire... [16])

Vocabulaire 词汇

arriver *v.i.*	到达
assez *adv.*	足够
assis, e *a.*	坐着的
Bontemps	邦党（姓）
Ça ne fait rien.	没关系。
caractère *n.m.*	汉字；方块字
chef *n.m.*	长官，头儿
commencer *v.i.*	开始
compliqué, e *a.*	复杂的
comprendre *v.t.*	懂得，明白
connu, e *a.*	有名的，众所周知的
content, e	高兴的，满意的
être ~ de qn/qch.	对某人 / 某物满意
coûter *v.i.*	费劲
d'après *loc.prép.*	根据
devenir *v.i.*	变；成为
Didier	迪迪埃（男名）
difficilement *adv.*	困难地
donc *conj.*	于是
éclater *v.i.*	突发巨响
éclater de rire	哈哈大笑
écriture *n.f.*	文字；字体，书法
exercice *n.m.*	练习，作业
facilement *adv.*	容易地，轻而易举地
fameux, se *a.*	出名的
grammaire *n.f.*	语法
hésiter *v.i.*	犹豫
image *n.f.*	（图）像

lever *v.t.*	举起	patience *n.f.*	耐心
main *n.f.*	手	plus *adv.*	更，愈
manger *v.t*	吃	problème *n.m.*	问题
matin *n.m.*	早晨，上午	prononciation *n.f.*	发音
mesdemoiselles *n.f.pl.*	小姐们	quelque *a.indéf.*	某个
messieurs *n.m.pl.*	先生们	rire *v.i., n.m.*	笑；笑声
mot *n.m.*	字	rivière *n.f.*	河流
nid *n.m.*	鸟巢	ruisseau *n.m.*	溪流
non plus *loc.adv.*	也不	seulement *adv.*	仅仅
normal, e, aux *a.*	正常的	si *conj.*	假如，如果
œil（*pl.* yeux ［jø］）*n.m.*	眼睛	suivre *v.t.*	跟随
à mes yeux *loc. adv.*	在我看来	supposer *v.t.*	假设
oiseau *n.m.*	鸟	ton *n.m.*	声调
on *pron. indéf.*	人们；大家	tous *pron.indéf.*	所有人
parler de qn	谈论某人	tout à fait *loc.adv.*	完全地
pas *n.m.*	脚步	vérité *n.f.*	真理；事实

Expressions de classe 课堂用语

Asseyez-vous, s'il vous plaît. 请坐。
Commençons alors. 那我们开始（上课）了。
Avez-vous une question ? Allez-y. 您有问题？提吧。

Comptons 计数

1 100 mille cent（或：onze cents）
1 200 mille deux cents（或：douze cents）
1 500 mille cinq cents（或：quinze cents）
2 000 deux mille
10 000 dix mille
100 000 cent mille

※ 法语中，mille 属不变数字形容词。
※ 法语中从一千一百至一千九百有两种读法：
- 可以用【mille +（多少）cent(s)】。如：
  mille cent, mille deux cents..., 依此类推。
- 也可以用【onze 至 dix-neuf + cents】。如：
  onze cents, douze cents..., 依此类推。

Leçon 11

Notes 注释

1. À *ce moment-là*, le chef de classe lève la main. 就在这个时候，班长举起了手。

à ce moment-là 中的“là”属副词，置于需强调的成分后，与前边的指示形容词合用表示强调。如：

cet homme-là 这个男的

ces problèmes-là 这些问题

2. Je suis très content de pouvoir *suivre* votre cours. 我很高兴能上您的课。

suivre 后可接物或人。如：

Un enfant suit ses parents. 孩子跟着父母。

Nous suivons le Yangtsé en bateau. 我们坐船沿长江走。

Ils suivent bien leur professeur. 他们完全听得懂老师讲的课。

3. J'apprends le chinois depuis un an à *Paris IV*. 我在巴黎四大学了一年汉语了。

Paris IV：巴黎第四大学，即索邦大学（la Sorbonne）。

4. Oui, *assez* difficile, mais très utile. 是的，挺难的，但很有用。

assez 的含义：词典释义为“足够地；相当地；过得去的”。assez difficile 不能简单地用“1+1”的方式理解成“相当难”。汉语中“相当”是“很”的概念，而 assez 在句中往往表示“比较，还算，挺”的意思。举 bien 和 gentil 为例：

1) très bien 很好（= 5 分）；bien 好（= 4 分）；assez bien 还算好（只能 = 3 分）

2) très gentil = 人特好；gentil = 人挺好的； assez gentil = 这人对人还算过得去。

5. *Ça va*, les études ? 学习还好吧（怎么样）？

这是熟人间较随便的口语问法。中性指示代词 ça 可以指其所代替的前、后任何事情。

6. *Si* vous avez des questions, *n'hésitez pas*. 如果您有问题（就提出来），别犹豫。

1) si 引出条件从句，从句动词使用直陈式现在时。后接主句也使用直陈式现在时。如：

Si c'est possible, je vous pose une question. 如可能，我问您个问题。

S'il fait beau, je sors. 要是天气好，我就出去。（※ si 与 il 有省音）

2) n'hésitez pas 是动词 hésiter 第二人称复数的否定命令式。

句型应为 hésiter à faire qch.（犹豫做某事）。此句省略了“... à poser des questions”。

7. Ils *parlent de* leur première classe. 他们正在谈论他们上的第一堂课。

parler de qch./qn 谈论某事 / 某人。 如：

De qui parle-t-on ? 大伙儿在说谁呢?

Il parle de son voyage en France. 他在谈他的法国之行。

Ces jours-là, on parle beaucoup d'elle. 这几天，大家总把她挂在嘴边。

8. La grammaire chinoise, *c'est pas* facile. 汉语语法可不容易。

句中省略了 ne... pas 中的 ne。口语常出现这种省略。（※ 规范表达最好保留）

9. Non... Et la prononciation *non plus* ! En chinois, il y a encore ces fameux *«4 tons»*!
是不容易……还有发音也不容易！中文里还有那有名的"四声"呢！

1) 法语中表示"也"时有 aussi 和 non plus 两种形式。同 oui, non, si 的使用一样，须视与其相关的前一句表述是肯定形式还是否定形式而定！

※ 对肯定形式的表述表示赞同须用 aussi；

※ 但对否定的表述表示赞同则要用 non plus。

如：Tu es d'accord ? Moi aussi. 你同意吗？我也同意。

Tu n'es pas d'accord ? Moi non plus. 你不同意吗？我也不同意。

2) ton 指"音调；语调；口气"等。此处指汉语拼音中的四声调。

10. Et alors, d'après vous, *qu'est-ce qui* est *le plus* difficile?
那依你看，什么（东西）最难呢？

1) qu'est-ce qui 的疑问对象是做主语的物或事情。(※ 参见本课语法 3)

2) 定冠词 le (la, les) + plus + 形容词 ＝ 形容词最高级，如：

Jacques est le plus grand de notre classe. 雅克是我们班（个儿）最高的。

Voici la plus grande ville de Chine. 这是中国最大的城市。

Ce sont les questions les plus difficiles. 这些是最难的问题。

11. Comment ça ? 咋（怎么）会这样儿？

某些"特殊疑问词 + ça"就构成这种通俗口语表达方式。慎用。如：

Qui ça ? 谁呀这是？

Où ça ? 哪儿呢？

Pourquoi ça ? 干嘛这样啊？

12. Et *le premier pas coûte toujours.* 刚开始总是不容易。

这里借喻法语谚语"Il n'y a que le premier pas qui coûte."（万事开头难。）

coûter 意为"费力气，使人为难"。

13. *Tout à fait* ! Ça ne fait rien. Si je travaille bien, *ça ira* !
完全对，没关系。如果我努力，肯定能行！

1) 副词短语 tout à fait 用来表示赞同，意为"完全对"。bien sûr, sûrement, vous avez raison 等也可表示相同的含义。

2) ira 是 aller 直陈式简单将来时第三人称单数的变位形式。ça va 是说"现在挺好，还行"；而 ça ira 则是表示"某事马上、待会儿、今后就能行或会好起来"。如：

– Je peux t'aider ? 我能帮你吗？

– Non, merci. Ça ira. 不用，谢谢。能行。

14. Avec de la patience, on *arrive à tout.* 只要工夫深，铁杵磨成针。

arriver à qch. 指"达到、做到"。如：

Il arrive au but. 他达到了目的。

15. ***Petit à petit*, l'oiseau fait son nid.** 集腋成裘 。聚沙成塔。

petit à petit 指"一点一点地"。à 置于两个名词之间,表示"接续和紧密"的概念。如:

un à un (une à une) 一个一个地;pas à pas 一步一步地;coude à coude 肩并肩地

16. Tout le monde *éclate de rire*... 大家哈哈大笑……

éclater de rire 放声大笑

éclater en sanglots 嚎啕大哭

1. 序数词 (Adjectif numéral ordinal)

序数词属限定词用来表达名词的先后次序。它同形容词一样,与名词有性、数的配合。

1) 序数词词形

基数词	序数词	基数词	序数词	基数词	序数词
un	premier, ière	sept	septième	vingt et un	vingt et unième
deux	second, e[səgɔ̃ , ɔ̃:d]	huit	huitième	vingt-deux	vingt-deuxième
	deuxième	neuf	neuvième	soixante	soixantième
trois	troisième	dix	dixième	cent	centième
quatre	quatrième	onze	onzième	cent un	cent unième
cinq	cinquième	dix-sept	dix-septième	deux cents	deux centième
six	sixième	vingt	vingtième	mille	millième

2) 序数词的构成

① **序数词除 premier, ère 和 second, e 以外,其他均以基数词(数字形容词)**作词干,加序数词后缀 -ième 构成。但应注意以下几点:

- 所有以 e 结尾的数词,先取消 e,然后加 -ième。
- 两个序数词须做必要的变动:cinq 变为 cinquième,neuf 变为 neuvième。
- second, seconde 的发音特殊,为:[səgɔ̃:],[səgɔ̃:d]。

② **复合序数词的构成**

将复合基数词(数字形容词)的最后一个数词变为序数词即构成复合序数词。 如:

vingt et **un** → vingt et **unième**

quatre-vingt-dix-**neuf** → quatre-vingt-dix-**neuvième**

③ **现代法语中仍保存有古法语遗留下来的序数词形式。这种序数词词形特殊，仅用在某些固定的短语中。如：**

de **prime** abord 乍一看

le **tiers** monde 第三世界

une **tierce** personne 第三者

3) 序数词的用法

① **序数词的性、数：**

序数词中仅 premier, second 有阴性和复数形式；其余序数词仅有数的变化。如：

Les **premières** lettres de l'alphabet sont A B C. 字母表的头几个字母是 ABC。

un billet de **seconde** classe 二等（舱、车厢）票

dix **centièmes** 百分之十（※分数中，分子从 2 起，作分母的序数词要加 s）

② **序数词通常置于名词前，与冠词等其他限定词搭配使用，在句中起限定作用。如：**

Le département de français est **au premier étage**. 法语系在二楼。(定冠词)

Tu veux essayer **une deuxième fois**? 你想再试一次？（不定冠词）

C'est ma **première** classe. 这是我第一回上课。(主有形容词)

③ **序数词与** leçon, paragraphe, chapitre, tome, livre, acte, scène **等连用时可以后置。如：**

le **premier** tome, le tome **premier** 第一卷

la **première** leçon, la leçon **première** 第一课

但 premier 置于其他名词后时，其含义往往为"基本的、初步的、原来的"。如：

le principe **premier** 基本原则

une idée **première** 初步设想

les matières **premières** 原（始）材料

④ **序数词可用作表语：**

Il est **premier** et je suis **deuxième**. 他第一，我第二。

⑤ **序数词可用作名词：**

Qui sont **les premiers** ? 哪几位先来的？

Monsieur Laval ? **Le troisième**, à gauche. 拉瓦尔先生吗？四层，左手（边）。

4) 有关序数词的几点注意事项：

① unième 不能单独使用，只能用在复合序数词中。如：

vingt et **unième** 第二十一，cent **unième** 第一百零一

② premier, second 只能单独使用，不能用在复合序数词中。如：

le **premier** rang 第一排， la **première** fois 头一回，第一次

la **Seconde** Guerre mondiale 第二次世界大战

③ deuxième 可单独使用，也可用于复合序数词中。如：

le **deuxième** chapitre 第二章

le **vingt-deuxième** jour du mois 当月的第二十二天

④ 仅“第一”用 premier 或 première，其余带“一”的序数词仅仅与 onzième 或 unième 有关。

2. 重读人称代词 (Pronom personnel tonique)

1) 重读人称代词词形

单　数	复　数
moi	nous
toi	vous
lui	eux
elle	elles
※ soi : 专用于无人称句中或与 on, chacun 等泛指人称代词配合使用。	

2) 重读人称代词的基本用法

与其他人称代词不同，重读人称代词有时会与动词分开使用。

① 作主语同位语，往往为解释、说明或加重语气。如：

Moi, j'apprends le français. 我吗，我在学法语。

Les étudiants, **eux**, ne travaillent pas aujourd'hui. 学生们，他们今天不上课。

还可与另一重读人称代词或名词组成复合同位语。如：

Lui et **toi**, vous venez à midi. 你和他，你们中午来。

Mes amis et **moi**, nous allons au cinéma. 朋友和我，我们看电影去。

② 用在介词、être 或 c'est, il y a 等结构后，作宾语、状语或表语等。如：

Je suis toujours **moi**. 我还是我。(表语)

Il y a encore **moi**. 还有我呢。(直宾)

Je pense beaucoup à **lui**. 我很想念他。(间宾)

Pour **moi**, le français est très difficile. 对我来说，法语太难了。(状语)

③ 用在省略句中，作为被省略动词的主语或补语（一般在答话中）。如：

– Qui veut y aller ? 谁愿意去？

– **Moi**. 我。(省略了 je veux y aller)

④ 用在感叹句中。如：

Toi ici ?! 你怎么在这儿 ?!

Lui, faire ça ? 他会干这事？

⑤ 重读人称代词的强调词形：

为加重语气，重读人称代词后可接泛指形容词 même，中间加连字符“-”，表示“某某自己”。具体如下：

单　数	复　数
moi-même	nous-mêmes
toi-même	vous-même(s)
lui-même	eux-mêmes
elle-même	elles-mêmes
1) 泛指形容词 même 有数的变化！ 2) soi 的强调形式是 soi-même。	

如：Tu dois faire cela **toi-même**. 这事你该自己做。

Nous travaillons pour **nous-mêmes**. 我们是为自己工作。

⑥ 关于 soi：

soi 与 lui, elle 不同，其所代替的对象一般是不确指的。在句中往往与泛指代词（如 on, chacun 等）或不确指的名词配合使用；或用于无人称结构。如：

Ici, on fait tout **soi-même**. 这儿所有的事都得自己动手。(泛指代词 on)

Chacun pour **soi**. 各人自扫门前雪。(泛指代词 chacun)

Le respect de **soi** est nécessaire. 自尊心是该有的。(不确指名词)

Il ne faut pas toujours penser à **soi**. 不能总考虑自己。(无人称句)

3. 疑问代词 (Pronom interrogatif)

在法语的特殊疑问句中，用来问人或问物的疑问代词是不同的。换言之：当人和物分别为主语和宾语时，法语所采用的疑问方式不同。我们通俗地称之为“特殊疑问四式”。

1) 疑问对象是人，且人作主语时，使用 **qui** 或 **qui est-ce qui**。

【qui 是简单词形；qui est-ce qui 是加强词形】，如：

Cet homme, **qui** est-ce ? 这男的是谁？（通俗语）

Qui est cet homme ? 这位男士是哪位？（标准语）

Qui apprend le français ? 谁（在）学法语？

或：**Qui est-ce qui** apprend le français ? 哪一位（在）学法语？

2) 疑问对象是物或概念，且物或概念作宾语时，使用 **que, quoi** 或 **qu'est-ce que**。

【que 和 quoi 是简单词形；qu'est-ce que 是加强词形】，如：

Que faites-vous ? 您做什么工作？（您在做什么？）

Vous faites **quoi** ?〈口语〉您是干什么（工作）的？(您干吗呢？)

或：**Qu'est-ce que** vous faites ? 您做什么工作？(您在做什么？)

3) 疑问对象是人，且人作宾语时，使用 **qui** 或 **qui est-ce que**。

【qui 是简单词形；qui est-ce que 是加强词形】，如：

Vous regardez **qui** ?〈口语〉您在看谁？

Qui est-ce que vous regardez ? 您在看谁？

Qui ce monsieur regarde-t-il ?〈书面语〉这位先生在看谁？

● 用 qui 对作宾语的人提问时，应注意提问方式不要引起混淆，以例句 3 为例：如果问句是“qui regarde ce monsieur ”，我们就无法确定到底是

"谁看这位先生"还是"这位先生看谁"。为了避免混淆，须采用【倒装+重复主语】的方法。(※参见第 18 课语法 5.2) 疑问句的第三式)

4) 疑问对象是物，且物作主语时，使用无简单词形的 qu'est-ce qui。如：

Qu'est-ce qui est difficile pour vous ? 什么（东西）对你们来说困难?

Qu'est-ce qui ne va pas ? 哪儿不好（行）?

5) 疑问时，应动词要求，疑问代词 qui 和 quoi 经常与介词连用。如：

À qui écris-tu ?（*À qui* est-ce que tu écris ?）你给谁写信呢?

De qui parles-tu ?（*De qui* est-ce que tu parles ?）你说谁呢?

À quoi penses-tu ?（*À quoi* est-ce que tu penses ?）你想什么呢?

De quoi parles-tu ?（*De quoi* est-ce que tu parles ?）你说什么呢?

Avec qui parles-tu ?（*Avec qui* est-ce que tu parles ?）你和谁说话呢?

Avec quoi écris-tu ?（*Avec quoi* est-ce que tu écris ?）你用什么写（信）呢?

4. 副词 (Adverbe)

1) 副词的概念

副词是实义词，没有词形变化，属不变词类（个别词例外，如 tout）。副词表示状态、方式、程度、数量、地点、时间、肯定或否定等概念，用来修饰动词、形容词、其他副词或整个句子。

2) 副词的形式

副词大致分为以下几类。

① 简单形式副词（副词家族的主体，数量众多），如：

plus（更多），moins（更少），devant（在前），derrière（在后）

② 简单合成副词（由几个部分组成），如：

aussitôt（立即），depuis（从……之后），toujours（总是）

③ 由品质形容词加副词词尾 -ment 组成的副词，如：

facilement（容易地），difficilement（困难地），vraiment（真正地）

④ 由介词加名词、形容词或副词构成的副词短语，如：

à gauche（在左边），d'habitude（通常），tout à fait（完全）

⑤ 否定副词短语，如：

ne... pas（不……），ne... plus（不再……），ne... jamais（从不……，永不……）

⑥ 少数从拉丁语借用的副词，如：

a priori（先验地），grosso modo（大体上），vice versa（反之亦然）

⑦ 由其他词类转化而来的副词

- 由形容词转化而来的副词（往往和动词搭配使用），如：

  travailler **dur**（辛勤劳作），sentir **bon**（气味香醇），voler **bas**（飞得低）

- 由介词转化而来的副词，如：

  Il prend son vélo et part **avec**.（他取了自行车，骑上走了。）

  Pourquoi portez-vous des lunettes si vous y voyez **sans** ?

  （既然不戴眼镜看得见，您干嘛还戴它呢?）

3) 以 -ment 结尾副词的构成

法语中大量副词由品质形容词加副词词尾 -ment 构成。其构成一般规则如下：

① 以元音字母结尾的形容词，用其阳性形式直接加 -ment 。如：

facile → facilement（轻易地） difficile → difficilement（艰难地）
vrai → vraiment（真正地） juste → justement（正确地）

※ 以元音 u 结尾的形容词加 -ment 时，将 u 变为 û，如：

cru → crûment（生硬地），assidu → assidûment（勤奋地）

※ 个别以元音结尾的形容词加 -ment 时，其结尾元音要变化，如：

gai → gaîment [或：gaiement]（快乐地）énorme → énormément（巨大地）

② 以辅音字母结尾的形容词，用其阴性形式加 -ment 。如：

grand → grandement（大大地，完全地） ouvert → ouvertement（公开地）
fort → fortement（强烈地） vif → vivement（生动地）

※ 例外：gentil → gentiment（亲切地）

③ 以 -ant, -ent 结尾的形容词，去掉词尾，分别加 -amment, -emment [amɑ̃]。如：

constant → constamment（长期地） élégant → élégamment（优雅地）
récent → récemment（最近） ardent → ardemment（热烈地）

5. 以 -cer 或 -ger 结尾的动词变位 (Verbes en *-er* ou *-ger*)

以 -cer 或 -ger 结尾的动词均属第一组规则动词。但因在 -er 前的字母分别是 c 和 g，所以，为了保持它们发音的统一性，这类动词在直陈式现在时第一人称复数的变位形式中（以及以直陈式现在时第一人称复数为变化基础的其他时态中），需对变位形式作小的调整，让其保持原来应发的 [s] 和 [ʒ]。请见下列动词变位表：

1) commencer

commencer	
je commence	nous commen**ç**ons
tu commences	vous commencez
il commence	ils commencent
elle commence	elles commencent
※ nous commen**ç**ons 变位特殊！	

2) manger

manger	
je mange	nous man**ge**ons
tu manges	vous mangez
il mange	ils mangent
elle mange	elles mangent
※ nous man**ge**ons 变位特殊！	

6. Conjugaison（动词变位）

1) comprendre

comprendre [kɔ̃prɑ̃:dr]	
je comprends	nous comprenons
tu comprends	vous comprenez
il comprend	ils comprennent
elle comprend	elles comprennent
※与 prendre 属同一词根，变位方式相同。	

2) devenir

devenir [dəvəni:r]	
je deviens	nous devenons
tu deviens	vous devenez
il devient	ils deviennent
elle devient	elles deviennent
※与 venir 属同一词根，变位方式相同。	

3) lever

lever [ləve]	
je lève	nous levons
tu lèves	vous levez
il lève	ils lèvent
elle lève	elles lèvent
※leve 不能处在重读音节中，故调整为 lève。	

MOTS ET EXPRESSIONS 词汇与句型

1. arriver

1) arriver + 地点：到达，抵达

Ils arrivent à Paris à six heures du soir. 他们晚上六点抵达巴黎。

Quand peux-tu arriver chez toi ? 那你几点能到家?

Cet avion arrive de Marseille. 这架飞机是从马赛飞抵这里的。

2) arriver + 交通工具：表示到达的方式

Nous arrivons par le train. 我们坐火车到的。

Vous arrivez à moto ou en vélo ? 你们是骑摩托车还是自行车来的?

3) qch. arriver ：来临

Le Nouvel An arrive dans quinze jours. 还有半个月就是新年了。

Le jour arrive déjà. 天已经亮了。

Enfin arrive le moment du grand départ. 离别的时刻终于到来了。

4) arriver à faire qch. 达成某事；做成某事

Elle n'arrive pas à bien lire ce poème. 她无法念好这首诗。

Il arrive finalement à faire la différence entre ces mots. 他最终能区分这些词了。

5) qch. arriver à qn 某事发生在某人身上；遇上某事

Ne t'inquiète pas, ça arrive à tout le monde. 别着急，这种事儿谁都会遇上。

Comme vous dites, cela peut arriver. 正如您所说，这种情况在所难免。

2. commencer

1) commencer *v.t.dir.* 开始；着手

Nous commençons la révision demain. 我们明天开始复习。

On ne peut pas commencer le travail sans lui. 没有他咱们不能开始工作。

2) commencer à/de faire qch. *v.t.indir.* 开始（着手）做某事

Elles commencent à apprendre le français aujourd'hui. 她们今天开始学法语。

Cet enfant commence à parler. 这孩子开始说话了。

3) commencer *v.i.* 开始

La classe commence à huit heures du matin. 课早上八点开始。

Les examens commencent le mois prochain. 下个月开始考试。

Ça commence bien ! 这头儿开得不错呀！（讽刺某事一开始就搞砸了）

3. devenir

1) devenir 变得，变成

La situation devient plus difficile. 形势变得更困难了。

Comme ça, la phrase devient plus longue. 这样，句子就变长了。

2) devenir 成为

Il veut bien devenir son ami. 他很想成为他的朋友。

Que voulez-vous devenir ? 你打算干什么（工作）？

3) devenir〈口语〉如何，怎样

Qu'est-ce qu'il devient ? 他怎么样了?

Que devenez-vous ? 您近来如何?

DES MOTS POUR LE DIRE
此事怎样说

Bilan des expressions en classe（课堂用语小结）

1. Expressions du professeur（教师用语）

1) Bonjour, tout le monde. Ouvrez votre livre à la page 150. 大家好，请把书翻到第150页。
2) Répétez avec moi, s'il vous plaît. 请跟我（朗）读。
3) Encore une fois et à haute voix. 再大声地来（读）一遍。
4) Attention à votre prononciation et intonation. 请注意你们的发音和语调。
5) Vous avez des questions ? N'hésitez pas. 你们有问题吗？请提吧。
6) Vous comprenez ? Vous ne comprenez pas ? 你们懂吗？不懂吗？
7) Oui, c'est correct. Non, ce n'est pas correct. 对，对了。不对，错了。
8) Vous faites une faute ici. 这里你们犯（出）了个错误。
9) Voulez-vous répondre à ma question ? 你们能回答我的问题吗？
10) Au revoir et à demain. 再见，明天见。

2. Expressions des étudiants（学生用语）

1) Bonjour, madame / mademoiselle / monsieur. 老师好。
2) Pardon, madame / mademoiselle / monsieur. J'ai une question. 对不起老师，我有问题。
3) Excusez-moi, je ne comprends pas cette phrase/ ce mot. 对不起，我不懂这句 / 词。
4) Pardon, voulez-vous répéter encore une fois ? 对不起，您能否再重复一遍？
5) S'il vous plaît, je pourrais vous poser une question ? 请问我能给您提个问题吗？
6) C'est à quelle page, s'il vous plaît ? 请问是在哪一页上？
7) Pardon, voulez-vous expliquer un peu ce mot ? 对不起，您能否解释一下这个词？
8) Merci beaucoup pour votre explication. 谢谢您的解释。

UN PEU DE PHONÉTIQUE 练练语音

Le cancre

Il dit non avec la tête
mais il dit oui avec le cœur
il dit oui à ce qu'il aime
il dit non au professeur
il est debout
......
avec des craies de toutes les couleurs
sur le tableau noir du malheur
il dessine le visage du bonheur.

Jacques Prévert

差 生

表面摇头说不行，
其实心里却赞同。
喜欢之事才肯做，
老师要求却不成。
他站在教室中
……
五颜六色的粉笔并用，
在不幸的黑板之上，
涂抹出幸福的面容。

雅克·普雷维尔

UN PEU DE CIVILISATION FRANÇAISE 法兰西文化点滴

Les jeunes Français à l'école 学校里的法国年青人

1. 法国大学生在课堂上要自由得多：那种畅所欲言的程度会让我们觉得没有纪律。
2. 在规定时间内读完一本书是法国大学生的主要作业。
3. 法国大学生们的相当一部分的作业是在咖啡馆里完成的。
4. 分组讨论是法国大学生接受考查的主要方式之一。

- 法国学生的竞争意识很强，因为法国大学的淘汰率很高。
- 很多法国学生热衷于参与各种社会活动或课外活动。
- 法国学生独立意识强，大部分人上学后会离家独立生活。
- 法国学生勤工俭学意识很强，多数人认为自力更生挣学费是天经地义的事情。

Proverbe 谚语

La vérité sort de la bouche des enfants.
童言无忌。

EXERCICES 练习

I. Exercices d'audition

1. Quelle est la phrase que vous avez entendue ?

1) Il prend des photos.
   Il prend les photos.
2) Nous apprenons dix leçons.
   Nous apprenons six leçons.
3) Tu aimes le thé（茶）?
   Tu aimes l'été（夏天）?
4) Ces gares sont modernes.
   Ces cars sont modernes.
5) Je ne te comprends pas.
   Je ne le comprends pas.

2. Écoutez le texte et choisissez la bonne réponse.

1) Tous les jours, le cours de Didier commence à huit heures et demie.
   Tous les jours, le cours de Didier commence à huit heures.
2) Il est très ami avec Pascal.
   Il est très ami avec Pierre.
3) Il comprend tout en classe.
   Il ne comprend pas tout en classe.
4) Il pense que（认为）la prononciation est ce qui est la plus difficile.
   Il pense que le plus difficile c'est l'intonation.
5) Pour lui, la prononciation est la plus difficile.
   D'après lui, l'intonation est la plus difficile.

II. Exercices de dialogues

1. Questions sur le *Dialogue 1*.

1) À quelle heure commence le cours de Didier ?
2) À quelle école Didier et ses camarades font-ils leurs études ?
3) Est-ce que le professeur arrive à l'heure ?
4) Pourquoi le chef de classe lève-t-il la main ?
5) Qui est ce nouvel étudiant ?
6) D'où vient Didier Bontemps ?
7) Depuis combien de temps apprend-il le chinois ?
8) À quel établissement Didier a-t-il commencé à apprendre le chinois ?
9) Comment Didier trouve-t-il（认为）le chinois ?
10) Et que pensez-vous du français ?

2. Questions sur le *Dialogue 2*.

1) Où sont Didier et ses camarades de classe à midi ?
2) Pourquoi sont-ils là ?
3) De quoi parlent-ils à table（在餐桌上）?
4) Didier est-il content de sa première classe ?
5) Pourquoi ne comprend-il pas tout ?
6) Quelles sont les difficultés de Didier dans ses études ?
7) Selon（按照）Didier, qu'est-ce qui est le plus difficile pour lui ?
8) Pourquoi dit-il que le caractère chinois est une image ?
9) Est-ce que vous trouvez aussi cela ridicule（可笑的）?
10) D'après vous, que doit-on faire si on veut bien apprendre une langue ?

3. Exercices de structures.

1) lever qch.

J'ai des questions à poser.
Alors, tu lèves la main.

Il a des questions à poser.
Mon stylo est sous le dictionnaire.
Ses journaux sont sous le canapé（沙发）.
Nous avons des questions à poser.

2) suivre qn / qch.

– Voulez-vous suivre ce cours ?
– Oui, nous suivons ce cours.

Veux-tu suivre ces cours de langue ?
Vous voulez suivre ce monsieur ?
Veut-il suivre cette rivière pour visiter le pays ?
Veulent-ils suivre ces filles qui vont à Paris ?

3) hésiter à faire qch.

– Et lui, va-t-il suivre ce nouveau cours ?
– Peut-être, mais il hésite à suivre ce cours.

Et toi, tu vas partir aussi ?
Et elle, elle va poser ses questions ?
Ces journalistes français, vont-ils partir au Tibet ?
Et vous allez lui dire cela ?

4) parler de qn / qch.

– De qui parlez-vous, du professeur ?
– Oui, nous parlons du professeur.

De quoi parlez-vous, du travail ?
De qui parles-tu, des voisins ?
De quoi parlent-ils, des animaux ?
De qui parle-t-elle, du journaliste ?

5) aussi / non plus

– Je suis pour（赞同）, et toi ?
– Moi aussi, je suis pour.

– Je ne suis pas contre（反对）, et lui ?
– Lui non plus, il n'est pas contre.

Elle est pour, et lui ? Elle n'est pas contre, et eux ?
Il veut suivre la Seine, et toi ? Il ne veut pas suivre la Seine, et elle ?

Nous aimons ce cours, et vous ? Nous n'aimons pas ce cours, et toi ?
Je suis chinois, et elle ? Je ne suis pas japonais, et vous ?

6) qu'est-ce qui + 句子 + ?

Le français n'est pas si（那么）facile.
Qu'est-ce qui n'est pas si facile ?

Ça ne va pas comme ça !（这样不行！）
Selon lui, les cours de langue sont très intéressants.
Les livres coûtent cher（价格昂贵）en France.
D'après moi, la grammaire française n'est pas si simple（简单的）.

7) 重读人称代词 + même(s)

– Toi seul, tu peux faire le ménage ?
– Oui, je peux faire le ménage moi-même.

Vous seuls, vous pouvez réviser ces leçons ?
Elle seule, elle peut faire cela ?
Eux seuls, ils peuvent faire les exercices grammaticaux ?
Nous seuls, nous pouvons commencer ?

III. Exercices grammaticaux

1. Les pronoms interrogatifs.

（*Posez des questions d'après les mots soulignés.* 就划线部分提问。）

1) Ses camarades de classe sont à la bibliothèque.
2) La grammaire devient difficile pour tout le monde.
3) Il écrit souvent à ses amis en France.
4) Nous sommes très contents de notre professeur.
5) Le professeur écoute les étudiants.
6) Il y a beaucoup de mots nouveaux dans cette leçon.
7) Mes études ne vont pas très bien.
8) La mère regarde les enfants par la fenêtre（透过窗户）.

2. L'adjectif *grand*.

（*Mettez l'adjectif* ***grand*** *dans les phrases suivantes et faites l'accord s'il le faut.* 用形容词 grand 填空，并在需要时配合。）

1) Cette bibliothèque est très ....
2) Notre appartement n'est pas ....
3) Est-ce que la Chine est .... ?
4) Zhou En-lai est un .... homme.

5) Catherine n'est pas .... , mais son père est très ....

6) Caroline et Marie sont ....

7) Voici ma ....-mère.

8) Notre classe est bien ....

3. Les adjectifs numéraux ordinaux.（给出序数词。）

基数词	名词	序数词
trois	**un point**	***le troisième* point**
un	une fois	
deux	une place	
cinq	un enfant	
neuf	une leçon	
onze	un roman	
dix-neuf	un mot	
vingt	une classe	
quatre-vingts	un paragraphe	
cent	un jour	
cent un	un étage	

4. Les pronoms personnels toniques.（填入恰当的重读人称代词。）

1) ...., je ne comprends pas très bien ce mot.

2) Les filles peuvent faire cela ....-mêmes.

3) Paulette et ...., nous suivons un cours de langue.

4) ...., faire cela tout seul ? je ne crois pas.

5) .... non plus, nous ne sommes pas d'accord.

6) Mes parents, ..., travaillent dans une grande entreprise（企业）.

7) Elle fait souvent le ménage ....-même.

8) Ce jeune homme apprend le français .... aussi.

5. Les adjectifs.

（*Faites l'accord des adjectifs en italique s'il le faut*. 如需要，配合斜体形容词。）

1) *Ce* université est-elle *connu* ?

2) À vos yeux, qu'est-ce qui est *compliqué* ?

3) *Ton* problèmes sont *normal*.

4) Oui, je pense que *ce* demoiselles sont très *gentil*.

5) *Quel* sont *ta* questions ?

6) *Ce nouveau* étudiante est *intelligent*.

7) *Ce vieux* homme est grand .

8) Je ne vois pas *quel* sont vos problèmes.

6. L'adverbe.

（*Donnez les adverbes à partir des adjectifs donnés.* 给出形容词相应的副词。）

adjectif	adverbe
heureux	
seul	
gentil	
vrai	
juste	
malheureux	
joyeux	
sûr	

7. Donnez la bonne conjugaison des verbes entre parenthèses.（将括号内动词正确变位。）

1) Que (manger) .... -nous à midi ?

2) Et moi, qu'est-ce que je (devenir).......... alors ?

3) Marie (lever).......... la tête et (dire).......... : « Non, merci. »

4) – Comment (s'appeler).......... -il ?

– Yves, Yves Mestric.

5) Tu ne (comprendre).......... pas ces mots-là ?

6) Elles (devenir) .... inquiètes（不安）.

7) Les Durant (hésiter).......... à vendre（卖）leur Peugeot.

8) Il (connaître).......... bien Paris VI.

9) Monsieur le chef, est-ce que nous (commencer) .... sans lui ?

10) Qu'est-ce que vous (dire) ....? Je ne pas (comprendre).......... très bien.

8. Les sujets.

（*Dans les situations suivantes, est-ce qu'on dit* ***tu*** *ou* ***vous*** *ou est-ce qu'on ne peut pas savoir ?* 下列情形中用 tu 还是 vous，或是无法知道？）

	Énoncé de source（源句）	tu	vous(politesse)	vous(pluriel)	?
1	Ah ! Bonjour !				
2	Bonjour, monsieur. C'est pour l'examen.				
3	Salut, Yves !				
4	S'il vous plaît, madame.				
5	Monsieur, voici le nouvel étudiant.				
6	Bonjour, les filles! Ça va ?				
7	Bonjour, Bernard.				
8	Attendez, monsieur, j'ai une question.				
9	Ça va, mes amis ?				
10	Tout va bien, j'espère.				

9. La traduction.（翻译）

遇见某人　　放声大笑　　谈论某人　　议论某事
没有关系　　在某人看来　　聚沙成塔　　千里之行，始于足下

10. Le thème.（汉译法）

1) 您说得完全对，我也同意。
2) 汉语的方块字对外国人来说很难。
3) 在他看来，我们班的同学们非常热情。
4) 大家常在饭桌上讨论学习问题。
5) 我们上课的时候做很多的练习：朗读，发音，回答问题，什么都做。
6) — 怎么样？你的学习还行吗？
— 不好。我听不太懂老师讲的内容。
— 没关系。会好起来的。你知道：只要功夫深，铁杵磨成针。

IV. Exercices oraux

1. Pratiquez comme l'on fait dans le texte.（模仿课文中的情景实践。）

1) Sujet de discussion : *le français n'est pas facile*.
2) Que faites-vous en cours ?
3) Parlez un peu de vos professeurs et camarades de classe.

2. Que faut-il dire ?（应该说什么？）

(Vous avez un ou une amie au téléphone. Imaginez la bonne réplique pour le dialogue.)
Votre ami(e) : Allô, oui.
Vous : ....
Votre ami(e) : Ah, bonjour. Ça va, tes études ?
Vous : ....
Votre ami(e) : Est-ce que la grammaire est facile ?
Vous : ....
Votre ami(e) : Et l'orthographe n'est pas difficile, j'espère.
Vous : ....
Votre ami(e) : Et tu peux maintenant bien parler le français ?
Vous : ....
Votre ami(e) : Et qu'est-ce qui est le plus difficile d'après toi ?
Vous : ....
Votre ami(e) : Alors, ne t'inquiète pas（别担心）. Ça ira.
Vous : ....

LECTURE 阅读

Apprendre le chinois

Elle s'appelle Jacqueline et lui, Didier. Tous les deux font leurs études à l'Université des langues orientales de Caen. Ils y apprennent, eux aussi, la langue chinoise depuis bientôt deux ans.

Ils sont quinze dans leur classe et leurs camarades de classe viennent des quatre coins du monde. Il y a deux Italiens, un Algérien, une Américaine, trois Espagnols, cinq Australiens et trois Français. Tout le monde travaille bien. Ils parlent beaucoup chinois en classe et les professeurs sont très contents d'eux.

Peut-être qu'au mois de septembre, Jacqueline et Didier vont aller en Chine pour continuer leurs études de chinois.

Vocabulaire 词汇

Algérien, ne *n.* 阿尔及利亚人
Américain, e *n.* 美国人
Australien, ne *n.* 澳大利亚人
Caen 卡昂（法国西北大城市）
continuer *v.t.* 继续
Espagnol, e *n.* 西班牙人
Italien, ne *n.* 意大利人
mois *n.m.* 月（份）
monde *n.m.* 世界；人，人们
oriental, e, aux *a.* 东方的
septembre *n.m.* 九月

Leçon 12 Ô famille !

Dialogue Je pense un peu à ma famille ! [1]

(Il est six heures du matin. Wu Hua, un étudiant de 1ère année, se lève déjà. Il s'habille et il va au lavabo pour faire sa toilette. Il se brosse les dents, il se rase et puis il se lave. Après la toilette, il se regarde un peu dans la glace. Quand il sort du lavabo, un autre étudiant, Li Lin, arrive. Les deux amis se rencontrent dans le couloir. Ils se saluent.)

Wu Hua : Bonjour, Li Lin. Comment vas-tu ?

Li Lin : Je vais très bien, merci. Et toi ?

W: Moi aussi, merci. Tiens, tu te lèves de bonne heure aujourd'hui ! [2]

L: Oui. Je me lève un peu tôt ce matin. Et toi aussi, tu es bien matinal.

W: Je me lève à six heures juste. Oh, comme il fait froid ! [3]

L: Oui, parce que c'est l'hiver. Il neige dehors, tu vois ? [4]

W: Ah oui ! Et à propos, quelle date sommes-nous aujourd'hui ? [5]

L: Nous sommes le vingt, le vingt décembre. C'est bientôt Noël.

W: Et quel jour sommes-nous aujourd'hui ?

L: Nous sommes mercredi. Qu'est-ce qu'il y a ?

W: Rien. Juste pour savoir. [6]

L: Ah, je comprends, tu es un peu nostalgique.

W: Oui, c'est ça, je pense un peu à ma famille.

L: Et ta famille habite où ?

W: Elle habite au chef-lieu de la province du Hebei [7], la ville de Shijiazhuang.

L: C'est pas loin. Tu vas rentrer chez toi le Nouvel An ?

W: Non, je ne peux pas. On va encore passer des examens dans 15 jours. [8]

L: Oui, tu as raison, il y a encore des examens... Mais, il y a aussi les vacances d'hiver, n'est-ce pas ?

W: Oui, ça c'est vrai. [9]

L: Allez, les jours passent vite, non ? [10]

W: Merci. C'est gentil de dire ça.

Leçon 12

Texte Mathilde et sa famille

Voici une belle photo de Mathilde Legrand. Mathilde est une étudiante française, elle a vingt et un ans. Elle fait ses études de chinois à l'Université des langues étrangères de Beijing. Elle y apprend le chinois depuis deux ans.[11]

La famille de Mathilde habite à Paris, la capitale de la France. Ils sont cinq dans la famille : son père, sa mère, sa sœur, son frère et elle. Monsieur et Madame Legrand travaillent tous les deux. Monsieur Legrand est professeur, il enseigne la littérature à la Sorbonne. Sa mère est directrice d'un grand magasin de Carrefour. Sa sœur aînée travaille chez[12] TOTAL, une grande compagnie pétrolière française. Son frère Xavier est lycéen, il va au lycée.

Les Legrand ont un bel appartement près du Luxembourg[13], ainsi ils se promènent souvent dans ce joli parc. Quel plaisir pour eux !

Vocabulaire 词汇

à propos *loc.adv.* 对啦，想起来啦（用于引出突然想起的话）
ailleurs *adv.* 别处，其他地方
aîné, e *a.* 年长的
ainsi *adv.* 这样，如此
an *n.m.* 年
　le Nouvel An 新年，元旦
appartement *n.m.* 公寓套房，成套房间
brosser (se) *v.pr.* （自己）刷
capitale *n.f.* 首都
Carrefour *n.m.* （法国连锁的）家乐福超市
chef-lieu *n.m.* 省会；首府
couloir *n.m.* 走廊；楼道
date *n.f.* 日期
de bonne heure *loc. adv.* 一大清早，早早地
dedans *adv.* （在）里边；里面
dehors *adv.* （在）外边；外面
dent *n.f.* 牙

directeur, trice *n.* 经理
enseigner *v.t.* 教授（课）
froid, e *a.* 冷的；凉的
grand-mère *n.f.* （外）祖母
grand-père *n.m.* （外）祖父
grands-parents *n.m.pl* （外）祖父母
habiller (s') *v.pr.* 穿衣
hiver *n.m.* 冬天
jour *n.m.* 日；白天
laver (se) *v.pr.* 洗（脸）
Legrand 勒格朗（姓）
lettre *n.f.* 信件
lever (se) *v.pr.* 起床
littérature *n.f.* 文学
loin de *loc. prép.* 离……远的
Luxembourg *n.m.* 卢森堡公园
lycée *n.m.* 高中（公立）
lycéen, ne *n.* 中学生
Mathilde 马蒂尔德（女名）
matinal, e, aux *a.* 早起的
membre *n.m.* 成员

neiger *v.impers.*	下雪	province *n.f.*	省
nostalgique *a.*	想家的，思乡的	raser (se) *v.pr.*	刮脸
ô *interj.*	啊，哦（表示祈求或感叹）	regarder (se) *v.pr.*	照镜子
parc *n.m.*	公园	rencontrer (se) *v.pr.*	相遇
passer *v.i.*	（时间）流逝，过去	rentrer *v.i.*	返回，回家
v.t.	通过	rien *pron.indéf.*	什么也没有，什么也不
passer un examen	应考	saluer (se) *v.pr.*	互致问候
penser (+ à) *v.t. indir.*	想到；想念	sortir *v.i.*	出来，出门
pétrolier, ère *a.*	石油的	TOTAL	道达尔石油公司
promener (se) *v.pr.*	散步	vacances *n.f.pl.*	假期
		Xavier	格扎维埃（男名）

Expressions de classe 课堂用语

Préparez vos cahiers. Nous allons faire la dictée.
准备好本子，我们来做听写。
N'oubliez pas d'ajouter *s* à la fin. 别忘了在后面加 s。

Comptons 计数

1 000 000 un million
1 200 000 un million deux cent mille
10 000 000 dix millions
15 500 000 quinze millions cinq cent mille
100 000 000 cent millions
110 000 000 cent dix millions
200 000 000 deux cents millions
900 000 000 neuf cents millions

※ million 是名词，故复数要加 s。如：

neuf millions 九百万

※ "百万"后接名词时需要有介词引导。如：

un million d'habitants 一百万居民

deux cents millions de personnes 两亿人

Notes 注释

1. Je *pense* un peu *à* ma famille ! 我有点儿想家 ！

1) penser à qn / à qch. 想念、惦记某人或某事，如：

Je pense beaucoup à mes parents. 我很想念父母。

Pense un peu à tes études. 想想你的学习吧。

※ penser à qn 中的 qn 不可用间宾人称代词代替。

2) penser 认为；觉得（常作为插入成分放在句末）。如：

Il travaille très bien, je pense. 我觉得他干得很好。

Elle est française, je pense. 我认为她是法国人。

2. *Tiens*, tu te lèves de bonne heure aujourd'hui ! 呦，你今天起的够早的！

tiens 或 tenez 是语气词，用于引起别人的注意，等于汉语中的"喂，啊，瞧"等。如：

Tiens! voilà Monsieur Delattre. 瞧，德拉特先生在那儿。

Tenez, *Le Monde* d'aujourd'hui. 给（您），今天的《世界报》。

※ 如果两个或三个 tiens 一起使用，则带有玩笑或戏谑的意思了。如：

Tiens, tiens ! on est beau aujourd'hui ! 瞧瞧！你今天可够美的呀！

Tiens, tiens, tiens ! 哎呦呵！

3. Oh, *comme* il fait froid ! 哎呦！好冷啊！

在这里，comme 是副词，意为"多么，怎样"，放在句首，引出感叹句。如：

Comme il fait beau ! 天多好啊！

Comme la Chine est grande ! 中国（可）真大！

4. *Il neige* dehors, tu vois ? 外边下雪呢，你看见了？

这是表示天气的无人称句。（※ 参见第 14 课语法 2）

5. Et *à propos, quelle date sommes-nous aujourd'hui* ? 顺便问一下，今天几号？

（※ 年、季、月、日、星期的表达方法参见第 14 课语法 4）

6. Rien. *Juste* pour savoir. 没什么，就是想知道一下。

这里 juste 做副词，意为"就，仅仅，恰好"。如：

Juste deux questions pour vous. 只给您提两个问题。

Le café est juste à côté. 咖啡馆就在旁边儿。

7. Elle habite au chef-lieu de la province *du* Hebei:（我）家住在河北省省会。

法语规定，在中国各省译名前须加上定冠词 le，与“ la province ”后的介词 de 缩合为 la province du。但中国各自治区的说法不在其列。如：

la province du Shandong 山东省

la province du Hainan 海南省

8. On *va* encore *passer* des examens *dans* 15 jours. 半个月以后还得考试呢。

1) va passer 是动词时态中的最近将来时。(※ 参见本课语法 2)

2) 介词 dans + 时间：“……之后”，如：

dans un instant 过一会儿 dans une semaine 一周后

dans un mois 一个月以后 dans un an 一年后

9. Oui, *ça c'est* vrai. 对 , 这倒不假。

ça c'est 是口语中的语气加强结构 , 后往往接形容词。如：

Attention, ça c'est important ! 注意了，这很重要!

Mais oui, ça c'est beau ! 对了 , 这多漂亮!

10. *Allez*, les jours passent vite, non ? 好了，日子过得快着呢，对不对?

allez 常用来安慰、鼓励或劝说等。如：

Allez, allez, ça ira. 好了，好了，一切都会好的。

Allez, ne te décourage pas ! 接着来，别泄气!

11. Elle *y* apprend le chinois depuis deux ans. 她在那儿学中文已经两年了。

y 是副代词，用来代替前面提到过的某个地点，通常置于相关动词前。如：

– Tu vas au Canada la semaine prochaine ? 你下周要去加拿大吗?

– Oui, j'y vais. 对，是去那儿。

12. Sa sœur aînée travaille *chez* Total, une grande compagnie pétrolière française.

她姐姐在一家法国大石油公司——道达尔公司上班。

介词 chez 除表示“ 在家 ”外，也常用来表示“ 在某公司、某企业 ”的概念。

13. Les Legrand ont un bel appartement près du *Luxembourg* : 勒格朗一家在卢森堡公园附近有一套漂亮的房子。

1) le Luxembourg 是指位于巴黎拉丁区旁的卢森堡公园。

2) 欧洲国家卢森堡的法文国名也是 le Luxembourg 。

Leçon 12

GRAMMAIRE 语法

1. 代词式动词 (Verbe pronominal)

1) 概念：法语中须与自反代词一起使用的动词被称作代词式动词，或称代动词。

2) 其动词不定式的形式是：【自反代词 + 动词不定式】

3) 与代词式动词配合使用的自反代词形式如下：

单数	复数
me	nous
te	vous
se	se
se	se
※ 自反代词是直接宾语还是间接宾语要视相关代词式动词是直接及物动词还是间接及物动词而定。	

4) 自反代词的用法

① 代词式动词本身变位时，自反代词的人称和数量应与主语相一致。以 se lever 为例：

se lever （肯定形式）	
je **me** lève	nous **nous** levons
tu **te** lèves	vous **vous** levez
il **se** lève	ils **se** lèvent
elle **se** lève	elles **se** lèvent
※ on **se** lève（on 变位时通常为第三人称单数）	

se lever （否定形式）	
je ne **me** lève pas	nous ne **nous** levons pas
tu ne **te** lèves pas	vous ne **vous** levez pas
il ne **se** lève pas	ils ne **se** lèvent pas
elle ne **se** lève pas	elles ne **se** lèvent pas

se lever （疑问形式）	
est-ce que je **me** lève ?	**nous** levons-nous ?
te lèves-tu ?	**vous** levez-vous ?
se lève-t-il ?	**se** lèvent-ils ?
se lève-t-elle ?	**se** lèvent-elles ?

se lever（否定疑问形式）	
est-ce que je ne **me** lève pas ?	ne **nous** levons-nous pas ?
ne **te** lèves-tu pas ?	ne **vous** levez-vous pas ?
ne **se** lève-t-il pas ?	ne **se** lèvent-ils pas ?
ne **se** lève-t-elle pas ?	ne **se** lèvent-elles pas ?

② 在句中，代词式动词如果位于其他动词后且主语相同，那么自反代词的人称和数量仍须与同一主语的人称和数量相一致。仍以 se lever 为例：

其他动词 + se lever	
je **veux me** lever	nous **devons nous** lever
tu **peux te** lever	vous **pensez vous** lever
il **aime se** lever	ils **souhaitent se** lever
elle **préfère se** lever	elles **vont se** lever
※ on **va** se lever（参见本节语法第 4 条）	

③ 在带有固定句型的句中，代词式动词不定式中的自反代词的人称和数量应与逻辑主语(相关动作承受者)人称和数量相一致。以 demander à qn de se lever 为例：

句型 + se lever	
例句 1	Je demande à **cet étudiant** de *se* lever à 7 heures du matin.
译文	我要求这个学生早上 7 点起床。
分析	逻辑主语为第三人称单数，自反代词的人称及数量同为第三人称单数。
例句 2	Tu **nous** (间宾人称代词，= à nous) demandes de **nous** lever à l'heure ?
译文	你要我们按时起床?
分析	逻辑主语为第一人称复数，自反代词的人称及数量同为第一人称复数。
例句 3	Nous **vous** (间宾人称代词，= à vous) demandons de **vous** lever tout de suite.
译文	我们请您 (你们、您们) 立即起来。
分析	逻辑主语为第二人称复数，自反代词的人称及数量同为第二人称复数。
例句 4	Les parents demandent à **leurs enfants** de **se** lever.
译文	父母让孩子们起来。
分析	逻辑主语为第三人称复数，自反代词的人称及数量同为第三人称复数。
例句 5	On **te** (间宾人称代词，= à toi) demande de **te** lever quand on sonne.
译文	人家让你一打铃就起床。
分析	逻辑主语为第二人称单数，自反代词的人称及数量同为第二人称单数。

④ 句中代动词的相关主语如果是泛指代词，那么无论单、复数，自反代词均为 se 。仍以 se lever 为例：

泛指代词 + se lever	
On **se** lève tôt ce matin.	Tout le monde va **se** lever.
Quelqu'un ne **se** lève pas encore.	La plupart vont **se** lever.
Quelqu'une ne **se** lève pas.	Certains ne vont pas **se** lever.
Quelques-uns **se** lèvent déjà.	Personne ne va **se** lever.
Quelques-unes **se** lèvent.	Aucun de ses fils ne va **se** lever.

5) 代词式动词的意义

根据其所表达的意义，代词式动词通常被分为四类：

- 自反代动词（verbes pronominaux réfléchis）
- 相互代动词（verbes pronominaux réciproques）
- 被动代动词（verbes pronominaux de sens passif）
- 绝对代动词（verbes pronominaux de sens absolu）

① 自反意义（sens réfléchi）

指动作的施动者（主语）本身为动作的承受者，即：动作作用于主语本身。

自 反 意 义	
例 句	分 析
Je **me lève**. 我起床（身）。	lever 是直接及物动词，故 me 是直宾。
Tu **te laves**. 你洗脸。	laver 是直接及物动词，故 te 是直宾。
Il **s'habille**. 他穿衣。	habiller 是直接及物动词，故 se 也是直宾。
Je **me demande**... 我寻思……	demander 是间接及物动词，故 me 是间宾。
Il **se parle** à lui-même. 他自言自语。	parler 是间接及物动词，故 se 是间宾。

② 相互意义（sens réciproque）

指主语为复数（或复数含义的词）的动作同时作用于两个以上的施动者，即：动作在几个主语之间进行。

相 互 意 义	
例 句	分 析
Nous **nous aidons**. 我们互助。	aider 是直接及物动词，故 nous 是直宾。
Ils **s'écrivent**. 他们彼此通信。	écrire 是间接及物动词，故 se 是间接宾语。
On **s'embrasse**. 大家互相拥抱。	embrasser 是直接及物动词，故 se 是直宾。
Elles **se disent** bonjour. 她们相互问候。	dire 是间接及物动词，故 se 是间宾。

③ 被动意义（sens passif）

被动代动词数量有限，均由自反代词加直接及物动词构成（se + verbe），仅用于第三人称。此类动词的主语一般只限于指物的名词，其自反代词 se 为直接宾语。

被 动 意 义	
例 句	译 文
Ce fruit **se vend** bien ces derniers jours.	几天来，这种水果卖得不错。
Comment ces mots **se prononcent**-ils ?	这些字怎样发音?
Cela **se fait** beaucoup chez nous.	这在我们家乡很流行。
Les erreurs **se voient** facilement.	错误一眼就能看出来。

④ 绝对意义（sens absolu）

绝对代动词在语法上又称真正意义的自反动词（verbe pronominal proprement dit）， 原因就是绝对代动词中的自反代词不是宾语，它只作为主语的补充和动词结构的必要装饰而存在，在句中不起任何语法作用。因此，这类动词与其配合使用的自反代词之间的语法关系也就无从分析。

绝 对 意 义	
例 句	译 文
Il **s'en va**.	他走了。
Tu **t'occupes** de lui ?	你来照顾他?
Les oiseaux **s'envolent**.	鸟儿都飞走了。
Nous devons **nous attendre** à tout.	我们要准备好面对一切。

2. 现在最近将来时 (Le futur immédiat)：

1) 现在最近将来时（以下均简称最近将来时）的概念：
   最近将来时用来表示讲话时即将或马上就要发生的动作。

2) 最近将来时的构成：**【aller + 相关动词不定式 = 最近将来时】**

3) 我们比较一下最近将来时与现在时之间的区别：

① On *arrive*. 他们（现在）到了。
   On **va arriver**. 他们就要到了。

② Je *mange* chez moi. 我（正）在家吃饭。
   Je **vais manger** chez moi. 我（将）要回家吃饭。

③ Ils *font* leurs devoirs. 他们在做作业。
   Ils **vont faire** leurs devoirs tout de suite. 他们马上就做作业。

4) 最近将来时在口语表达中应用甚广，故而有取代简单将来时的趋势。有两个原因：

① 最近将来时的结构是用 aller 加相关动词所构成，所以表达中只要熟记 aller 的变位形式再加上相关动词原形即可，从而避免了相关动词简单将来时的变位麻烦。

② 最近将来时与简单将来时所表达的时间概念相仿，区别已不是很明显。如：

Il **va venir** en Chine la semaine prochaine. 他下周要来中国了。

On **va faire** nos études en France dans un an. 咱们将在一年后去法国读书。

3. 泛指代词 on (Le pronom indéfini *on*)：

1) 泛指代词的概念：泛指代词又称不定代词，即其所替代的词是对象或数量都不确定的人、物或事情。

2) 泛指代词 on 的特点：

- 因其形式短小，用法简单（仅用第三人称单数）且灵活，所以在现代法语里，尤其是口语中，on 的使用非常广泛。而大众的广泛使用反过来又使得 on 的用法更加灵活。
- 虽然形式上 on 作主语与动词搭配时只有第三人称单数，但实际上它几乎可以替代其他所有的主语人称代词。
- on 虽属单数形式，但更多情况下表示的却是复数的概念。

3) 泛指代词 on 的用法：

- on 具有主语人称代词的所有特点，在句中仅作主语。
- on 只能用来指人。
- on 的语法概念为阳性单数，与动词的搭配仅用第三人称单数。
- on 有时用于泛指，含义为“某人、有人、人们、别人、人人、大家”等；但也经常用来确指，表示“我、你、他”等具体人称。
- on 有时并不用于指明某人的身份，而只是用来引出谓语。
- on 的表语有时会有性数的变化。

4) 请看下面例句：

① 引出谓语，无确切人称：

On sonne. 打铃了。

On dit que ... 据说、听说……

② 泛指“人们，大家，有人”：

On sonne à la porte. 有人按门铃（敲门）。

En Chine, **on** mange avec des baguettes. （在）中国吃饭用筷子。

③ 指一般人，所有人，常用于格言、箴言：

Si *on* veut, **on** peut. 有志者，事竟成。

On ne peut pas être à la fois au four et au moulin. 一心不能二用。

④ 代替其他主语人称代词：

Oui, oui, **on** y va. 好，好，我就去。(= je, nous)

On me parle souvent de vous. 他常和我说起您。(= il, elle)

Bon, **on** se voit quand ? 那好，咱们什么时候见？ (= nous)

Eh bien, **on** part déjà ? 哎，你们现在就走？ (= vous, tu)

⑤ on 的表语可有阳性复数和阴性单数的变化：

Tiens, **on** est **belle** aujourd'hui ! 呦！你今天够漂亮的！ (= tu)

Alors, **on** est **contents**？ 怎么样，大家满意吗？ (= nous, vous, ils)

⑥ on 在句首或在 où, ou, et, si, que 之后时，可以写作 " l'on "：

Voici la maison **où l'on** habite. 这就是我们住的房子。

Si l'on ne veut pas, alors tant pis. 要是他们不愿意，那就算了。

※ 在口语中，on 主要还是代替 nous 的概念。

※ on 在句中到底替代的是什么，往往须根据语境具体分析。

4. 以 -eler、 -eter 结尾的动词的第一类特殊变化 (Verbes en *-eler* ou *-eter*, 1er type)

法语中凡是以【e 或 é + 辅音字母 + er】、-eler 或 -eter 结尾的动词都会因为发音的关系，在变位过程中做出某些调整。这些动词会有两种变化。

● 第一类变化：

1) 在不发音的 e 或 ent 前（或称：在重读闭音节中），双写动词词根中的字母 l 或 t，使其改变发音，读作 [ɛl] 或 [ə]。

2) 因为元音 [ə] 不能处在重读闭音节中！ nous 和 vous 的动词变位因为没有闭音节的问题，故保持原词根不变。

这一类动词的代表是 appeler 和 jeter（扔；投），具体变位如下：

-eler 结尾的动词：s'appeler	
je m'app**elle**	nous nous appelons
tu t'app**elles**	vous vous appelez
il s'app**elle**	ils s'app**ellent**
elle s'app**elle**	elles s'app**ellent**

-eter 结尾的动词： jeter	
je **jette**	nous jetons
tu **jettes**	vous jetez
il **jette**	ils **jettent**
elle **jette**	elles **jettent**

※ 第二类变化见第 13 课语法。

5. Conjugaison（动词变位）

1) se promener

se promener	
je me promène	nous nous promenons
tu te promènes	vous vous promenez
il se promène	ils se promènent
elle se promène	elles se promènent
※ 动词 promener 为了发音的关系也要做相应调整，虽不同于以 -eler 和 -eter 结尾的动词，但变化相同。	

2) sortir

sortir	
je sors	nous sortons
tu sors	vous sortez
il sort	ils sortent
elle sort	elles sortent

MOTS ET EXPRESSIONS 词汇与句型

1. parler

1) parler *v.i.* 讲话；说话

Lui, il ne parle pas beaucoup. 他这人话不多。

Toi, tu parles pour deux. 你一人能说两个人的话。

2) parler + 语言（冠词可省略）

Ces gens parlent français. 这些人讲法语。

Il parle trois langues. 他讲三种语言。

3) parler à qn 对某人讲话

À qui voudriez-vous parler ? 您想和谁讲话？您找谁？（电话用语）

Je veux lui parler. 我要和他说一说。

4) parler avec qn 与某人交谈

Tu parles avec lui ? 你在和谁他说话？

Ne parle pas avec des inconnus ! 不要和陌生人说话。

5) parler de qn / qch. 谈论某人 / 某物

De quoi parlez-vous ? 您说什么呢？

De qui parles-tu ? 你说的是谁呀？

6) se parler 相互交谈；自言自语；被说 / 使用

Elles se parlent souvent au téléphone. 她们常互通电话。

L'anglais se parle dans le monde entier. 全世界都讲英语。

2. juste

1) 作形容词（adjectif）

C'est juste. 这是对的。

Voici un homme juste. 这是一个正直的人。

2) 作名词（nom）

Lui, c'est un juste. 他可是个规矩人。

Cet homme est dans le juste, je crois. 我觉得这人有理。

3) 作副词（adverbe）

Cette jeune fille chante juste. 这姑娘唱的（音）很准。

J'ai juste deux questions pour vous. 我只有两个问题问您。

3. passer(1)

1) passer *v.i.* 经过；通过；（时间）流逝；到……去

Alors, vous pouvez passer maintenant. 好了，您现在可以过去了。

Comme le temps passe vite ! 时间过得好快呀！

Beaucoup de voitures passent dans la rue. 街上车水马龙。

Les jours passent mais rien ne change. 日复一日，但一切依旧。

Quand pouvez-vous passer à Paris ? 您什么时候能来巴黎？

Le facteur vient de passer. 邮递员刚刚来过（刚走）。

Je vais passer chez toi ce dimanche. 这个星期天我去你那儿。

2) passer *v.t.* 穿越；通过；度过；递

On doit d'abord passer une rivière. 先得过条河。

Il y a encore des examens à passer. 还要考试。

Où est-ce que vous allez passer ce week-end ? 这个周末你们去哪儿过？

Veux-tu me passer le journal ? 你能把报纸递给我吗？

3) se passer *v.pr.* 发生（无人称）

Qu'est-ce qu'il se passe ici ? 这儿出什么事儿了？

Que va-t-il se passer si je ne suis pas là ? 要是我不在会发生什么事情呢？

Il se passe de grands changements en Chine. 中国正在发生巨大的变化。

4. promener

1) promener + 直宾：领着……散步；溜……

L'infirmière promène un malade. 护士领着病人散步。

Il promène son chien après le dîner. 他晚饭后溜狗。

2) promener + 直宾：使来回移动

Il promène ses yeux sur la rue. 他环顾整条街道。

Le pianiste promène ses doigts sur le piano. 钢琴家在练琴。

3) se promener 散步；移动

On va se promener dans le Luxembourg, tu veux ? 去卢森堡公园散散步，好吗？

Un petit ruisseau se promène le long de la vallée. 一条小溪沿着山谷流淌。

DES MOTS POUR LE DIRE
此事怎样说

Salutation（问候）

1. Saluer（问候）

问候陌生人、上级：

Bonjour, monsieur / madame / mademoiselle.
Bonjour, Monsieur le directeur.

问候熟人、朋友：

Bonjour, Paul.
Salut, mon ami.
Coucou. （嘿！）

※ Bonjour : 夏天，bonjour 可以一直说到晚上八点左右；冬天到下午五六点钟。Bonjour 每天只说一次；再说就是 rebonjour 了，但这句话的意思是说："咱们已经见过，您忘了吗？" 所以，一天中第二次见到某人，往往会心一笑就行了。

Bonsoir : 上述时间之后就可说 bonsoir 了。

Bonne nuit : 通常用在晚上告别之前。

2. Demander des nouvelles（了解情况）

对陌生人、上级：

Comment allez-vous, monsieur / madame ?
Vous allez bien, monsieur / mademoiselle ?

与熟人、朋友：

Ça va, toi ?
Comment ça va ?
Salut, tu vas bien ?
Tout va bien ?

3. Répondre à une demande de nouvelles（回答对方的询问）

对陌生人、上级：

Bien (, merci) et vous ?
Très bien (, merci) et vous ?
(Très) Bien, et vous-même ?

与熟人、朋友：

Ça va (bien).
Comme tu vois.
Tout va bien.
Très bien, merci.
Pas mal et toi ?
Comme un lundi !

※ 1) comme un lundi 直译为"像个礼拜一"。这个短语流行于商贩之间。引申为"没劲；没什么意思"，人们往往在工作积极性不很高时会使用这个短语。

2) 熟人或朋友在回答对方的询问时偶而也会做出否定的回答：

– Non, ça ne va pas.　不，不怎么样。

– Non, ça va mal. 不，糟透了。

这种情况下，另一方可以接着问：

Qu'est-ce qu'il y a ? 怎么了？

Qu'est-ce qui ne va pas ? 哪里出问题了？

Qu'est-ce qu'il se passe ? 出什么事了？

Qu'est-ce qui t'arrive ? 你碰上什么事儿了？

UN PEU DE PHONÉTIQUE 练练语音

Balle arithmétique	拍球数数歌
À la une on m'offre la lune	数到一，送我月亮做礼兮，
À la deux je la coupe en deux	数到二，我把月亮切两半，
À la trois je la donne aux oies	数到三，月亮送到鹅群间，
À la quatre on veut me combattre	数到四，有人打算把我治，
À la cinq je rencontre un prince	数到五，路上遇见一王储，
À la six j'aime une écrevisse	数到六，我爱螯虾没有够，
À la sept je deviens trompette	数到七，我变喇叭嘀嘀嘀，
À la huit on me déshérite	数到八，我继承权被抹杀，
À la neuf j'ai des souliers neufs	数到九，崭新皮鞋我又有，
À la dix j'ai des bénéfices!	数到十，挣钱赢利落了实。

UN PEU DE CIVILISATION FRANÇAISE 法兰西文化点滴

Les familles françaises 法国人的家庭

1. 大约 70% 的法国人生活在“家庭”的环境中。
2. 法国人“家庭”的概念就是至少两个人生活在同一个屋檐下。

3 婚姻仍是法国家庭的主要形式。2005 年的统计表明，85% 生活在一起的法国成年人是有婚姻关系的。

4 55% 的法国家庭居住在独立房屋中（maison individuelle），其他的 45% 住在套房中（appartement）。

- 94% 的法国人认为家庭最重要。
- 多数法国家庭的孩子不到两个，对更新人口来说是不够的。
- 大多数法国家庭的孩子成年后不会继续与父母共同生活。
- 很少法国人会像中国的父母亲那样在退休后照看第三代。
- 多数法国家庭中的重要决定是由夫妇双方共同做出的。
- 法国家庭中的家务是由夫妇双方共同分担的。但有趣的是：妇女认为只有 48% 的男人会做家务，但男人自己认为他们中有 54% 的人会主动承担家务！

Proverbe 谚语

Il n'y a pas de fumée sans feu.
无风不起浪。

EXERCICES 练习

I. Exercices d'audition

1. Écoutez les phrases suivantes et dites si c'est une question ou si ce n'est pas une question.

Dialogue	Oui, c'est une question.	Non, ce n'est pas une question.
1		
2		
3		
4		
5		
6		
7		
8		
9		
10		

2. Écoutez et notez les nombres que vous avez entendus.（听并记下听到的数字。）

	nombre entendu
1	
2	
3	
4	
5	
6	
7	
8	
9	
10	

3. **Écoutez et dites si l'on parle d'une ou de plusieurs personnes ou si l'on ne peut pas savoir.**（听并说出谈到的是一个还是几个人，或无法知道。）

Dialogue	une personne	plusieurs personnes	on ne sait pas
1			
2			
3			
4			
5			

4. **Écoutez et dites si on tutoie ou vouvoie les gens.**（听并说出用的是"你"还是"您"。）

	le tutoiement	le vouvoiement
1		
2		
3		
4		
5		
6		
7		
8		
9		
10		

II. Exercices de dialogues

1. Questions sur le *Dialogue*.

1) Comment vont Li Lin et Wu Hua ?

2) Quel temps fait-il ce jour-là（那天）?

3) Quelle date sommes-nous, ce jour-là ?

4) Qui pense un peu à sa famille ?

5) Où habite la famille de Wu ?

6) Pourquoi Wu ne peut pas rentrer chez lui pour le Nouvel An ?

2. Questions sur le *Texte*.

1) Où habite la famille de Mathilde ?

2) Combien sont-ils dans la famille ?

3) Que fait son père ?

4) Qu'est-ce que c'est que TOTAL ?

5) Sa mère est-elle aussi professeur ?

6) Où travaille sa mère ?

7) Que font le frère et la sœur de Mathilde ?
8) Où ont-ils un bel appartement ?
9) Que font-ils souvent dans le Luxembourg ?
10) Et Mathilde, elle fait quoi maintenant ?

3. Questions pour vous.（给你们提的问题。）

1) Tu t'appelles comment ?
2) Quel âge as-tu ?
3) Qu'est-ce que tu fais ?
4) Où habite ta famille ?
5) Combien êtes-vous dans votre famille ?
6) Que font tes parents ?
7) As-tu des frères et sœurs ?
8) Si oui, que font-ils ou elles ?
9) Penses-tu à ta famille ?
10) Est-ce que tu vas rentrer chez toi pendant les vacances d'hiver ?

4. Exercices de structures.

1) se lever / se coucher à ... heures du matin / soir

– Te lèves-tu de bonne heure le matin ?
– *Oui, je me lève à six heures du matin.*

– Te couches-tu tard le soir ?
– *Oui, je me couche à onze heures du soir.*
Non, je me couche à neuf heures du soir.

À quelle heure se lève-t-il le matin ?
À quelle heure vous couchez-vous le soir ?
À quelle heure ces étudiants se lèvent-ils le matin ?
À quelle heure te couches-tu le soir ?

2) s'habiller, se brosser les dents, se laver, se préparer

– *Quand tu te lèves, que fais-tu ?*
– *Alors, je m'habille, je me brosse les dents, je me lave puis je me prépare.*

Quand les étudiants se lèvent, que font-ils ?
Et les étudiantes ?
Et votre ami ?
Et vous ?

3) combien + être + 主语 + dans ... ?

– Combien êtes-vous dans votre famille ?
– *Nous sommes cinq dans ma famille.*

vous / votre classe
ils / leur classe
vous / votre chambre
ils / leur famille

4) penser à qn / qch.

– À qui penses-tu ?
– *Je pense à mes parents.*
– À quoi penses-tu（思考）?
– *Je pense à mes études.*

À quoi pensez-vous ? / ma patrie（祖国）
À qui pensent-ils ? / leurs amis
À quoi pense-t-elle ? / son voyage
À qui pensent ces enfants ? / leur maman

5) comme + 陈述句 = 感叹句

Il fait beau aujourd'hui.
Comme il fait beau aujourd'hui !

Je pense à ma patrie.
Son amie est sympathique.
Ce voyage est intéressant.
Cette ville est grande.

6)（天气）无人称动词

– Quel temps fait-il ?
– *Il fait beau.*

Quel temps fait-il ? / chaud（热）
Quel temps fait-il ? / froid（冷）
Quel temps fait-il ? / beau
Quel temps fait-il ? / Il neige.

III. Exercices grammaticaux

1. Les articles.

(*Remplacez les pointillés par un article.* 用冠词填空。)

1) .... Chine est .... grand pays.

2) Voici .... lettre pour toi.

3) Ils vont regarder .... TV5（法国电视五台）ce soir.

4) Mon frère va à .... école secondaire.

5) Nous allons passer .... examens dans 15 jours.

6) Ce sont .... amies de Sophie.

7) – Avez-vous .... journaux ?

– Oui, ce sont .... journaux d'aujourd'hui.

8) .... professeur de .... classe A est très sympathique.

2. Les articles et les prépositions.

(*Complétez avec une préposition, un article ou un article contracté.* 用介词、冠词或缩合冠词填空。)

1) Regarde, voilà .... femme .... professeur.

2) Là-bas, c'est .... piscine .... Université.

3) .... père .... Catherine est très grand.

4) C'est .... chambre .... étudiantes de la classe B.

5) Voici .... photo .... parents de Catherine.

6) Ce sont .... livres .... bibliothèque.

7) – Qui est-ce ?

– Ce sont .... grands-parents .... Luc.

8) – Est-ce que c'est .... maison .... Richaud ?

– Oui, c'est ici.

3. Les possessifs.

(*Complétez avec le nom qui convient.* 用合适的名词将句子补充完整。)

1) À droite de la fenêtre, c'est sa .... ?

☐ amie ☐ copain（伙伴） ☐ maman

2) Ils sont quatre dans leur.......... ?

☐ maison ☐ famille ☐ familles

3) On prend ma .... ou on y va à pied（步行）?

☐ vélo ☐ voiture ☐ auto

4) Tu ne vas pas téléphoner à tes .... ?

☐ enfant ☐ parents ☐ mère

5) On ne connaît pas très bien nos ....

☐ voisins ☐ voisine ☐ voisin

6) Où sont mes .... ?

☐ livre ☐ copine（女友） ☐ clés（钥匙）

7) Peux-tu nous présenter un peu ton .... ?

☐ amies ☐ famille ☐ école

8) Ils vont souvent au cinéma avec leurs ....

☐ fille ☐ parent ☐ grands-parents

4. Le futur immédiat.

（*Mettez les phrases au futur proche*. 将下列句子改为最近将来时。）

1) Paul Lefèvre a bientôt 20 ans.

2) Demain, c'est samedi, il ne travaille pas.

3) Les étudiants font du sport demain après-midi.

4) Les filles vont au cinéma ce week-end.

5) Quand on se rencontre, on se salue.

6) Qu'est-ce qu'on apprend la semaine prochaine ?

7) Oui, c'est vrai. Il neige ce soir.

8) Tu peux enfin y aller. Quelle chance pour toi !

5. Le genre et le nombre.

（*Faites l'accord des adjectifs*. 请配合形容词。）

1) Tiens! (quel)..........(bon)..........idée !

2) Regarde! Comme ces rues sont (beau)..........!

3) Vos questions ne sont vraiment pas (facile).......... .

4) Oh, vous avez un (beau)..........appartement.

5) Ces (joli).......... fleurs sont vraiment très (rare 稀有的).......... .

6) (ce)..........semaine, on ne travaille pas.

7) Ses (grand)..........parents sont bien (gentil).......... .

8) À propos, elles ne sont pas un peu (nostalgique).......... , non ?

6. Les conjugaisons.

（*Complétez les phrases suivantes avec un des verbes suivants :* ***être, avoir, parler, dire, habiter, s'appeler, connaître, faire***. 用下列动词将下列句子补充完整：être, avoir, parler, dire, habiter, s'appeler, connaître, faire。）

1) Que .... les parents de Julie ?

2) Oui, vous avez raison, ils .... chinois.

3) C'est pas vrai ! Vous ne .... pas encore votre professeur français ?

4) Les Legrand .... deux enfants. L'un .... Pierre et l'autre Annie.

5) Quoi ? Qu'est-ce que vous .... ?

6) Tu dois .... attention. Les Français .... très vite !

7) Philippe .... à Montréal ([mɔ̃real]) avec sa famille.

8) Pardon, monsieur, comment vous .... -vous ?

7. Le déterminant du temps.

(*Complétez les phrases suivantes avec un des deux déterminants du temps donnés.* 用给出的两个时间限定词之一将下列句子补充完整。)

1) .... , on n'a pas de cours.

☐ hier ☐ aujourd'hui

2) La réunion va commencer ....

☐ dans une heure ☐ il y a une heure

3) On vient .... à 10 heures ?

☐ ce matin ☐ cet après-midi

4) Quel beau temps .... !

☐ aujourd'hui ☐ hier

5) .... , après le dîner, ils vont se promener dans le Luxembourg.

☐ ce soir ☐ cette nuit

6) On va .... arriver.

☐ bientôt ☐ déjà

7) Je vais lui téléphoner .... une semaine.

☐ dans ☐ il y a

8) Les jeunes filles vont rentrer chez elles ....

☐ après-demain ☐ avant-hier

8. aussi / non plus.

(*Répondez aux questions suivantes avec des* ***toniques + aussi / non plus***. 用重读人称代词 **+ aussi / non plus** 回答下列问题。)

1) Je ne connais pas les Durand. Et toi ?

.... , je ne connais pas les Durand.

2) Je suis étudiant de première année. Et elle ?

.... , elle est étudiante de première année.

3) Demain, on n'a pas de cours. Et vous ?

.... , nous n'avons pas de cours demain.

4) Les Legrand se promènent souvent au Luxembourg, et les Dulac ?

.... , ils s'y promènent tous les soirs.

5) On a des examens à passer dans 15 jours, et lui ?

.... , il va passer des examens très prochainement（马上）.

6) Les Anglais ne parlent pas très vite, et les Italiens ?

.... , ils ne parlent pas vite.

7) La leçon 10 n'est pas facile. Et la leçon 11 ?

.... , elle n'est pas facile.

8) Tu penses à tes parents. Et eux ?

.... , ils pensent beaucoup à leurs parents.

9. Les verbes pronominaux .

（*Mettez les verbes en italique à la forme qui convient.*）

Une journée de Martine

Dring...dring...dring... Le réveil（闹钟）*sonner* .... de bonne heure ! Oh là ! là! Il est déjà six heures et demie. Martine se *réveiller* .... Elle se *lever* .... et elle *aller* .... faire sa toilette dans la salle de bains. Elle se *doucher*（淋浴）......................... , elle *se brosser* .... les dents, elle se *coiffer*（梳头）......................... et elle se *maquiller*（化妆）......................... . Quand elle *finir* .... sa toilette, elle *se regarder* .... un moment dans la glace. Puis elle *s'habiller* .... et elle *se préparer* .... À sept heures, elle *prendre* .... son petit-déjeuner et elle *aller* .... au travail à sept heures et quart.

Le soir, Martine *rentrer* .... chez elle à sept heures. Elle se *laver* .... les mains（洗手）et elle *s'occuper*（打理）......................... du dîner（晚饭）. Après le dîner, elle se *promener* .... un peu dans la rue et elle *s'amuser*（玩）......................... avec son petit chien（狗）Nounou.

À onze heures du soir, elle se *coucher*......................... et elle *s'endormir*（入睡）......................... vite.

10. La traduction.

我们的父母亲	她的兄弟们	他们的姐妹们
他们的家庭	她的学校	他们的老师们
今天几号了？	今天星期几？	* 教授法语
* 通过考试	* 上中学	* 在道达尔工作

（注：带有 * 号的动词用不定式）

11. Le thème.

— 请问您贵姓?

— 我叫玛丽·杜邦。

– 您是法国人吗？
– 是的，我是法国人。
– 您家住在什么地方？
– 我们家住在巴黎，凯旋门（l'Arc de Triomphe）附近。
– 您家几口人？
– 我们全家五口人。我父亲、母亲、弟弟、妹妹和我。我父母在巴黎工作，弟弟、妹妹上中学。我在中国学中文已经一年了。

IV. Exercices oraux

1. Jeu sur les adjectifs possessifs.

(*Condition : employez les mots comme* ***pardon, s'il te plaît, je pense, excuse-moi****.* 条件：要使用上述表示客气的词。)

Modèle（例子）： A : Pardon, mademoiselle, est-ce votre livre ?
B : Oui, c'est mon livre.
C : Non, ce n'est pas mon livre, c'est son livre.

2. Jeu de chiffres.（数字串联游戏。）

由 A 先说出一个数字，然后由 A 指定 B 回答；B 回答后再说出另一个数字，然后指定 C 来回答。 如此这般串联下去，数字限制在一百以内。错了的同学要接受"惩罚"。

3. Jeu de conversation.（对话游戏。）

在准备的基础上，由大家选一位同学上讲台。然后就"家庭"这个主题给他提问题。连错三次后换人。坚持时间最长者胜。

4. Répondez aux questions suivantes d'après le tableau ci-dessous et en essayant de trouver le plus de réponses possibles.（根据下表回答问题并找出尽可能多的答案。）

Famille DUPONT et Famille RICHAUD

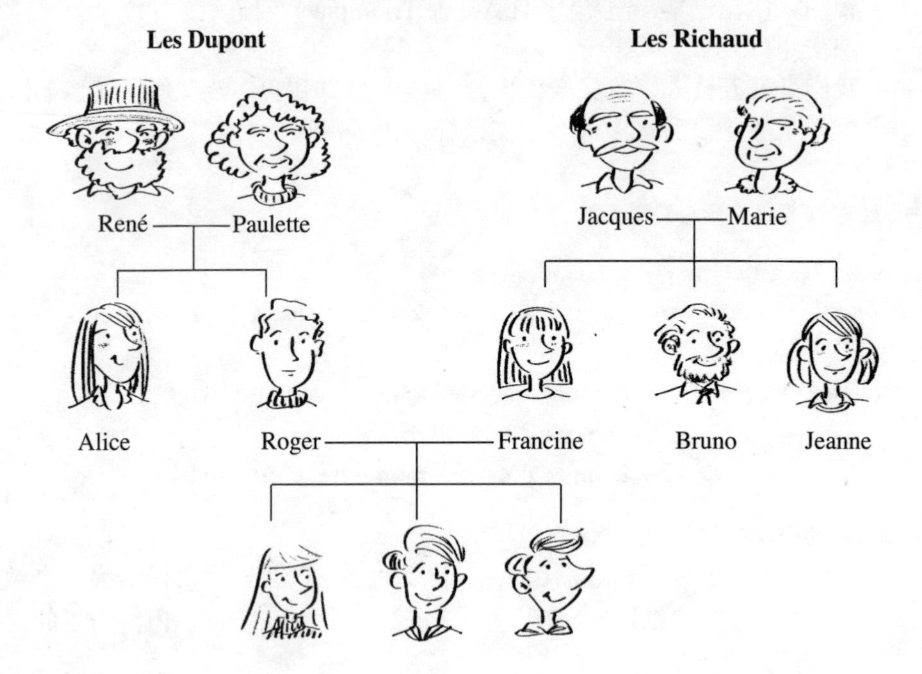

1) Qui est Alice Dupont ?
2) Qui est Bruno Richaud ?
3) Qui sont Jacques et Marie Richaud ?
4) Et Claire Dupont, qui est-ce ?
5) Qui sont les parents de Paul, Claire et Didier ?
6) Vous connaissez l'oncle des trois enfants ?
7) Et leurs tantes, vous ne les connaissez pas ?
8) Selon vous（依你们看）, est-ce que Les Dupont et les Richaud se connaissent ?

Congé de maladie

– Allô, le Collège Descartes ?

– Oui, je vous écoute.
– Je voudrais parler à Monsieur le directeur, s'il vous plaît.
– C'est le directeur à l'appareil.
– Allô, Monsieur le directeur, mon fils Jean-Louis ne peut pas aller au collège aujourd'hui. Il est malade.
– Très bien... mais qui est à l'appareil ?
– Eh bien... c'est mon père !

Vocabulaire 词汇

congé *n.m.*	请假	écouter *v.t.*	听
collège *n.m.*	中学	eh bien *loc. interj.*	怎么；好吧
directeur, trice *n.*	校长	malade *a.*	患病的
Descartes	笛卡尔（1596—1650）法国哲学家、学者	maladie *n.f.*	疾病

Leçon 13 Logement

Dialogue 1 Au premier étage

(Pascal vient voir son ami chinois. Il rencontre un jeune homme au premier étage.)

Pascal : Pardon[1], monsieur, où se trouve la chambre 203 ?

Jeune homme : C'est au fond du couloir, la troisième porte à gauche.[2]

Pascal : Merci, monsieur.

Jeune homme : De rien.

Dialogue 2 La chambre 203

(Pascal frappe à la porte de la chambre 203.)

Toc ... Toc ... Toc...

– Il y a quelqu'un ?

– Oui, entrez[3], s'il vous plaît !

– Bonjour, cher ami.

– Ah, c'est toi, Pascal ! Bonjour. Comment ça va ?

– Très bien, merci. Et toi, Li Ming ?

– Comme tu vois![4] Assieds-toi! Du café ou du thé ?[5]

– Du thé. Merci... Tu n'habites pas seul, je pense ?[6]

– Non, j'habite avec Liu, un camarade de classe.

– C'est une belle chambre, elle est très claire et bien rangée.

– Oui, je la trouve très bien.[7] Tu vois, nous avons un bureau, deux lits, deux chaises, deux étagères et deux grands placards hauts de deux mètres.

– Votre chambre est bien meublée, c'est bien confortable.

– Oui. D'ailleurs, la chambre donne sur un joli petit jardin avec des arbres, on a une belle vue.

– Ça c'est bien agréable.

– Et elle est tout près de la bibliothèque.[8]

– C'est pratique. Et quelle surface fait votre chambre ?[9]

– Douze mètres carrés. Elle mesure quatre mètres sur trois.[10]
– Elle n'est pas très grande.
– C'est vrai. Mais ça suffit bien.
– Et il n'y a pas de lavabo ici[11], ce n'est pas un peu ennuyeux ?
– Nous avons un grand lavabo au bout du couloir. Et nous prenons la douche dans la salle de bains commune.

Texte Une lettre de Laurence

Laurence[12]
39, Boulevard Jourdan
75690 Paris

Paris, le 15 novembre

Chère maman,

Je t'annonce une grande nouvelle : j'ai enfin trouvé une chambre à côté de la Cité universitaire[13]. J'habite maintenant 39 Boulevard Jourdan. C'est une très belle maison de trois étages. Ma chambre est au deuxième et elle donne sur un joli petit jardin.

Bien sûr, elle n'est pas très grande, elle fait cinq mètres sur trois, mais cela me suffit largement[14]. D'ailleurs, la chambre est bien meublée. En plus du lit, j'ai un bureau, une étagère, un fauteuil et un grand placard pour ranger mes affaires. J'ai même une petite table de nuit près du lit !

Le loyer est de 300 euros par mois, c'est un peu cher[15]. Mais tu sais, maman, ce n'est pas facile du tout pour moi de trouver cette chambre. J'ai vraiment eu de la chance ![16]

On ne peut pas faire la cuisine dans la chambre ; mais il y a une cuisine avec des réchauds électriques au premier étage. Ce n'est pas très important, parce que je mange toujours au restaurant universitaire.

C'est un peu ennuyeux pour prendre la douche, mais chaque étage a une salle de bains. J'ai encore un petit lavabo dans ma chambre. Ça c'est pratique.

Tous les jours, je me lève à sept heures du matin et je me couche vers onze heures du soir.

Maman, il est déjà trop tard maintenant. Je vais t'écrire et te raconter ma vie à Paris plus tard. À bientôt.
Je t'embrasse.

Laurence

Vocabulaire 词汇

agréable *a.*	惬意的
annoncer *v.t.*	宣布；告诉
arbre *n.m.*	树
asseoir (s') *v.pr.*	坐下；落座
bain *n.m.*	洗澡
boulevard *n.m.*	大街；林阴大道
bout *n.m.*	尽头；终点
carré, e *a.*	平方的
chaise *n.f.*	椅子
chance *n.f.*	运气
chaque *a.*	每一个
cher, chère *a.*	亲爱的
cité *n.f.*	居住地，聚居地，新城
clair, e *a.*	明亮的
commun, e *a.*	公共的，共同的
confortable *a.*	舒适的，舒服的
coucher (se) *v. pr.*	躺下；上床
d'ailleurs *loc. adv.*	另外，再者
donner sur	朝向
douche *n.f.*	淋浴（间）
prendre une douche	洗淋浴
écrire *v.t.*	写，记，书写
électrique *a.*	电的
embrasser *v.t.*	拥抱；亲吻
en plus de *loc.prép.*	除去……之外
ennuyeux, se *a.*	不方便的
étagère *n.f.*	书架
euro *n.m.*	欧元（符号为 €）
fauteuil *n.m.*	扶手椅，安乐椅
fond *n.m.*	深处，最里边
frapper *v.t*	敲；打；拍击
gauche *n.f.*	左边
haut, e *a.*	高的
largement *adv.*	足够地，绰绰有余地
Laurence	洛朗斯（女名）
lavabo *n.m.*	洗手池
logement *n.m.*	住房，住宿处
même *adv.*	甚至；还
mesure *n.f.*	尺寸
mesurer *v.t.*	度量
mètre *n.m.*	米，公尺
mettre *v.t.*	放置
meublé, e *a.*	配备家具的
nouvelle *n.f.*	新闻，消息
pas... du tout *loc.adv.*	一点也不……
placard *n.m.*	壁橱
pratique *a.*	方便的
quelqu'un, e *pron.indéf.*	某人
raconter *v.t.*	讲述
rangé, e *a.*	被整理的；整齐的
réchaud *n.m.*	炉子
seul, e *a.*	单独的
suffire *v.i.*	足够；足以
sur *prép.*	朝向……（表示方向）；（表示两者间的关系）
surface *n.f.*	面积
table de nuit	床头柜
thé *n.m.*	茶（叶）
tout, toute, tous, toutes *a.indéf.*	所有的，全部的
trop *adv.*	太；过于
trouver *v.t.*	找到
se trouver *v.pr.*	位于
universitaire *a.*	大学的
vue *n.f.*	视野，景色

Leçon 13

Expressions de classe 课堂用语

– Pardon, madame. Excusez-moi d'être en retard.
对不起夫人，请原谅，我迟到了。
– Faites attention la prochaine fois！ 下次注意！

Comptons 计数

1 000 000 000 un milliard	10 000 000 000 dix milliards
2 000 000 000 deux milliards	20 000 000 000 vingt milliards

※ milliard 和 million 一样，是名词，复数要加 s。
※ milliard 后接名词时要有介词 de 引导。如：
un milliard d'habitants 十亿居民

Notes 注释

1. Pardon：对不起。
请求他人帮助、烦请别人或搭讪时，常以 pardon, excusez-moi, s'il vous plaît 等表示歉意的敬语放在句首。

2. C'est au *fond* du couloir, la troisième porte à gauche. 走廊尽头，左边第三个门。
le fond 可表示“水平”和“垂直”两个空间概念。请看例句：
au fond de la classe 在教室紧里边（水平）
au fond du puits 在井底（垂直）
le fond du placard 壁橱（紧）里头（水平）
le fond de la vallée 谷底（垂直）

3. entrez：请进。是动词 entrer 的第二人称复数的命令形式。

4. *Comme* tu vois！就像你看到的一样！（此处意思是指自己很好）
介词 comme 常引出一些口语的表达方式。如：
comme tu sais 你也知道　　comme tu connais 你也清楚
comme ça 就这样　　comme ci comme ça, 马马虎虎，凑凑合合。

5. *Assieds-toi*！*Du* café ou *du* thé？ 你坐。来点儿咖啡还是来点儿茶?
1) assieds-toi 是代词式动词 s'asseoir 的第二人称单数肯定命令式。
2) du（de la, de l' 和 des）是部分冠词，用在不可数名词前，与英语 some 类似。如：
Il boit de l'eau. 他喝水。
Nous mangeons du pain. 我们吃面包。（※ 部分冠词参见第 15 课语法 1）

6. Tu n'*habites* pas *seul*, je pense ? 我想你不是一个人住吧？

1) habiter 可以是及物动词，也可以是不及物动词，二者含义区别不大。如：

- 不及物：habiter à la campagne 住在乡下　habiter seul 独居
- 及物：habiter Paris 住在巴黎　habiter une jolie maison 住在一所漂亮房子里

2) seul 本为形容词，但法语中常见动词与形容词组成的动词短语，这时的形容词起副词的作用。如：

travailler seul 独自工作　parler fort 大声讲话　voler bas 低飞
sentir bon 飘香　chanter faux 唱的音调不准，跑调

7. Oui, *je la trouve* très bien. 是的，我觉得它挺好的。

1) trouver qch. + *a.* 意为“感到……；觉得……；认为某事……”。如：

Je trouve le français difficile. 我觉得法语挺难的。
Elle trouve le temps long. 她觉得时间过得太慢了。

2) la 是阴性单数直宾人称代词，此处代指房间 la belle chambre。

8. Et elle est *tout* près de la bibliothèque. 房间就在图书馆旁边。

这里的 tout 是副词，用来修饰介词，意为“完全；十分；非常地”。如：

C'est tout près. 就在附近。
tout au fond de la classe 教室紧里边

9. Et quelle surface *fait* votre chambre ? 那你们的房间有多大（面积）？

询问面积的句型：quelle surface + faire + 主语，如：

Quelle surface fait cet appartement ? 这套房子多大面积？
Quelle surface font ces pièces ? 这些房间面积多少？

10. Elle mesure quatre mètres *sur* trois. 这房子（的面积）是四米长，三米宽。

此处介词 sur 用来表示两种事物彼此间的比例关系。如：

un jour sur deux 两天中有一天
Sur vingt étudiants, douze sont en retard. 20 名学生中，12 人迟到。
La place mesure 100 mètres de long sur 50 mètres de large. 广场长 100 米，宽 50 米。

11. Et il n'y a pas *de* lavabo ici : 而且这里没有洗漱池。

此处的 de 用于表示绝对否定。（※参见本课语法 4）

12. Laurence : 洛朗斯。女性人名。

第三篇课文是一封家信，格式要求不很严格。

信纸左上方书写姓名及地址，右上方为信件书写日期及书写地点，信纸右下方结尾处用于签名。

13. Je *t'*annonce une grande nouvelle : j'*ai* enfin *trouvé* une chambre à côté de la Cité universitaire. 我告诉你一条好消息：我终于在大学城旁边找到了一间宿舍。

1) t' 是 te 遇到元音起始动词后的省音形态。te 为间接宾语人称代词第二人称单数。

2) annoncer qch. à qn 向某人宣布、报告、预报某事，如：

annoncer une bonne nouvelle 宣布一个好消息

Les hirondelles annoncent le printemps. 燕子报春。

3) trouvé 是动词 trouver 的过去分词，本句中用到的复合过去式详见 P359 页语法 1。

14. ...mais cela *me suffit* largement : 但这对我来说足够了。

1) me 是间接宾语人称代词第一人称单数。

2) qch. suffire à qn 某事(物)对某人来说足够了。(※ 参见本课 MOTS ET EXPRESSIONS 3)

15. Le loyer *est de* 300 euros par mois, c'est un peu cher. 房租每月 300 欧元，有点贵。

être de + 数量词 意为"……是（为）多少"，用来表示数量。如：

Le nombre des étudiants de cette école est de 2 000. 该校学生数为两千（人）。

La surface de cet appartement est de 150 mètres carrés. 这套住房面积为150平方米。

16. J'*ai* vraiment *eu de la chance* ! 我好有运气！

avoir de la chance 有运气（de la 是部分冠词），如：

Nous avons beaucoup de chance cette année. 我们今年鸿运当头。

Tu n'as pas de chance cette fois-ci. 这次你运气不济。

Vocabulaire complémentaire 补充词汇

ascenseur *n.m.*	电梯
baignoire *n.f.*	浴缸；浴盆
balcon *n.m.*	阳台；包厢
canapé *n.m.*	长沙发
cave *n.f.*	地下室；地窖
dernier, ère *a.*	最后的
entrée *n.f.*	入口；大门
escalier *n.m.*	楼梯
locataire *n.*	房客
location *n.f.*	出租（房屋）
louer *v.t.*	租用；出租
rez-de-chaussée *n.m.inv.*	一层楼（底层）
salle *n.f.*	厅；室
salon *n.m.*	客厅
séjour *n.m.*	起居室
sous-sol *n.m.*	地下室
studio *n.m.*	单间公寓
toilettes *n.f.pl.*	洗手间
villa *n.f.*	别墅

GRAMMAIRE 语法

1. 形容词（Adjectif）（2）

1) 形容词的作用（Fonction d'adjectif）

形容词之间存在着作用上的差异。按其词义，形容词的作用可大致分为两类：

- 第一类用来表示人、物或事情的性质或状态。

  我们称之为品质形容词(adjectif qualificatif)。此类形容词占形容词的多数。如：grand，petit，long，court，épais，mince，difficile，facile，rouge，noir。

- 第二类用来表明人、物或事情所属的范畴。

  我们称之为属性形容词（adjectif d'appartenance)。这类形容词数量略少。如：chinois，français，national，international，technique，industriel，agricole。

2) 形容词的形式（Forme d'adjectif）

法语中形容词从形式、结构上可分为两类：

- 简单形容词（adjectif simple）

  此类形容词本身仅为一个单词，如：ancien，nouveau，gentil，sympathique。

- 复合形容词（adjectif composé）

  此类形容词由两个以上的词合并构成，如：sourd-muet（聋哑的），avant-dernier（倒数第二的），bleu clair（浅蓝色的），franco-chinois（法中的）。

3) 形容词的种类（Espèce d'adjectif）

法语形容词按词性可大致分为以下五类：

- 纯形容词（adjectif pur）

  这类形容词往往古已有之。像 grand，petit，bon，mauvais 等。如：

  Charles de Gaulle est un **grand** homme. 戴高乐是个伟人。

  Le temps est **mauvais**. 天气恶劣。

- 过去分词形容词（adjectif dérivant du participe passé）

  这类形容词由动词的过去分词演化而来。像 passé，cassé，fatigué，reçu 等。如：

  Bravo ! encore une tasse **cassée**. 好啊！又打碎一个杯子。

  Nous sommes **fatigués**. 我们累了。

- 现在分词形容词（adjectif dérivant du participe présent），亦称**动形容词**。

  这类形容词由动词的现在分词演化而来。像 intéressant，fatigant 等。这类形容词往往含有主动的概念。如：

  Comme cet enfant est **fatigant**！这孩子可真累人啊！

  On va passer un film **intéressant** ce soir. 今晚要放一部有趣的电影。

● 名词形容词（adjectif dérivant du nom）

这类形容词是由名词借用而来，其中相当一部分是用来表示颜色的品质形容词，像 marron，kaki，ivoire，orange 等。它们往往是不变形容词。如：

La carte **orange** est bien pratique. 橘黄卡（巴黎公交月票）很实用。

Cet homme a les yeux **marron**. 这人有双栗色的眼睛。

● 特殊形容词（adjectif particulier）

这类形容词数量很少，往往从其他词类借来。像 mal，bien 等。如：

Mais voilà ! Ça c'est une idée **pas mal**. 这就对了嘛！这个主意还不赖。

Voici des gens **bien**. 他们可是好人。

4) 形容词的位置（Place de l'adjectif）

与汉语和英语的习惯不同，多数法语形容词通常置于所修饰的名词后；而少数形容词则会放在所修饰的名词前。

① 前置形容词

通常，放在所修饰名词前的往往是一些最常用的形容词。它们有两个共同特点：

● 短小。这些形容词往往是单音节或双音节词。

● 均用来表示事物的一般特征。如：

la **Grande** Muraille 长城　　une **petite** ville 小城

la **Longue** Marche 长征　　un **court** délai 短期

un **bon** restaurant（味道）正宗的餐馆　　un **mauvais** temps 坏天气

un **bel** avenir 美好的未来　　une **jolie** maison 漂亮的房子

un **vieux** quartier 老城区　　une **jeune** fille 年轻姑娘

un **nouvel** appartement 新房子　　un **ancien** ami 故交

※但是，如果这类形容词的后面带有补语，则应改为后置。如：

un grand jardin → un jardin grand comme la main

（大花园）　　（巴掌大点儿的花园）

② 后置形容词

除上述前置形容词外，法语大多数形容词放在所修饰名词之后。这类形容词通常具有以下两个特点：

● 非常用形容词。如：atomique（原子的），électronique（电子的）。

● 多音节形容词。如：monotone（单调的），sympathique（热情的）。

③ 位置可前可后的形容词

一些常用形容词的位置可前，可后，但词义不同。在前，往往带有词义的引申和语气的加强，表示转义，是主观的；在后，表示本义，是客观的。

（※参见第 6 课语法 3）

5) 形容词的性、数配合原则（Principes de l'accord de l'adjectif）

① 原则上，形容词应与其所修饰名词或代词的性、数相一致。如：

Les langues **étrangères** ne sont pas si **faciles**. 外语挺难的。

Elle est bien **contente** de sa **nouvelle** chambre. 她对自己的新房间很满意。

② 如果一个形容词修饰的是多个名词，那么应遵循如下原则：

- 若几个名词均为阳性，形容词应采用阳性复数。如：

  Voici un manuel et un dictionnaire **neufs**. 这是新的课本和词典。

  Ce garçon et cet homme sont **étrangers**. 这男孩和这男的是陌生人。

- 若几个名词均为阴性，形容词应采用阴性复数。如：

  La pomme et la poire sont **bonnes** à manger. 苹果和梨好吃。

  Elle a **quelques** oranges et tomates **fraîches**. 她有些鲜橙子和西红柿。

- 若几个名词阴、阳性均有，那么即使仅有一个为阳性，形容词也应采用阳性复数。如：

  Le lit, la table et l'étagère sont **neufs**. 床、桌子和书架是新的。

  Sa mère, ses sœurs et lui sont **satisfaits**. 母亲、姐姐和他都满意。

  （※ 这与主语人称代词 ils 的使用原则相同。参见第 3 课语法 2）

③ 几个形容词修饰一个名词

- 名词为单数或复数，形容词与其保持一致。如：

  Ce **petit** village est **beau**, **calme** et **paisible**.（单数）

  这个小村庄美丽，静谧，祥和。

  Tu vas voir, ce quartier a de **belles petites** rues.（复数）

  待会儿你就能看见，这附近有些漂亮的小街。

- 名词为复数，但形容词所指不同，可以用单数。如：

  Ce traducteur connaît les langues **chinoise**, **anglaise** et **française**.

  这位译员通晓汉语、英语和法语。

2. 直接及物动词和间接及物动词（Verbes transitifs directs et indirects）

及物动词是指其所表示的动作作用另一个人、事或物（即宾语）的动词。换言之，凡有动作承受者的动词就是及物动词。

法语及物动词分为三种：直接及物动词、间接及物动词和代词式动词。

1) 直接及物动词（Verbe transitif direct）

所表示的动作无需介词而直接作用于后接宾语的动词称为直接及物动词。如：

J'**apprend*s*** la langue française à Beijing. 我在北京学法语。

Tu **fais** quoi ces jours-ci ? 你这几天干什么呢？

Ils **regardent** souvent la télé le soir. 他们晚上常看电视。

2) 间接及物动词（Verbe transitif indirect）

所表示的动作需通过介词而间接作用于后接宾语的动词称为间接及物动词。如：

Tu **dis à** tes copains de venir à l'heure. 告诉你的朋友们按时来。

Ils **parlent de** leur nouveau cours. 他们在谈他们的新课。

Vous **manquez d'**imagination. 您有些缺乏想象力。

3) 代词式动词（Verbe pronominal）

代词式动词中包含有直接及物动词和间接及物动词，而动词本身决定自反代词 se 的意义是直接宾语还是间接宾语。（※ 参见第 12 课语法 1）

※ 兼有直接及物和间接及物作用的动词（Verbe transitif à la fois direct et indirect）

应当注意，法语中少数及物动词兼有直接及物和间接及物的双重功能，但词义往往有细微差异，应在学习和使用中加以区别。如：

Il **aime** se promener. 他喜欢散步。

Il **aime** à se promener. 他比较喜欢散步。

3. 宾语（Compléments d'objet）

宾语是主语所发出动作的对象、承受者或目的，分为直接宾语（Compléments d'objet direct）和间接宾语（Compléments d'objet indirect）。

1) 直接宾语

如宾语和动词之间无介词，即为直接宾语。引导直接宾语的动词为直接及物动词。作直接宾语的可以是名词、代词、不定式或从句。如：

Nous apprenons **le français**. 我们学法语。（名词为直宾）

François ? Oui, je **le** connais. 弗朗索瓦吗？我认识他。（代词为直宾）

Il commence à **parler français**. 他开始讲法语了。（不定式为直宾）

Je crois qu'**il a raison**. 我认为他说的对。（从句为直宾）

※ 若不定式作直接宾语，直接及物动词与不定式之间有时须加介词 de 或 à 。

2) 间接宾语

若宾语与动词之间需用介词（主要是 à 或 de）连接，即为间接宾语。引导间接宾语的动词为间接及物动词。作间接宾语的可以是名词、代词、不定式或从句。如：

Vous ressemblez à **votre père**. 您长得像您父亲。（名词为间宾）

Vous **lui** pardonnez ? 您原谅他吗？（代词为间宾）

Cent euros suffisent à **payer les charges**. 100 欧元够付水电费了。（不定式为间宾）

Il décide qu'**il y restera**. 他决定留在那里。（从句为间宾）

3) 同时带有直接宾语和间接宾语

有些及物动词既有直接宾语，也有间接宾语。如：

Florence écrit **une lettre** à **sa mère**. 弗洛朗斯给母亲写了封信。
（直宾）（间宾）

Il donne **les exercices corrigés** aux **étudiants**. 他把改过的作业给了学生。
（直宾）（间宾）

4) 宾语的位置

通常，如果宾语是名词、不定式或从句，往往放在动词的后面。若宾语是人称代词，则通常放在相关动词前。但倒装结构和肯定命令形式例外。

4. de 用于否定句中（*de* dans la négation）

否定句中，如果被否定的直接宾语前是不定冠词 un, une, des 或部分冠词 du, de la, de l', des，那么要用 de 来代替直接宾语前的不定冠词或部分冠词。这种语法现象也被称为"绝对否定（négation absolue）"。

- 请注意以下三点：
  1) 绝对否定所表达的是百分之百的否定概念，即数量概念为零！
  2) 绝对否定的使用必须同时具备三个条件：**否定、直接宾语和不定冠词或部分冠词**，缺一不可。
  3) 若被否定的直宾是以元音或哑音 h 起始，那么 de 要省音，改为 d'。
- 请比较使用了绝对否定 de 的下列例句：

  Il **n'y a pas de** lavabo ici. 这儿没有洗漱池。(否定 un)
  Pascal **n'a pas de** frères. 帕斯卡尔没有兄弟。(否定 des)
  Non, merci. Je **ne** mange **jamais de** gâteau. 不，谢谢。我从不吃点心。(否定 du)
  On **n'a plus d'**argent. 没钱了。(否定 de l')
- 再请比较不能使用绝对否定 de 的下列各例句：

  Ce n'**est** pas un Chinois. (un Chinois 不是直接宾语，是表语)
  Il n'écoute jamais **la** radio. (l' 不是不定冠词，是定冠词)
  Elle n'aime pas **sa** chambre. (sa 不是不定冠词，是主有形容词)

5. 以 -eler、-eter 结尾的动词的第二类特殊变化 (Verbes en *-eler* ou *-eter*, 2e type)

法语中凡是以【e 或 é + 辅音字母 + er】、-eler 或 -eter 结尾的动词都会因为发音的关系，在变位过程中做出某些调整。这些动词会有两种变化。

- 第二类变化：同样因为发音的关系，以 -eler 或 -eter 结尾的少数规则动词有第二种特殊的变化。

1) 与第一种变化在不发音的 e 或 ent 前重复字母 l 或 t 的方法不同，第二类变化的方法是将原来在重读闭音节中无法重读的字母 e 改为 è，使其改变发音，读作 [ɛl] 或 [ɛt]。
2) 同样还是因为元音 [ə] 不能处在重读闭音节中，nous 和 vous 的动词变位读音因为没有闭音节的问题，故原词根保持不变。这类动词的代表是 acheter (买)，无人称动词 geler (结冰)，等等。

以 acheter 和 geler 为例：

acheter	
j'ach**è**te	nous achetons
tu ach**è**tes	vous achetez
il ach**è**te	ils ach**è**tent
elle ach**è**te	elles ach**è**tent

geler	
il g**è**le	
※ geler 只有第三人称单数的变位。	

6. Conjugaison（动词变位）

1) annoncer

annoncer	
j'annonce	nous annon**ç**ons
tu annonces	vous annoncez
il annonce	ils annoncent
elle annonce	elles annoncent
※ 与 commencer 变位相同：nous 时 c 变 **ç**。	

2) écrire

écrire	
j'écris	nous écrivons
tu écris	vous écrivez
il écrit	ils écrivent
elle écrit	elles écrivent

3) mettre

mettre	
je mets	nous mettons
tu mets	vous mettez
il met	ils mettent
elle met	elles mettent

4) ranger

ranger	
je range	nous rang**e**ons
tu ranges	vous rangez
il range	ils rangent
elle range	elles rangent
※ 与 manger 变位相同：nous 时加字母 **e**。	

5) suffire

suffire	
je suffis	nous suffisons
tu suffis	vous suffisez
il suffit	ils suffisent
elle suffit	elles suffisent

MOTS ET EXPRESSIONS 词汇与句型

1. mettre

1) mettre qch. + 介词 + 地点：把某物放在某处

Je peux mettre ma valise dans le placard ? 我能否把箱子搁在壁橱里？

On doit mettre le frigo au fond de la pièce. 应该把冰箱放在房间紧里边。

2) mettre + 穿戴物：穿……；戴……

Il fait froid dehors. Mets ton manteau. 外边天冷。你还是穿上大衣吧。

Tu ne mets pas de lunettes ? 你不戴眼镜吗？

3) mettre + 时间 + pour faire qch. 花……时间做某事

Il met dix minutes pour faire sa toilette. 他洗漱用了十分钟。

Combien de temps mettez-vous pour y arriver ? 你们到那里要多长时间？

4) se mettre à qch. 开始做某事

Tout le monde se met au travail. 大家开始干活儿。

Il se met à la réparation de la voiture. 他开始动手修车。

5) se mettre à faire qch. 开始做某事

Tout le monde se met à travailler. 大家开始动手干活儿。

Elle se met à chanter. 她开始唱起来。

2. suffire

1) suffire 足够（单独使用）

Cela suffit déjà. 这已经够了。

Un kilo doit suffire. 一公斤应该够了。

Ça suffit ! 够了！别再讲了！

2) suffire à qn 对某人足够

Un kilo de pommes vous suffit, monsieur ? 先生，您一公斤苹果够吗？

Quarante-huit heures me suffisent. 两天对我来说就够了。

3) suffire à ... 满足……的需要

Ces gens peuvent suffire à leurs besoins. 这些人生活可以自给自足。

Ce dictionnaire suffit à nos études. 这本词典够我们学习用的了。

4) suffire + à / pour + 不定式：足够……；足以……

1 500 yuans doivent suffire à payer le loyer. 1 500 元应该够付房租了。

80 jours suffisent pour faire le tour du monde. 80 天就可以环游地球。

Trois personnes suffisent pour lever cette pierre. 三个人就可以把石头抬起来。

3. tard

1) tard 晚，迟

Il est tard. 时间不早了。

Il rentre tard chaque jour. 他每天回家都很晚。

C'est trop tard. 太迟了。

2) plus tard 以后；后来；过后

un peu plus tard 过了一会儿

trois jours plus tard 三天以后

On parle de cela plus tard. 以后再谈这事儿。

3) tôt ou tard 早晚；迟早；总有一天

Il viendra tôt ou tard. 他迟早会来。

C'est ce qui se passera tôt ou tard. 早晚（迟早）会这样。

4. écrire

1) écrire 书写

Il ne sait pas écrire. 他不会写字（不识字）。

Tu écris bien en français. 你法文写得不错（或：法文文笔很好）。

écrire au crayon / au stylo / à la machine 用铅笔 / 钢笔 / 打字机写

2) écrire qch. 写……；撰写……；记……

écrire un roman 撰写小说

écrire une adresse 记下一个地址

Comment écrit-on ce mot ? 这个字怎么写?

3) s'écrire （被）拼写；通信

Comment ça s'écrit en français ? 这个用法文怎么写?

Elles s'écrivent depuis 30 ans. 她们（彼此）通了 30 年的信。

DES MOTS POUR LE DIRE 此事怎样说

Aborder et présenter（交谈和介绍）

Aborder（交谈）

1. Aborder quelqu'un dans la rue（在街上和某人交谈）

Pardon, monsieur, vous avez un moment ? 对不起，先生，能耽误您一会儿吗?

S'il vous plaît, madame, la gare, c'est par ici ? 请问，夫人（女士），火车站就在附近吗？

Excusez-moi, Mlle, vous avez l'heure ? 对不起，小姐，几点了？

2. Aborder quelqu'un dans un bureau（在办公室与某人交谈）

Excusez-moi de vous déranger. 请原谅我打扰您。

Je ne vous dérange pas, madame ? 夫人，我不打搅您吗？

Je peux entrer ? 我可以进来吗？

Puis-je entrer, monsieur ?〈雅语〉我可以进来吗，先生？

Présenter（介绍）

1. Demander à quelqu'un de se présenter（请某人自我介绍）

与陌生人：

Comment vous appelez-vous ? 您贵姓？

Quel est votre nom ? 您怎么称呼？

Vous êtes Monsieur / Madame / Mademoiselle... ? 您是……先生 / 女士 / 小姐？

Votre nom, s'il vous plaît ?（公办时）请问您的姓名？

与朋友、伙伴儿：

Tu t'appelles comment ? 你叫什么名字？

C'est quoi, ton prénom ? 你的名字是什么？

2. Présenter quelqu'un（介绍某人）

对陌生人、上级：

Vous connaissez Monsieur / Madame / Mademoiselle ...?

您认识……先生 / 女士 / 小姐吗？

Je vous présente Mademoiselle ... 我给您介绍……小姐。

Je voudrais vous présenter mon professeur, Monsieur ...

我想给您介绍我的老师，……先生。

Permettez-moi de vous présenter Madame ... 请允许我给您介绍……女士。

与熟人、朋友：

Tu connais Pierre ? 你认识皮埃尔吗？

Je te présente mon amie, Annie. 我给你介绍一下我的朋友，安妮。

Voici Anne, voici Paul. 这（位）是安娜，这（位）是保尔。

Anne, mon amie ; Paul, mon voisin. （这是）安娜，我朋友；（这是）保尔，我邻居。

※ 很熟的人之间彼此介绍朋友时可能会简单到只介绍双方的姓名。

3. Répondre à une présentation（回应对方的介绍）

对陌生人、上级：

Très heureux(se) / Enchanté(e) / Ravi(e) de vous connaître / de faire votre connaissance, monsieur / madame / mademoiselle. 很高兴 / 十分荣幸 / 非常高兴认识您，先

生 / 女士 / 小姐。

※ 或可以简单地说：Très heureux(se). / Enchanté(e). 很高兴。/ 十分荣幸。

与熟人和朋友：

Bonjour / Bonsoir. 你好。

Salut. 〈口语〉你好。

Très content(e). 很高兴认识你。

4. S'informer sur l'habitation（了解住房情况）

Avez-vous un logement à Paris ? 您在巴黎有住房吗？

Où habitez-vous ? / Où est-ce que tu habites ? 您 / 你住哪里？

Quelle est votre / ton adresse, s'il vous / te plaît ? 请问您 / 你的住址？

Vous habitez en banlieue / en ville / à la campagne ? 您住郊区 / 城里 / 乡下？

Vous habitez quel arrondissement / quel quartier / quelle rue ?

您住几区 / 什么地方 / 哪条街？

Habitez-vous une maison ou un appartement ? 您住小楼还是公寓（套房）？

Vous avez un studio / deux (trois / quatre) pièces ? 您住一 / 两 / 三 / 四居室？

À quel étage habitez-vous ? 您住在第几层？

UN PEU DE PHONÉTIQUE 练练语音

Un Esquimau et un éléphant	爱斯基摩人和大象
Un Esquimau sur un éléphant	爱斯基摩人骑大象，
C'est original et c'est amusant	新鲜有趣出洋相。
Car l'un vient du froid et l'autre du chaud	这个来自极冷地，
	那个家在热带旁。
Mais un éléphant sur un Esquimau	若象反骑他身上，
C'est dangereux car ça pèse trop	这太危险不能当。
Même si ce n'est qu'un éléphanteau.	就是小象也不行，
	小象太重够分量。

UN PEU DE CIVILISATION FRANÇAISE
法兰西文化点滴

Logement pour les étudiants en France 法国的学生住房

留学法国找住宿的地方实在是件辛苦事。法国学生尚可住在父母或亲友家，但身在他乡为异客的留学生们却只有八仙过海，各显其能了。
法国城市中可供学生们住宿的住房一般有以下几种：

1. 申请住在 **CNOUS**（Centre national des œuvres universitaires et scolaires 国家大学服务中心）分配的学生宿舍中。这些宿舍大部分属 **CROUS**（Centre régional des œuvres universitaires et scolaires 地区大学服务中心）或 **CLOUS**（Centre local des œuvres universitaires et scolaires 地方大学服务中心）管理，月租不超过 100 欧元。申请人首先必须符合 **CROUS** 的条件。往往排队等候市内学生宿舍的人过多；而市外宿舍又经常是离城太远，交通不太方便。

2. 另外还有一部分非公立或私有的宿舍接纳学生寄宿，其中包括一些教会组织或慈善机构开办的宿舍楼。这类住房往往租金比较便宜， 但对寄宿者的要求较为严格、苛刻，比如有些只收女生，有的不许带人上楼，有的晚上几点钟前必须返回，等等。

3. 通过广告、朋友等租住法国人家的阁楼、保姆用房 (chambre de bonne) 等。这种房子条件略差，租金也不便宜，但好处是离市中心较近，交通便利，上学、购物、会友都十分方便。

4. 再有就是通过广告、朋友、或正式途径几个人合租一套房子，分担房租。这种方法的好处是住房条件较好。也可以租一个大些的公寓 (appartement)，或找一个单居室 (studio) 的公寓，选择余地很大。

5. 中小城市的住房条件往往好于巴黎等大都市，相对来说价格更便宜，条件和环境更好。

6 留学生签好住房合同后，可以到所在区的 **CAF**（Caisse d'allocations familiales 家庭补助金管理中心）申请住房补贴。通常，补助金额是房屋租金的 20%—50%。住宅环境越差，补贴就越高，比如：街区偏远脏乱，房屋破旧，无电梯，无家具、无电话，房客人多等；反之，补贴就少。若两同性合租只有一份补贴，但两异性合租则有两份补贴。租房第一个月和最后一个月无补贴。

7 若想得到法国所有有关住房的资料，可以从一个叫做“住房点”（Point logement）的服务机构中查寻。也可查询：**Minitel : 3615 CROUS**。

Proverbe 谚语

À chaque jour suffit sa peine.
当天的烦恼已经够受的了。
（意指无暇顾及将来）

EXERCICES 练习

I. Exercices d'audition

1. Écoutez et dites si vous avez entendu *ne* ou *n'*.

Dialogue	ne	n'
1		
2		
3		
4		
5		
6		

续表

Dialogue	ne	n’
7		
8		
9		
10		

2. Écoutez et dites si vous avez entendu la négation absolue.（听并说出您是否听到了绝对否定。）

Dialogue	oui	non
1		
2		
3		
4		
5		
6		
7		
8		
9		
10		

3. Écoutez et jugez si la phrase à propos de l’appartement est positive ou négative.（听并判断关于这套房子的表述是肯定还是否定的。）

Phrase	positive	négative
1		
2		
3		
4		
5		
6		
7		
8		
9		
10		

4. Écoutez et dites si c’est vrai ou faux.（听并说出是对还是错。）

	à juger	vrai	faux
1	Elle habite maintenant en banlieue.		
2	Ma chambre est bien grande.		

续表

	à juger	vrai	faux
3	Je suis au 10e étage.		
4	Il n'y a pas de lavabo dans la chambre.		
5	Elle fait 66 mètres carrés.		
6	La salle de bains se trouve au rez-de-chaussée.		
7	Il n'y a pas de cuisine dans le bâtiment.		
8	Ma chambre donne sur une belle petite rue.		
9	Le loyer est de 206 euros par mois.		
10	C'est facile de trouver une chambre comme ça.		

II. Exercices de dialogues

1. Questions sur le *Dialogue 1*.

1) Où est-ce que Pascal rencontre un jeune homme ?
2) Qu'est-ce qu'il cherche ?
3) À quel étage est la chambre 203 ?
4) Pourquoi cherche-t-il cette chambre ?

2. Questions sur le *Dialogue 2*.

1) Que fait Pascal devant la chambre 203 ?
2) Est-ce que l'ami de Pascal habite seul ?
3) Qui est Monsieur Liu ?
4) Est-ce que la chambre est bien meublée d'après vous（据你们看）?
5) Et quelle surface fait la chambre de Li ?
6) Y a-t-il un lavabo dans sa chambre ?
7) Où se trouve le lavabo ?
8) Où est-ce qu'ils prennent la douche ?

3. Questions sur le *Texte*.

1) À qui Laurence écrit-elle la lettre ?
2) Où habite-t-elle maintenant ?
3) Quelle est la surface de sa chambre ?
4) Qu'est-ce qu'il y a comme meubles dans sa chambre（她屋里有什么家具）?
5) Est-ce facile de trouver une chambre à Paris ?
6) Est-ce qu'on peut faire la cuisine dans la chambre ?
7) Où est-ce qu'elle mange d'habitude ?
8) Peut-elle prendre une douche chez elle ? Et où ?

4. Questions sur *votre vie courante*（日常生活）.

1) Avez-vous une chambre dans votre université ?

2) Vous la trouvez comment ?
3) Quelle surface fait-elle ?
4) Sur quoi donne votre chambre ?
5) Est-ce que vous habitez seul ?
6) Comment est votre colocataire（同屋，共同租住者）?
7) Où est-ce que vous prenez la douche ?
8) Vous aimez la vie ici ?

5. Conjuguez oralement les verbes suivants.

être	avoir	aller	savoir	annoncer
écrire	dire	manger	trouver	prendre

6. Exercices de structure.

1) Adjectifs qualificatifs

① grand / petit

– Est-ce que cette chambre est grande ?
– *Non, elle n'est pas grande, elle est petite.*

une classe, un jardin, un bureau , une place

② beau, bel, belle

– Est-ce que cet hôtel est beau ?
– *Oui, c'est un bel hôtel.*

une table, un arbre, une fille, un jardin, un appartement
des maisons, des parcs, des villas, des hôpitaux（医院）

③ nouveau, nouvel, nouvelle

– Cette école est nouvelle, n'est-ce pas ?
– *Oui, c'est une nouvelle école.*

un appartement, une poste（邮局）, un magasin, un immeuble（楼房）
des voitures, des dictionnaires, des professeurs

④ facile / difficile

– Est-ce que ces textes sont difficiles ?
– *Non, ils ne sont pas difficiles, ils sont faciles.*

la grammaire, le français, l'anglais, les études

⑤ agréable / ennuyeux, se

– Est-ce que la vie à l'école est agréable ?
– *Oui, la vie à l'école est agréable.*
Non,la vie à l'école n'est pas agréable, elle est ennuyeuse.

cette chambre, cet homme, ces maisons, cette langue, ces romans

2) Mots et expressions

① donner sur

– Sur quoi donne votre chambre ?
– *Elle donne sur un joli jardin.*

notre classe / la cour（院子）
leur classe / un restaurant
sa chambre / la rue
ma fenêtre / la bibliothèque

② quelle surface fait (mesure)...?

– S.V.P., quelle surface fait votre chambre ?
– *Elle fait quatre mètres sur trois.*

ta chambre / 8 × 2
ce jardin / 60×55
ce café / 20×10
cette cuisine / 5 × 3
votre classe / 8 × 6

③ Non, il n'y a pas de ..., c'est ennuyeux.

– Vous avez un lavabo chez vous ?
– *Non, il n'y a pas de lavabo chez nous, c'est ennuyeux.*

une cuisine, un réchaud électrique, un téléviseur（电视机），
une salle de bains, un jardin, un ascenseur（电梯）

④ *de* dans la négation（*de* 用在否定句中）

– Tu as des frères ?
– *Non, je n'ai pas de frères.*

des amis, des cassettes, des diapositives, des journaux,
une tasse, des cours, des questions, des problèmes

⑤ en plus de + un nom（名词）

– Vous avez une table chez vous ?
– *Oui, en plus de la table, nous avons encore un bureau.*

un réchaud électrique / une cuisine
un lavabo / une salle de bains
une chaise / un fauteuil（扶手椅）
des amis chinois / des amis étrangers

⑥ avoir de la chance

– Tu sais, Paul trouve une chambre dans le 13ᵉ（13 区）！
– *Ah, oui, il a vraiment de la chance.*

Catherine, nos amis, Luc et Pascal, moi, Anne et Fanny, nous

⑦ pourquoi..., parce que...

– Pourquoi tu ne vas pas à la bibliothèque ?
– *Parce que j'ai cours à dix heures juste.*

Paul ne va pas à la place Tian'anmen.

Anne n'écoute pas l'enregistrement.

Nous ne regardons pas la télévision.

Vous ne mangez pas au restaurant.

⑧ ne pas être facile du tout !

– Est-ce que le français est facile ?
– Non, il n'est pas facile du tout !

la grammaire française, la vie, cette leçon, ces questions

III. Exercices grammaticaux

1. Les articles.

(*Remplacez les pointillés par un article convenable.* 用适当的冠词填空。)

1) Voici .... chambre, c'est .... chambre de .... professeur.

2) Il y a .... cuisine à chaque étage ; dans .... cuisine, il y a .... réchauds électriques.

3) Chaque semaine, j'écris .... lettre à mes parents.

4) Tous .... matins, nous lisons（读）le français pendant .... demi-heure.

5) – Est-ce que vous pouvez faire votre toilette（洗漱）dans votre chambre ?
– Non, mais nous avons .... grand lavabo à .... bout de .... couloir. Et nous prenons .... douche dans .... salle de bains commune.

2. Les adjectifs.

(*Mettez l'adjectif à sa place convenable et faites l'accord s'il y a lieu.* 将形容词置于合适位置并在需要时配合。)

1) Claude rencontre deux filles dans la rue (beau).

2) Près de la gare, il y a un restaurant (bon).

3) Cette chambre est trop (petit).

4) Voici un étudiant de votre classe (nouveau).

5) Paris est une ville (grand).

6) C'est un arbre (beau).

7) Ces leçons de français sont (difficile).

8) Madame Rémy est très (gentil).

3. Les verbes.

(*Faut-il mettre **être** ou **avoir*** ? 该用 être 还是 avoir ?)

1) Il ne .... pas jeune. Il .... soixante-dix ans.

2) Je .... seulement vingt ans. Je .... jeune.

3) Vous .... très gentil. Vous .... un moment ?

4) Ce .... un jeune garçon. Il .... quinze ans peut-être ?

5) Elles .... professeurs de langue. Elles .... beaucoup d'étudiants.

6) Ah ! Que le temps .... beau ! Il y .... du soleil（阳光）.

7) Nous .... étudiants. Nous .... cours tous les jours.

8) Tu ne .... pas de montre（手表）? Tu .... en retard（迟到）encore une fois !

4. Les conjugaisons.

（*Mettez les verbes au présent.* 把括号内动词变为现在时。）

Je m'appelle Li Dong. Je (être) .... chinois. Je (avoir) .... 18 ans. Je (être) .... étudiant. Je (apprendre) .... le français à l'Université des langues étrangères de Beijing. Nous (être) .... 15 dans la classe. Il y (avoir) .... sept filles et huit garçons.

Tous les jours, nous (avoir) .... deux heures de français, nous (parler) .... beaucoup français en cours. Et nous (manger) .... toujours au restaurant universitaire.

Le soir, je (étudier) .... toujours au labo (语音室) et je (écouter) .... l'enregistrement des textes. Et mes camarades de classe (travailler) .... comme moi ! Il y (avoir) .... un proverbe français qui dit : « Pas à pas, on (aller) .... loin ! »

5. Les sujets.

（*Quel est le sujet* ? 主语是什么？）

1) .... est un dictionnaire français-chinois（法汉词典）.

2) En général, ... prend le déjeuner à midi.

3) .... donne sur un beau jardin.

4) Quoi ? Qu'est-ce que .... dites ?

5) Comment trouves- .... ma chambre ?

6) .... viens pour vous annoncer une grande nouvelle !

7) Tiens ! .... y a de belles fleurs ici.

8) Et le soir, ... ne regardez pas la télévision ?

6. Les articles contractés.

（Faut-il mettre un article contracté ? 需要填缩合冠词吗？）

1) Notre chambre est .... 3e étage.

2) Le bureau .... professeurs est à côté.

3) Lui ? Il va .... hôtel avec ses amis.

4) Nous n'allons pas souvent .... restaurant.

5) À l'entrée .... hôpital, on voit quelques ambulances（救护车）.
6) Les agriculteurs（农民）travaillent .... champs（田地；田野）.
7) En Chine, les petits enfants vont .... école primaire（小学）à l'âge de 6 ans.
8) Les mots .... texte sont difficiles à comprendre.

7. Des verbes en *-eler* et *-eter*.

（Mettez les verbes au présent. 将动词变为现在时。）
1) Vous（épeler）.......................... votre nom, S.V.P.
2) Patrick n'est pas là ? Alors, je（rappeler 再打电话）.......................... demain.
3) Il fait froid aujourd'hui, il（geler）.......................... .
4) Comment elle（s'appeler）.......................... ?
5) Si tu veux, je（appeler）.......................... tes parents.
6) Ce verre est cassé（碎了）, tu le（jeter）.......................... .
7) C'est la fête ! Je（acheter）.......................... beaucoup de cadeaux（礼物）.
8) On（se rappeler 彼此再通电话）.......................... ce soir ?

8. La traduction.

朝向……	真不容易	有运气	除去……之外
做饭	洗澡	冲淋浴	在餐厅吃饭
很方便	这足够了	价格为	面积有多大？

9. Le thème.

1）– 对不起，小姐，请问 345 号房间在哪里？
– 三层，左边第二个房间。
2）一班同学的房间在一层。
3）玛丽的房间朝着一个漂亮的小花园。
4）我们的房间不大，有十二平方米，但很舒服。
5）外国学生不做饭，他们总是在留学生餐厅用餐。
6）我们房间里没有洗手池，但走廊的尽头有个大盥洗室。
7）洛朗斯的房间里家具齐全：有书架、写字桌、椅子、床，还有一个小床头柜。
8）学生房间里有个大壁柜，可以搁放自己的东西。

10. Expression écrite.（写作练习。）

Présentez votre chambre par écrit.（写一写你的房间。）

J'ai une belle chambre ...

IV. Exercices oraux

1. Pour ou contre ?

(*Vous montrez tous les avantages de votre chambre ; mais votre voisin / voisine dit le contraire : vous allez essayer, tous les deux, de prouver que c'est vous qui avez raison !*
您展示自己房间的优点；而邻座的同学则指出您的房间的短处：你们两人要全力证明自己才是对的。)

2. Dites en français.

61	71	81	91	101	200	899	999
777	888	555	234	345	456	789	1000

3. Jeu de chiffre.

以学习组为单位，选出两组，各选出一位代表参加比赛。由 A 组开始提问，B 组回答：同组人可以互相提醒。哪一组先出现错误便算输掉比赛。胜方可以要求输的一方做一件事情，然后再由 C 组接着参赛。

4. Traduisez en français.

八十把椅子	八十一张桌子	二百张床	三百五十一本书
五百名学生	八百零一盘磁带	三百六十五天	一千个女大学生

5. Commentez l'image suivante.

6. Jeu de dialogue.

(上述房子你非常喜欢，而别人不喜欢；你们彼此据理力争，努力说服对方。)

Le vocabulaire nécessaire pour le dialogue :

Ça me plaît ! / Ça ne me plaît pas !

C'est grand / petit.

C'est bien. / Ce n'est pas bien.

C'est pratique. / Ce n'est pas pratique.

C'est moderne（现代的）/ ancien （陈旧的）.

C'est agréable / ennuyeux.

C'est clair（明亮的）/ sombre（昏暗的）.
C'est nouveau / vieux（老式的）.
C'est beau / laid（丑恶的）.
C'est super（漂亮极了）. / C'est la barbe（俗语：讨厌死了）.

1. Une annonce dans un journal（报纸广告）

BELLE MAISON À LOUER

Au rez-de-chaussée : une belle entrée, un grand salon (60 m^2) avec une belle cheminée, une salle à manger, une grande cuisine, des toilettes, deux grandes chambres et une salle de bains.

Au premier étage : un bureau classique, trois chambres et une salle de bains. Un grand jardin (800 m^2) et un garage.

En proche banlieue, à 20 minutes du centre-ville.

2. Visite d'un appartement

(*Mme Talbot, employée d'une agence immobilière, présente un appartement à son client.*)

Mme Talbot : Voici un bel appartement. Il est un peu ancien, mais c'est pas cher. Et il y a un salon de 20 m^2, deux chambres et une grande cuisine équipée.
M. Dupont : Il fait quelle surface ?
Mme Talbot : 70 m^2 et il a une jolie vue sur un parc.
M. Dupont : Ça, c'est agréable !
Mme Talbot : Vous voyez, c'est près d'un supermarché.
M. Dupont : C'est pratique.
Mme Talbot : Il est au sixième sans ascenseur.
M. Dupont : Mais... c'est ennuyeux. On doit monter à pied.
Mme Talbot : C'est vrai, mais ça fait du bien.
M. Dupont : Oui...peut-être...oui. Il est meublé ?
Mme Talbot : Ah non ! Il n'est pas meublé. Vous savez, chacun son goût !

M. Dupont :	Oui, oui, madame. Le loyer est de combien ?
Mme Talbot :	650 euros par mois. C'est pas cher, je pense ?
M. Dupont :	Non, nous avons de la chance !

Vocabulaire 词汇

ancien, ne *a.* 旧的；古老的
annonce *n.f.* 广告
banlieue *n.f.* 远郊区
Ça fait du bien. 对身体有好处。
classique *a.* 古典的
centre-ville *n.m.* 市中心
Chacun son goût. 各有所好；众口难调
cheminée *n.f.* 壁炉
client, e *n.* 顾客；客户
équipé, e *a.* 配备……的（此处指“带厨房设备的”）
garage *n.m.* 车库
immobilier, ère *a.* 不动产的；房地产的
meublé, e *a.* 带家具的
monter *v.i.* 上楼
proche *a.* 近的
salle à manger *n.f.* 餐厅
supermarché *n.m.* 超市
visite *n.f.* 参观

Leçon 14 Les saisons et la date

Dialogue 1 Quel temps fait-il ?

– Oh là là![1] Qu'il fait froid aujourd'hui![2]

– Oui, il fait gris et il fait du vent. Il va neiger peut-être ?

– C'est possible. Nous sommes en décembre et c'est déjà l'hiver, c'est tout à fait normal.

– J'aime la neige, mais je déteste le vent.

– Et à propos, quel temps fait-il chez toi en ce moment ?

– Chez nous, en cette saison, il neige souvent et il gèle partout. Alors à ce moment-là, tout est blanc et la température descend facilement à moins vingt[3]. D'ailleurs, le vent souffle très fort.[4]

– Ah oui ? Ce n'est vraiment pas amusant. Chez nous, c'est pas pareil.[5]

– C'est le Nord, tu sais. Et quel est le climat en hiver dans votre pays natal ?

– Dans ma région, les saisons ne sont pas très marquées. Il ne fait ni chaud ni froid.[6] Mais il pleut souvent en ce moment. Tu sais, c'est le Sud.

– Ça, c'est vraiment agréable.

Texte Les quatre saisons de l'année

Quand l'hiver finit le 20 mars, le printemps retourne le 21 mars avec sa jolie verdure et ses belles fleurs. Les arbres verdissent et fleurissent pour accueillir l'été qui va venir le 22 juin.[7]

Au printemps et en été, avec la pluie et le soleil, les cultures poussent et les fruits grandissent.[8]

Quand ces deux saisons viennent de partir, l'automne arrive le 23 septembre avec son tapis jaune et sa robe rousse : les herbes et les feuilles rougissent ou jaunissent ; les cultures et les fruits mûrissent avec le beau soleil d'automne.

Et enfin, quand les feuilles tombent et l'automne part, l'hiver va revenir avec la bise le 21 décembre.

L'année a quatre saisons, c'est pareil dans toutes les zones tempérées. Et en Chine comme en France, on attend toujours la fin de l'hiver et le retour du printemps.

Leçon

Dialogue 2 Quelle date sommes-nous ?

– Aujourd'hui, nous sommes mardi, nous allons...

– Quoi ? Quel jour est-ce aujourd'hui ?

– Je dis « mardi ». Pourquoi ?

– Mais non, c'est faux ! Ce n'est pas mardi aujourd'hui.

– Et alors, quel jour de la semaine sommes-nous ?

– Nous sommes mercredi! Parce que nous avons deux heures de français et deux heures de chinois dans la matinée, tu vois ?

– Attends... deux heures de français... deux heures de chinois... oui, c'est ça, tu as raison, c'est mercredi aujourd'hui. Et à propos, quelle date sommes-nous ?

– Nous sommes le dix.

– Pardon, le combien sommes-nous ? Le « six » ou le « dix » ?

– Je dis le « dix », tu entends ?

– Et en quel mois sommes-nous ?

– Nous sommes au mois de décembre, le 10 décembre 2006 !

– Quoi ?! En quelle année sommes-nous ?

– Nous sommes en 2005 ! ...

– Mais non ! C'est faux ! ...

– Oh pardon ! nous sommes en 2006 !

– Ça c'est correct ! Merci !

Vocabulaire 

accueillir *v.t.*	欢迎
amusant, e *a.*	有趣的；逗乐的
année *n.f.*	年
automne *n.m.*	秋天
bise *n.f.*	北风
correct, e *a.*	正确的
culture *n.f.*	作物
descendre *v.i.*	下来
détester *v.t.*	厌恶
entendre *v.t.*	听见
faux, fausse *a.*	错的
feuille *n.f.*	树叶
fin *n.f.*	终，末
finir *v.t.,v.i.*	结束
fleurir *v.i.*	开花
fort *adv.*	很
fruit *n.m.*	水果；果实
geler *v.impers.*	结冰
grandir *v.i.*	长大
gris, e *a.*	灰色的
herbe *n.f.*	草
jaune *a.*	黄色的
jaunir *v.i.*	变成黄色
juin *n.m.*	六月
mardi *n.m.*	星期二
marqué, e *a.*	打上标记的；明显的
mars [mars] *n.m.*	三月

matinée *n.f.*	上午
mercredi *n.m.*	星期三
moins *prép.*	负
mois *n.m.*	月；月份
moment *n.m.*	一会儿；一段时间
mûrir *v.i.*	成熟
natal, e, s *a.*	故乡的
neige *n.f.*	雪
ni *conj.*	也不
Nord *n.m.*	北方（地区）
pareil, le *a.*	相同的；一样的
partout *adv.*	到处
pays *n.m.*	故乡，家乡，老家
pleuvoir *v.impers.*	下雨
pluie *n.f.*	雨
possible *a.*	可能的
pousser *v.i.*	生长
printemps *n.m.*	春天
propos *n.m.*	话，谈话
à propos *loc.adv.*	恰巧，及时
que *adv.*	多么
région *n.f.*	地区
retour *n.m.*	返回，归来
retourner *v.i.*	返回
revenir *v.i.*	回来
robe *n.f.*	长衫，连衣裙
rougir *v.i.*	变成红色
roux, rousse *a.*	红棕色的
saison *n.f.*	季节
septembre *n.m.*	九月
soleil *n.m.*	阳光；太阳
souffler *v.i.*	（风）吹，刮
Sud *n.m.*	南方（地区）
tapis *n.m.*	地毯
température *n.f.*	气温；温度
tempéré, e *a.*	气候温和的
tomber *v.i.*	落下，掉下
vent *n.m.*	风
verdir *v.i.*	变成绿色
verdure *n.f.*	（大自然的）绿色
zone [zo:n] *n.f.*	地区

Expressions de classe 课堂用语

– Excusez-moi, madame. Puis-je vous poser une question ?
对不起，夫人。我可以给您提个问题吗？
– Bien sûr ! Allez-y ! 当然可以！提吧。
– Comment ça se prononce en français ?
这个法语怎么发音？
– Ça se prononce [rus]. Attention à votre prononciation!
这个发 [rus]。注意您的发音！

Calculons 计算

L'addition（加法）

2 + 2 = 4	Deux et deux (font) quatre.
	Deux plus deux (égale / égalent) quatre.
3 + 3 = 6	Trois et trois (font) six.
	Trois plus trois (égale / égalent) six.
445 + 555 = 1000	Quatre cent quarante-cinq et cinq cent cinquante-cinq (font) mille.
	Quatre cent quarante-cinq plus cinq cent cinquante-cinq (égale / égalent) mille.

※ 在加、减、乘、除的四则运算中，“等于”一词可使用动词 faire 或 égaler。但动词 faire 只能使用第三人复数；而动词 égaler 则单、复数均可使用。

Notes 注释

1. Oh là là ! 哎呦嘿！

là 在此处是为了加强语气词 oh，表示夸张或轻蔑。如：

Oh là là ! Il fait un froid du diable ! 哎呀呀！这鬼天儿冻死人啦！

Oh là là ! Tu es beau aujourd'hui ! 哎呦呦！你今天可够美的！

2. *Qu'*il fait froid aujourd'hui ! 今天可真冷呀！

que 在此处是副词，通常用来引出感叹句，表示数量或程度的概念，与 comme 引出的感叹句相同。如：

Que la Grande Muraille est magnifique ! 长城多么壮美！

Que le temps est beau ! 天气多好啊！

3. la température *descend* facilement *à* moins vingt : 气温常会降到零下二十度。

动词 descendre 会有人或物做主语的两种情况，含义不同。如：

1) 人做主语：

descendre par l'escalier 从楼梯下来　　*descendre de* voiture 下车

descendre à Marseille 南下去马赛　　*descendre dans* un hôtel 在旅馆投宿

2) 物做主语：

L'avion commence à descendre. 飞机开始降落。

La température descend. 气温下降。

Le soleil vient de descendre. 太阳刚刚下山。

Les prix descendent. 物价下跌。

4. D'ailleurs, le vent *souffle* très *fort*. 另外，风很大。

fort 是副词，与动词搭配表示“太，很，用力，使劲”等。如：

parler fort 大声讲话　　frapper fort à la porte 使劲敲门

Il pleut fort. 雨下得很大。　　C'est fort bien. 太好了。

5. Chez nous, c'est *pas* pareil. 我们那里可不一样。

句中否定结构被省略了 ne，这种情况常见于口语中。如：

C'est pas bien comme ça. 这样可不好。

Tu viens ou tu viens pas ? 你来还是不来？

6. Il *ne* fait *ni* chaud *ni* froid. 天气既不冷也不热。

ne... ni... ni... 既不……也不……。ni 是连词，与否定词或词组连用，意为"也不"。如：

Cet homme n'est ni grand ni petit. 这人不高也不矮。

Elle ne veut ni manger ni boire. 她既不想吃也不想喝。

Il ne sait ni A ni B. 他目不识丁。

7. Les arbres *verdissent* et *fleurissent* pour accueillir l'été *qui* va venir le 22 juin. 树木葱茏，花枝绽放，准备迎接六月二十二日就要来临的夏天。

1) verdir 和 fleurir 均属第二组动词。（※ 参见本课语法 1）

2) qui 是关系代词，紧跟先行词 l'été，用作后接关系从句的主语。如：

La fille qui danse s'appelle Clara. 跳舞的女孩名叫克拉拉。

Les arbres qui fleurissent sont des arbres fruitiers. 开花的树是果树。

8. *Au* printemps et *en* été, avec la pluie et le soleil, les cultures poussent et les fruits grandissent. 在春、夏季节里，作物和水果在雨露阳光的滋润下茁壮成长。

表示"在……季节"时，要遵循如下规则：

1) au printemps：阳性名词前，使用缩合冠词 au。

2) en été, en automne, en hiver：这三个名词虽也是阳性，但因是元音或哑音 h 起始，所以为了发音的关系，要用介词 en。

Vocabulaire complémentaire 补充词汇

les 7 jours de la semaine	
lundi *n.m.*	星期一
mardi *n.m.*	星期二
mercredi *n.m.*	星期三
jeudi *n.m.*	星期四
vendredi *n.m.*	星期五
samedi *n.m.*	星期六
dimanche *n.m.*	星期日

les 12 mois de l'année	
janvier *n.m.*	一月
février *n.m.*	二月
mars [mars] *n.m.*	三月
avril *n.m.*	四月
mai *n.m.*	五月
juin *n.m.*	六月
juillet *n.m.*	七月
août [u(t)] *n.m.*	八月
septembre *n.m.*	九月
octobre *n.m.*	十月
novembre *n.m.*	十一月
décembre *n.m.*	十二月

le temps	
Il fait beau.	天晴。
Il fait bon.	天气舒适。
Il fait chaud.	天热。
Il fait doux.	天气温暖。
Il fait du soleil.	有阳光。
Il fait frais.	天气凉爽。
Il fait froid.	天冷。
Il fait gris.	天阴。
Il fait humide.	气候潮湿。
Il fait jour.	天亮了。
Il fait mauvais.	天气不好。
Il fait nuit.	天黑了。
Il fait sec.	天气干燥。

续表

le temps	
Il fait sombre.	天阴。
Il y a des nuages.	有云。
Il y a du soleil.	有阳光。
Le ciel est bleu.	天空蔚蓝。
Le ciel est gris.	天色阴沉。
Le soleil brille.	阳光照耀。
Le temps est couvert.	阴天。
Le temps est ensoleillé.	阳光明媚。
Le temps est nuageux.	多云。

1. 第二组动词 (Verbes du 2e groupe)

1) 法语第二组动词是规则的，其标志是以 -ir 作为动词不定式的词尾。

2) 第二组动词直陈式现在时的变位是：

去掉词尾 - ir，在各人称后分别加上以下词尾：

Verbes en - ir （2e groupe）	
（je）-is	（nous）-issons
（tu）-is	（vous）-issez
（il）-it	（ils）-issent
（elle）-it	（elles）-issent

以第二组动词 finir 为例：

finir	
je finis	nous finissons
tu finis	vous finissez
il finit	ils finissent
elle finit	elles finissent

3) 第二组动词的特点

① 第二组动词与第一组动词和第三组（不规则）动词相比数量要少得多。

② 除常规动词外，法语中表示颜色变化的动词，像 verdir（变绿），jaunir（变黄），

blanchir（变白），éclaircir（照亮），obscurcir（使变昏暗），pâlir（变苍白）等均属第二组动词。

③ 某些表示形状变化的动词，像 grandir（长大），rétrécir（缩小），fleurir（开花），mûrir（成熟），grossir（胖），maigrir（瘦）等，也属于第二组动词。

2. 无人称动词 (Verbe impersonnel)

1) 无人称动词的概念

无人称动词有别于正常意义上的行为动词，它仅用来表示应该、必要以及需要等主观判断，或时间、天气以及存在等客观事实的表述。这类动词往往没有实质主语，其主语只作为变位动词所需要的主语形式存在，并不确指任何人或事物。

2) 无人称动词的特点

这类动词的共同特点是：

① 用中性代词（也称无人称主语）il 作主语。

② 只有第三人称阳性单数形式。

③ 只能用于直陈式、条件式和虚拟式，而不能用于命令式、不定式和分词式。

④ 数量有限，远远少于其他动词。

3) 无人称动词的分类和用法

无人称动词可分为两种类型：

① 绝对无人称动词（Verbe impersonnel absolu）

不能作为其他用途，而只能作为无人称动词的即所谓绝对无人称动词。严格地说，绝对无人称动词只有 falloir（必须，应该，应当）一词。如：

Il faut dire comme ça. 应该这样说。

Il ne faut pas y aller tout seul. 不该一个人去。

② 相对无人称动词（Verbes impersonnels relatifs）

也称作暂时无人称动词（Verbes occasionnellement impersonnels）。可分为两类：

a. 某些表示自然现象的动词，像 pleuvoir, geler, neiger, tonner 等。如：

Il pleut déjà depuis une semaine. 雨已下了一周了。

Il gèle partout. 千里冰封。

Il neige. 下雪了。

Il tonne souvent en été. 夏天常打雷。

b. faire, avoir, être 等人称动词，但用于无人称形式。像 il fait , il y a , il est , il est + 形容词 , 以及一些无人称动词短语等 。如：

il fait 表示天气、温度等自然现象

Il fait gris. 天阴。 **Il fait** humide. 气候潮湿。 **Il fait** jour. 天亮了。

il y a ... 表示“有……”

Il y a tout ici. 这里应有尽有。 **Qu'y a-t-il** ? 怎么啦？

il est ... 表示时间

Quelle heure **est-il** ? 几点了？ **Il est** encore tôt. 时间还早。

一些无人称动词短语

Il est nécessaire d'y aller. 有必要去那里。

Il est temps de travailler. 该工作了。

Il vaut mieux le faire maintenant. 这事最好现在就做。

Il s'agit de partir à temps. 重要的是按时出发。

3. 最近过去时 (Le passé récent)

1) 最近过去时用来表达一个**刚刚完成**的动作。

2) 最近过去时的构成：venir + 介词 de + 动词不定式（infinitif）

※形式上，最近过去时与最近将来时相仿，都是由一个助动词加主动词构成。

3) 最近过去时的用法

最近过去时表示"刚刚……；才……"的概念。如：

Elle **vient de** finir ses études. 她刚刚完成学业。

Je **viens d'**écrire une lettre à mes parents. 我才给父母去过信。

Nous **venons de** le rencontrer dans la rue. 我们刚在街上遇见他。

※venir de 后接的动词不定式若以元音或哑音 h 起始，注意省音！

4. 日期表达法 (Expression de la date)

1) 日 (la date)

① 表达日期时，表示"几号"的数字前要用定冠词 le；"一号"要用序数词 le premier：le 1er janvier 一月一日；le premier octobre 十月一日；le 14 juillet 七月十四日。

② 日期疑问形式：

– Quelle date sommes-nous aujourd'hui ? 今天几号?

– Aujourd'hui, nous sommes le premier. 今天一号。

– Quelle date est-ce aujourd'hui ? 今天是几号？

– Aujourd'hui, c'est le 10. 今天十号。

– Quelle est la date d'aujourd'hui ? 今天几号?

– Nous sommes le 19 décembre. 今天十二月十九号。

– Le combien sommes-nous ? 今天几号？

– Nous sommes le 15 novembre. 今天十一月十五号。

– On est le combien ?〈口语〉今儿几号?

– On est le 2. 今天二号。

2) 星期几 (le jour de la semaine)

① 表示"周几"时，无须冠词和介词；其前面若带有定冠词 le，则表示"每星期几"。如：

Beaucoup de magasins sont fermés le lundi. 每周一很多商店关门。

Le samedi, ils n'ont pas cours. 每星期六他们都没课。

② 星期的疑问形式：

– Quel jour sommes-nous aujourd'hui ? 今天星期几？

– Aujourd'hui, nous sommes dimanche. 今天星期日。

– Quel jour est-ce aujourd'hui ? 今天星期几？

– Aujourd'hui, c'est lundi. 今天星期一。

– Quel jour on est ?〈口语〉今儿礼拜几？

– On est dimanche.〈口语〉今儿礼拜天。

3) 月份 (le mois)

① "在……月（份）"时有两种表达方式：

- en + 月份 ：en février（在）二月 en mars（在）三月 en avril（在）四月
- au mois de + 月份 ：au mois d'août（在）八月 au mois d'octobre（在）十月

② 月份疑问形式：

– Quel mois sommes-nous ? 现在是几月份？

– Nous sommes en octobre. 现在是十月。

Nous sommes au mois d'octobre. 现在是十月。

– En quel mois sommes-nous ? 现在是几月份？

– Nous sommes en juin. 现在是六月。

Nous sommes au mois de juin. 现在是六月。

– On est en quel mois ?〈口语〉几月了现在？

– On est en décembre. 十二月。

4) 季 (la saison)

① 表示"在……季节"时，季节名词前加介词 à 或 en。(※参见本课注释 8)

② 季节疑问形式：

– En quelle saison sommes-nous ? 现在是什么季节？

– Nous sommes en automne ? 现在是秋天吗？

– On est en quelle saison ?〈口语〉现在啥季节？

5) 年 (l'an, l'année)

① 表示"在……年"时，前面加介词 en ：

en 2006（读作：en deux mille six） 在 2006 年

en 1949（读作：en mil neuf cent quarante neuf） 在 1949 年

※在公元纪年的表达方式中，常会使用 mil 替代 mille。

en l'an 2000 在 2000 年

赘述方式

② 年代疑问形式：

– En quelle année sommes-nous ? 今年是哪年？

– On est en quelle année ?〈口语〉今年是哪年？

- Nous sommes en 2006. 今年是2006年。

※法语的日期表述中有两点应注意：

- 法语的日期表述顺序与汉语相反。法语日期表述中习惯将星期几置于年、月、日之前。如：

  Le rendez-vous est pour le lundi 15 avril. 见面定在 4 月 15 日星期一。

  Je voudrais réserver une chambre pour le samedi 27 mars 2007.

  我想预订一个房间，定在 2007 年 3 月 27 日星期六。

- 在年、月、日齐全的表达方式中，en 会消失。如：

  Aujourd'hui, nous sommes le 20 octobre 2006.

  今天是 2006 年 10 月 20 日。

5. Conjugaison（动词变位）

1) accueillir

accueillir	
j'accueille	nous accueillons
tu accueilles	vous accueillez
il accueille	ils accueillent
elle accueille	elles accueillent

2) descendre

descendre	
je descends	nous descendons
tu descends	vous descendez
il descend	ils descendent
elle descend	elles descendent

3) entendre

entendre	
j'entends	nous entendons
tu entends	vous entendez
il entend	ils entendent
elle entend	elles entendent

4) finir

finir	
je finis	nous finissons
tu finis	vous finissez
il finit	ils finissent
elle finit	elles finissent

5) grandir

grandir	
je grandis	nous grandissons
tu grandis	vous grandissez
il grandit	ils grandissent
elle grandit	elles grandissent

6) pleuvoir

pleuvoir	
il pleut	

MOTS ET EXPRESSIONS 词汇与句型

1. finir

1) finir qch. 结束；完成；吃完

Je viens de finir mon travail. 我刚结束工作。

Nous devons le finir avant midi. 我们得在中午以前干完。

2) finir de faire qch. 结束、停止做某事

Ils ne finissent pas de chanter. 他们唱个没完。

La pluie ne finit pas de tomber 雨下个不停。

3) finir *v.i.* 完毕；告终；结束

Les cours finissent à midi. 课中午 12 点结束。

Cette autoroute finit à Beijing. 这条高速公路到北京为止。

4) finir par + 不定式：终于……；以……结束

Mes parents finissent par être d'accord. 我父母最终还是同意了。

Dans le film, ils finissent par se retrouver. 电影结局是他们大团圆。

5) C'est fini.〈口语〉好了，完了。

Voilà, c'est fini. 好了，搞完了。

Hélène, est-ce fini ? 埃莱娜，（搞）好了没有？

2. partir

1) partir 出发；动身

Il part de chez lui à huit heures du matin. 他早上 8 点从家走。

Le train part à midi. 火车中午 12 点发车。

2) partir pour + 地点：（动身）去……

Demain, il va partir pour Londres. 他明天动身去伦敦。

Quand partent-elles pour New York ? 她们什么时候去纽约?

3) partir faire qch. 动身去做某事

Les étudiants viennent de partir faire un stage. 学生们刚刚动身去实习了。

Nous partons accueillir nos amis à la gare. 我们出去到车站接朋友。

4) à partir de... 从（自）……起

À partir d'aujourd'hui, vous pouvez ne plus venir. 从今天起，您可以不用来了。

On peut le faire à partir de l'an prochain. 自明年起就可以这样做了。

3. descendre

1) descendre de... 从……下来

La vieille dame vient de descendre du premier étage. 那位老妇人刚从二楼下来。

Descends de là vite ! C'est dangereux ! 快从那儿下来！危险！

2) descendre à / chez... 投宿；下榻

Ce soir, ils descendent à l'hôtel. 今晚他们住旅馆。

Nous pouvons descendre chez des amis. 我们可以到朋友家借宿。

3) descendre à / dans / sur + 地点： 南下某地

En hiver, les saisonniers descendent sur la Côte d'Azur. 冬季，季节工南下蓝色海岸。

Vous voulez descendre dans le Midi ? 你们要去（法国）南方?

4) descendre dans la rue 上街（参加游行、庆祝等活动）

Tous descendent dans la rue pour la Coupe du Monde. 所有人都为世界杯上街庆祝。

Quoi ? Ils descendent de nouveau dans la rue ? 什么？他们又上街游行去了?

5) descendre 下降；落下；下垂

L'avion commence à descendre. 飞机开始下降。

La nuit descend petit à petit. 夜幕渐渐降临。

4. dire

1) dire bonjour / bonsoir / au revoir à qn 问候某人；向某人告别

Il vient nous dire au revoir. 他来跟我们告别。

N'oublie pas de dire bonjour à tes parents de ma part. 别忘了替我问候你父母。

2) dire qch. à qn 和某人说某事，告诉某人某事

Qu'est-ce que vous me dites ? Je n'entends pas bien. 您和我说什么？我听不清楚。

Il ne dira rien à ses parents, je pense. 我想他和父母什么都没讲。

3) dire à qn de faire qch. 让（要求）某人做某事

Le professeur dit aux élèves de finir leurs devoirs à temps.

老师要求学生按时完成作业。

Je vous dis de ne pas faire ça. 我跟你说别干这事儿。

4) dire 意思是……；意味着……

Qu'est-ce que ça veut dire ? 这是什么意思？

Cela veut dire que tu ne peux pas le faire. 这就意味着你不能这么做。

5) se dire（被）说；使用

Comment ça se dit en français ? 这（话）法语怎么说？

Non, ça ne se dit pas comme ça. 不，这话不是这么说的。

6) 与 dire 有关的常用短语

- à vrai dire（à dire vrai） 说真的
- c'est-à-dire（缩写为：c.-à-d.）也就是说；即
- pour tout dire 总（而言）之；一句话
- c'est difficile à dire 很难说清；不好说

5. pluie

1) des gouttes de pluie 雨点
2) une pluie fine 毛毛细雨
3) une pluie courte / brève 阵雨
4) un jour de pluie 雨天
5) La pluie tombe à seaux / à torrents / à verse. 大雨倾盆。大雨如注。
6) Après la pluie, le beau temps. 雨过天晴。苦尽甘来。
7) Petite pluie abat grand vent. 〈谚语〉小雨息大风。(喻正确的小办法能解决大问题)
8) parler / causer de la pluie et du beau temps 寒暄；闲扯

DES MOTS POUR LE DIRE 此事怎样说

Causette（闲谈）

1. Parler de la météo（谈论天气）

Questions : Quel temps fait-il ? 天气如何？

Que dit la météo ? 天气预报怎么讲？

Qu'est-ce que prévoit la météo ? 天气预报预计怎样？

Tu as vu la météo ?〈口语〉你看过天气预报吗？

Réponses : **Il fait** beau / mauvais / chaud / froid / frais / humide.
天气好 / 坏 / 热 / 冷 / 凉 / 潮湿。

Il y a de la pluie / une averse / un orage. 有雨 / 大雨 / 雷阵雨。

Il y a du vent / une tempête de sable. 有风 / 沙尘暴。

Le ciel est bleu / gris. 天晴 / 阴。

Le temps est magnifique / couvert / à la pluie. 天好极了 / 阴 / 要下雨。

Il va pleuvoir / neiger / geler. 将有雨 / 雪 / 结冰。

Il fait 28°C.（温度读作：vingt-huit degrés）

Il fait -10°C.（温度读作：moins dix）

Il fait un temps de chien / de cochon. 鬼天气（常指下雨等坏天气）。

On va avoir du beau temps.〈口语〉天儿会不错。

2. La ponctualité（守时）

Tu vas être en retard. 你要迟到了。

Il / Elle est en avance / en retard / à l'heure. 他 / 她提前到 / 迟到 / 准时到。

Soyez / Sois à l'heure ! 请（您 / 你）准时来（到）！

Il / Elle n'est jamais à l'heure. 他 / 她从未准时过。

Il / Elle est toujours ponctuel(le) au rendez-vous. 他 / 她一直准时赴约。

3. Formuler des souhaits（祝福语）

Quand on se quitte（分手时）：

Bonne journée. 一天愉快。

Bon après-midi. 下午愉快

Bonne soirée. 晚上愉快。

Amuse-toi bien ! 玩个痛快！

Bon week-end. 周末愉快。

Bonne fin de semaine. 周末愉快。

※ 下面三种说法仅用于关系紧密的家人和朋友之间：

Bonne nuit. 晚安。

Dors bien. 睡个好觉。

Fais de beaux rêves. 做个（些）好梦。

Leçon

UN PEU DE PHONÉTIQUE  练练语音

Le chat et le soleil	猫咪和太阳
Le chat ouvrit les yeux,	猫咪睁开了双眼，
Le soleil y entra.	太阳走进它眼睑。
Le chat ferma les yeux,	猫咪闭上了双眼，
Le soleil y resta.	太阳留在了里边。
Voilà pourquoi, le soir,	所以只要到夜晚，
Quand le chat se réveille,	当猫咪一觉醒转，
J'aperçois dans le noir	黑暗中就能望见，
Deux morceaux de soleil.	金色的太阳两点。

UN PEU DE CIVILISATION FRANÇAISE 法兰西文化点滴

Le tutoiement ou le vouvoiement 用“你”还是用“您”

用法语进行交际时，常常会碰到“你（tu）”或“您（vous）”的问题。实际上，法语中对“你”或“您”的使用并没有什么严格的界定。“你”或“您”的选择很多情况下是约定俗成的。那我们这里就只把这种约定做一个简单介绍。

1 下列情形下往往用“你”称呼：

- 父母子女间；
- 夫妻间；

- 兄弟姐妹间；
- 亲朋好友间；
- 同学、朋友和同事间（像学校、俱乐部、单位）；
- 老朋友之间，尤其是同性朋友间。

※ 注意：不论年纪相差多大，上述情况中都会用“你”！

2 而在下列情形中，往往以“您”称呼：

- 上下级之间；
- 彼此关系生疏者之间；
- 陌生人之间；
- 彼此互为工作关系时；
- 服务场所中。

要说明的是，随着社会语言环境的发展，用“你”来称呼他人的情况越来越多了。但应注意，切忌不论场合，和谁都是以“你”相称，这会让人觉得讲话人过于随便、没有分寸。小小的一个“tu”或“vous”也会反映出一个人的修养水平。那么，到底该怎样确定是应该使用“你”还是“您”呢？其实，除上述标准外，还有更简单的方法：对方用什么你就用什么。

Proverbe 谚语

Tout est bien qui finit bien.
善事必善终。好事不怕多磨。

EXERCICES 练习

I. Exercices d'audition

1. Écoutez les phrases suivantes et dites les dates que vous avez entendues.（听并说出听到的日期。）

Dialogue	les dates que vous avez entendues
1	
2	
3	
4	
5	
6	
7	
8	

2. Écoutez les phrases suivantes et dites ces jours de fête sont à quelle date.（听并说出这些节日在哪天。）

Dialogue	ces jours de fête sont à la date de
1	
2	
3	
4	
5	
6	
7	
8	

3. Écoutez les phrases suivantes et dites quel temps il fait.（听并说出是什么天气。）

Dialogue	le temps qu'il fait
1	
2	
3	
4	

续表

Dialogue	le temps qu'il fait
5	
6	
7	
8	

II. Exercices de dialogues

1. Questions sur le *Dialogue 1*.

1) Quel temps fait-il ce jour-là ?
2) Comment est le ciel ?
3) Va-t-il neiger ?
4) Quel mois sommes-nous ?
5) Quel temps fait-il en ce moment dans le Nord ?
6) Est-ce qu'il aime le vent ?
7) Dans le Sud, quel temps fait-il en ce moment ?
8) Vous aimez mieux le climat du Sud ou le climat du Nord ?

2. Questions sur le *Texte*.

1) Quand est-ce que l'hiver finit ?
2) Quand le printemps arrive-t-il ?
3) En quelle saison les arbres verdissent et fleurissent ?
4) Quelle saison commence le 22 juin ?
5) Quand commence l'automne ?
6) Les arbres jaunissent en été, n'est-ce pas ?
7) Quand les feuilles tombent-elles ?
8) Combien de saisons y a-t-il dans une année ?

3. Questions sur le *Dialogue 2*.

1) Quel jour sommes-nous, ce jour-là ?
2) Combien de cours ont-ils le mercredi ?
3) On est le combien ce jour-là ?
4) En quelle année sommes-nous ?
5) Savez-vous pourquoi il dit « merci » ?

4. Questions sur votre vie courante.

1) Quel jour sommes-nous aujourd'hui ?
2) En quelle saison sommes-nous ?

3) En quelle année sommes-nous ?
4) Quelle date sommes-nous ?
5) Quel mois sommes-nous ?
6) Comment est le climat chez vous ?
8) Quel temps fait-il chez vous en ce moment ?

5. Conjuguez les verbes suivants.

(*finir*)	nous	elles ....
(*partir*)	vous	ils ....
(*accueillir*)	je	nous ....
(*grandir*)	il	vous ....
(*descendre*)	tu	elle ....
(*pleuvoir*)	il	
(*geler*)	il	

6. Exercices structuraux.

1) Passé récent (passé immédiat) :

①
– Est-ce qu'il part ?
– Oui, il vient de partir.

Est-ce que Paul arrive ?
Est-ce que Marie et Catherine chantent ?
Est-ce que vous lisez le français ?
Est-ce que vous rentrez à l'Université ?
Est-ce que Luc et Fanny reviennent ?

②
– Pascal révise ses leçons, n'est-ce pas ?
– Oui, il vient de réviser ses leçons.

Fanny et Louis regardent la télévision, n'est-ce pas ?
Tu parles avec le professeur, n'est-ce pas ?
Ils rentrent à la maison, n'est-ce pas ?
Elle passe un examen, n'est-ce pas ?
Vous annoncez une grande nouvelle, n'est-ce pas ?

2) Sur la date / le jour / le mois / l'année / la saison :

Nous sommes vendredi.
Quel jour sommes-nous ?

Nous sommes le 19 novembre 2006.
Nous sommes en automne.
Nous sommes lundi.
Nous sommes au mois d'octobre.
Nous sommes en 2006.

3) Sur le temps :

– Quand fait-il chaud ?
– Il fait chaud en été.

Quand fait-il du vent ?
Quand fait-il froid ?
Quand gèle-t-il ?
Quand la bise vient-elle ?
Quand pleut-il ?
Quand neige-t-il ?
Quand les arbres fleurissent-ils ?
Quand les herbes jaunissent-elles ?

4) Mots et expressions :

① ne... ni... ni

– Fait-il chaud ou froid ?
– Il ne fait ni chaud ni froid.

Est-il grand ou petit ?
Ce texte est-il facile ou difficile ?
Comment est ce monsieur ? jeune ou vieux (老的) ?
Votre classe est-elle grande ou petite ?
Cette nouvelle est-elle vraie ou fausse ?
Comment trouvez-vous ce film ? intéressant ou ennuyeux ?

② C'est normal. Parce que...

– Il fait très froid aujourd'hui !
– C'est normal. Parce que c'est l'hiver.

Il pleut depuis deux jours déjà !
Il fait du vent.
Ce texte est trop difficile pour moi !
Tiens! les feuilles sont jaunes !
Il écrit beaucoup à ses parents !

③ avoir raison..., il faut...

– On va réviser les leçons, d'accord ?
– Tu as raison, il faut réviser les leçons.

Nous allons écouter l'enregistrement, d'accord ?
Paul va voir le professeur avec nous, d'accord ?
Nathalie et Fanny vont poser cette question, d'accord ?
Je veux faire ce travail, d'accord ?

④ arriver + 时间

– Quand Luc vient-il aujourd'hui ?
– Il arrive dans une heure, je crois.

Quand cet avion va-t-il arriver à Paris ?
Quand est-ce que son train arrive, tu le sais ?
À quelle heure le bus va-t-il arriver chez nous ?
À quelle heure est-ce que le directeur vient au bureau ?

⑤ que / comme + la proposition（句子）！

Il fait froid aujourd'hui.
Qu'il fait froid aujourd'hui !
Comme il fait froid aujourd'hui !

La ville de Paris est belle.
La Grande Muraille est magnifique.
Il fait chaud ici.
Ce petit garçon est intelligent（聪明的）.

⑥ retourner à / dans / chez

– Quand vas-tu rentrer chez toi, le Nouvel An ?
– Oui, je vais retourner chez moi le Nouvel An.
Non,mais je vais retourner chez moi à la fête du Printemps.

Quand ton colocataire va rentrer, la semaine prochaine ?
Quand est-ce que tes parents vont rentrer, le mois prochain ?
Ton voisin va revenir quand, l'an prochain ?
Quand est-ce que le directeur va revenir au bureau, à midi ?

7. Posez des questions sur les mots en italique.（就斜体部分提问。）

1) *En été*, à Shanghai, il pleut beaucoup.
2) Nous apprenons la leçon *Treize* aujourd'hui.
3) Nous sommes *mercredi*.
4) Paul et son frère sont dans la classe *A*.
5) Nous sommes *le 18 décembre*.
6) En été, *il fait très chaud* à Wuhan.
7) Nous regardons la télévision *le soir*.
8) Nous sommes *en octobre*.

8. Mettez les phrases suivantes en ordre.（给下列各句排序。）

1) vient de / à ses parents / une bonne nouvelle / annoncer / Lina
2) le Nord / en hiver / dans / il fait froid / de la Chine / très
3) bien marquées / les saisons / en général / chez nous / sont
4) petite / ni / notre / est / ni / classe / n' / grande
5) dans / natal / souvent / très / en automne / beau / mon pays / il fait

9. Lisez les dates suivantes.（朗读下列日期。）

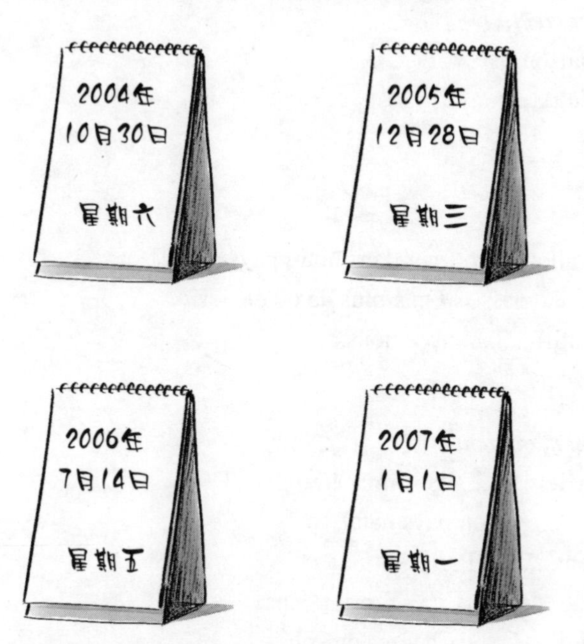

III. Exercices grammaticaux

1. Les articles.

（*Mettez un article ou un article contracté dans les blancs.*）

1) Le printemps est .... belle saison en Europe. Chez nous, c’est .... automne.

2) Merci beaucoup, nous avons passé .... bonne journée.

3) Il pleut souvent en automne à Paris. Je déteste .... pluie.

4) .... chef de .... classe A répond très bien à .... questions de .... journalistes.

5) À .... printemps, ... arbres verdissent.

6) Il écoute souvent .... nouvelles à .... radio le soir.

2. Les questions.

（*Posez des questions sur les mots soulignés.*）

1) Paul et Luc apprennent la langue chinoise à Paris.

2) En automne, il fait très beau dans le Nord de la Chine.

3) Il y a un bel hôtel près d’ici（附近）.

4) Le professeur vient de poser des questions sur le texte.

5) Marie va au magasin avec Isabelle.

6) Ils ont des cours le mercredi.

7) Tous les camarades sont très gentils.

8) Nous apprenons le français depuis 3 mois.

3. Les adjectifs.

(*Mettez les adjectifs à la forme correcte.*)

1) C'est une très (beau) .... maison.

2) Elle a une bien (joli)...robe (bleu) ....

3) Ces tapis sont (rouge) ....

4) Voilà un (nouveau) .... hôtel !

5) Cette chaise est (gris) ....

6) Le (nouveau) .... An, nous allons retourner dans notre pays (natal) ....

7) C'est vraiment une (grand) .... classe ! On a plus de 60 élèves.

8) Catherine est toujours très (gentil) .... avec nous.

4. Les prépositions.

(*Quelles sont les prépositions qui manquent ?* 缺少什么介词？)

1) Écrivez-vous souvent des courriels .... vos amis étrangers ?

2) C'est vrai, je pense beaucoup .... mon pays natal.

3) .... automne, pleut-il souvent .... Paris ?

4) Les hirondelles reviennent .... le Nord .... printemps.

5) D'habitude, je rentre .... moi .... six heures du soir.

6) Il neige rarement（稀少地）.......... hiver .... Marseille.

7) Nous prenons souvent le déjeuner .... restaurant .... côté.

8) Ce lac ne gèle pas .... hiver, c'est bizarre（古怪的）.

5. Les conjugaisons.

(*Mettez les verbes entre parenthèses au présent de l'indicatif.*)

Aujourd'hui, ce (être) .... samedi. On (ne pas avoir) .... de travail. Alors, que (faire) .... les étudiants pendant ce week-end ? Eh bien, certains（一些人）(aller) .... au cinéma, d'autres （另一些人）(se promener) .... dans le parc, d'autres enfin（还有一些人）(rentrer) .... chez eux pour voir leurs parents qui (habiter) .... en ville. Mais Lucie et Polo (vouloir) .... aller dans la nature（大自然）pour se reposer（休息）. Alors, ils (prendre) .... une voiture （开车）et (partir) ....

À la campagne, tout (être) .... très beau : partout les arbres (verdir) ...., les fleurs(fleurir) .... , des oiseaux（鸟儿）(chanter) .... et le temps (être) .... très ensoleillé.

Quand ils (retourner) .... en ville, il (faire) .... déjà nuit. Mais ils (être) .... très contents de cette excursion（游览）.

6. Les sujets.

(*Trouvez les sujets qui manquent.* 找出缺失的主语。)

1) Est-ce que .... mangez toujours au restaurant ?

2) .... révisons souvent nos leçons à la bibliothèque.
3) .... faut faire attention.
4) .... ne pleut pas beaucoup cet été.
5) .... peux venir demain.
6) Allez- .... souvent à la campagne ?
7) Qu'est-ce que .... dites ?
8) .... t'appelles comment ?

7. Le passé récent.

(*Mettez les phrases suivantes au passé récent.*)

1) Nous commençons à travailler.
2) Ils boivent un verre après le travail.
3) Nous mangeons dans un petit restaurant au coin de la rue.
4) Vous finissez ce boulot（活儿）?
5) Il fait une phrase en français.
6) Chez nous, en cette saison, les fleurs fleurissent partout.
7) Je prends le petit-déjeuner chez moi.
8) Elles partent sans rien dire.

8. Les conjugaisons et la traduction.

(*Conjuguez les verbes suivants et traduisez-les en chinois*. 变位并译成汉语。)

1) Est-ce que je (grossir) .... un peu ces derniers temps ?
2) Ah là là ! Mais tu (maigrir) .... beaucoup.
3) À ces mots, il (rougir) ....
4) Tiens ! Cet arbre (grandir) .... vite.
5) Le temps passe vite et nous (vieillir) .... tous.
6) Vos cheveux (blanchir) ....
7) En automne, les feuilles des arbres (jaunir) ....
8) Elles (finir) .... toujours leur travail à temps.

9. La traduction.

天气不好　此时此刻　天寒地冻　舒适宜人　故乡
温带地区　作物成熟　一年四季　法文课程　一节法语课　说对了
讨厌坏天气　顺便说一下　这是相同的　刮风下雨　等待春天回来

10. Le thème.

1) 北京春天经常刮风，但天气不冷。
2) 我喜欢下雨，但讨厌下雪。

3) 顺便问一下，你们家那边现在天气怎样？
4) 春季是一年中的第一个季节，是一年的开始。
5) — 你知道今天几号吗？
— 当然知道，四月一号。你看，已经是春天了。
— 是啊，冬天已经过去了， 春天终于回来了。
— 你看，今天天气多好。晴空万里，阳光灿烂。万木葱茏，鸟儿啁啾，鲜花盛开，春天真是太美了。

11. Expression écrite.

(*Décrivez un peu l'hiver avec les mots donnés.* 用给出的词汇写写冬天。)

il fait froid	il fait sombre
il fait souvent du vent	il neige
il gèle	tout est blanc
la température est basse	aimer / détester
la fête du Printemps（春节）	

IV. Exercices oraux

1. Les quatre saisons.

（*Vous présentez à vos camarades de classe le climat de votre pays, et chacun parle à son tour !* 向同学们介绍你家乡的气候，大家轮流讲。）

1) Au printemps, ...
2) En été, ...
3) En automne, ...
4) Et en hiver, ...

2. Pour ou contre ?

（*L'un aime l'été, l'autre préfère l'hiver. Qui a raison ? Alors, discutez-en !* 一个爱夏天，另一个喜欢冬天。谁说的对呢？讨论讨论看！）

3. Récitation.（背诵。）

Voyons qui peut réciter couramment:

1) les sept jours de la semaine
2) les douze mois de l'année
3) les quatre saisons

4. Commentez les images suivantes.

1. Les quatre saisons à Paris

– Comment est le climat à Paris ?

– En général, c'est très bien. Le printemps, c'est une belle saison. Les arbres reverdissent et les jardins publics sont fleuris.

– Et en été ?

– En été, il ne fait pas très chaud. Quelquefois, il y a des orages et des jours de pluie.

– En automne, il pleut beaucoup, paraît-il ?

– Oui, il pleut très souvent en automne à Paris. Moi, je déteste la pluie !

– Et en hiver, est-ce qu'il fait froid ?

– Non, il ne fait pas très froid. Cela dépend des années, quelquefois il fait très froid et il neige. Mais ça ne tient jamais longtemps !

2. Le temps d'aujourd'hui

Aujourd'hui, sur l'ensemble de la France, la météo est très contrastée.

Ce matin, sur l'Est de la France, le temps est gris. Le ciel est couvert de gros nuages. Un brouillard dense recouvre les Vosges et les Ardennes. La température ne dépasse pas les 10 degrés et la neige tombe au-dessus de 1 500 mètres.

Sur l'Ouest, la matinée s'annonce belle. Le temps risque de changer dans l'après-midi. Un orage menace même en Bretagne.

Dans le Centre et le Bassin parisien, par contre, la pluie tombe. Dans le reste de la France, surtout autour de la Méditerranée, le soleil brille et la température atteint 19 degrés.

Vocabulaire 词汇

annoncer(s') *v.pr.*	预示，显示
Ardennes *n.f.pl.*	阿登山脉（法国东部）
atteindre *v.t.*	达到
au-dessus de *loc.prép.*	在……之上
bassin *n.m.*	盆地
Bretagne *n.f.*	布列塔尼（地区）
briller *v.i.*	闪耀
brouillard *n.m.*	雾
changer *v.i.*	变化
Centre *n.m.*	法国中部地区
contrasté, e *a.*	成对比的，对照的
couvert, e *a.*	覆盖的，遮蔽的
degré *n.m.*	度
dense *a.*	浓密的
dépasser *v.t.*	超过
ensemble *n.m.*	全部；整体
gros, sse *a.*	厚的；肥的
Méditerranée *n.f.*	地中海
menacer *v.t.*	预示；要下雨（独立使用）
météo *n.f.*	天气预报
orage *n.m.*	暴风雨，雷雨
par contre *loc.adv.*	正相反
parisien, ne *a.*	巴黎的
recouvrir *v.t.*	覆盖
reste *n.m.*	剩余；其他部分
risquer de (+ 不定式)	有……的可能，有……的危险
Vosges *n.m.pl.*	孚日山脉（法国东部）

Leçon 15 Manger en France

Dialogue Au restaurant universitaire

(Il est midi. Li et son ami français sont dans le hall du restaurant universitaire près du Luxembourg, à Paris.)

– Dis donc, c'est ici le restaurant universitaire ?

– Oui, on dit aussi « resto U ». Dans la région parisienne, il y a 17 restaurants universitaires et 20 cafétérias du CROUS...[1]

– Le CROUS, qu'est-ce que c'est ?

– C'est le sigle du mot « Centre Régional des Œuvres Universitaires et Scolaires ».

– Oh, je vois maintenant.

– Et avec la carte d'étudiant, on peut acheter des tickets de repas et manger ici.

– C'est combien, un ticket ?

– Un repas complet coûte 2,50 euros seulement.[2] C'est bon et pas cher.[3]

– Alors, allons-y ![4]

(Les deux amis font d'abord la queue devant le guichet, puis ils achètent des tickets et entrent.)

– C'est surtout le libre-service ici. Là, tu prends un plateau, une cuillère et une fourchette. Et après, tu peux choisir.

– Avec un ticket, combien de plats peut-on prendre ?

– Un menu type, c'est-à-dire un hors-d'œuvre, un plat chaud, un fromage ou un dessert.

– Un plat chaud ? Qu'est-ce que ça veut dire ?

– Pour un plat chaud, il y a des légumes et de la viande.

– Ah ! C'est vraiment pas mal. Et tu prends quoi ?[5] Du poulet ou du bœuf ?

– Comme entrée, je prends du riz.

– Pardon, du riz ? Mais, en Chine, le riz est comme le pain pour les Français, ce n'est pas une entrée.

– Je sais, je sais, mais l'habitude est différente. D'accord ?

– Oui, tu as raison. Et comme plat chaud, que préfères-tu ?

– Je veux bien du bœuf. J'aime la viande. Et toi ?

– Moi aussi. Je n'aime pas beaucoup le poulet.

– Et qu'est-ce que tu choisis comme dessert ?

– Je ne prends jamais de dessert.[6] Je vais plutôt boire un café.

– O.K. Là-bas, près de la fenêtre, il y a de la place. On peut y avoir une belle vue sur la rue.

– C'est parfait ! Alors, on y va ![7]

Texte Les bons petits restaurants

Vous voulez bien manger et passer une soirée animée à Paris ? Eh bien c'est très simple. Les bons restaurants, ça ne manque pas !

Un bon bistrot ou un petit restaurant au coin d'une rue tranquille, avec des chaises en bois, dans un décor agréable et une ambiance de fête... Voilà un bon endroit pour déguster de bons petits plats ![8]

Bien situés dans les quartiers parisiens, ces bons petits restaurants sont très animés le soir. Les clients peuvent s'asseoir en terrasse et admirer les belles scènes de la rue...

Ah ! Vous êtes en train de manger ? Alors, bon appétit !

Vocabulaire 词汇

acheter *v.t.* 购买
admirer *v.t.* 欣赏；赞赏
ambiance *n.f.* 气氛；环境
animé, e *a.* 活跃的；热闹的
apéritif *n.m.* 开胃酒
appétit *n.m.* 胃口
Bon appétit ! [bɔnapeti] 祝你胃口好！吃好！
bistrot *n.m.* 小酒馆；饭馆
bœuf *n.m.* 牛肉
boire *v.t.* 喝
bois *n.m.* 木头
Ça sent bon. （这）味道很香。
cafétéria *n.f.* 企业快餐厅，食堂；咖啡厅
carte *n.f.* 证件；卡
centre *n.m.* 中心
choisir *v.t.* 挑选
client, e *n.* 客人，顾客
complet, ète *a.* 完整的
couteau (*pl.* couteaux) *n.m.* 刀
cuillère *n.f.* 勺子，汤匙
d'abord *loc.adv.* 首先
décor *n.m.* 装饰
déguster *v.t.* 品尝
dessert *n.m.* 餐后点心（甜食、水果等）
dis donc 喂（呼唤某人，或加强语气，表示不满、请求等）
en effet *loc.adv.* 确实
endroit *n.m.* 地方
entrée *n.f.* 头道菜
être en train de (+ *inf.*) 正在做某事
formidable *a.* 好极了的
fourchette *n.f.* 叉子
fromage *n.m.* 奶酪
goûter *v.t.* 品尝
guichet *n.m.* 窗口
habitude *n.f.* 习惯
*hall [o:l] *n.m.* 大厅；前厅
*hors-d'œuvre *n.m.inv.* （主菜前的）冷盆
jamais *adv.* 曾经
ne... jamais 从未；永不
légume *n.m.* 蔬菜

libre-service *n.m.*	自助	queue *n.f.*	（行列、列车等的）末尾，后部
manquer *v.i.*	缺少	faire la queue	排队
me *pron.pers.*	我（间宾人称代词）	régional, e, aux *a.*	地区的
menu *n.m.*	菜单	repas *n.m.*	饮食；餐
menu type	套餐	resto U *n.m.*	大学食堂
œuvre *n.f.*	工作；事业	riz *n.m.*	米饭
ouvrir *v.t.*	开，打开，启开	sans *prép.*	无，没有
parfait, e *a.*	完美的；好极了	scène *n.f.*	景致
parisien, ne *a.*	巴黎的	scolaire *a.*	学校的
passer *v.t.*	度过	sentir *v.i.*	散发气味
place *n.f.*	位置	sigle *n.m.*	首字母缩略词
plat *n.m.*	菜（肴）	simple *a.*	简单的
plateau *n.m.*	托盘；高原	situé, e *a.*	位于，坐落在
plutôt *adv.*	宁愿；还不如	surtout *adv.*	特别，尤其
poulet *n.m.*	鸡肉	terrasse *n.f.*	露天座位
préférer *v.t.*	更喜欢	ticket *n.m.*	票，券
prendre *v.t.*	拿；吃；喝	tranquille ［trɑ̃kil］ *a.*	安静的，安宁的
puis *adv.*	然后，随后	viande *n.f.*	肉（类）
quartier *n.m.*	区，地区，居住区	voir *v.t.*	懂得，明白

Expressions de classe 课堂用语

Qu'est-ce que ça veut dire ? 这是什么意思？
Comment ça s'écrit ? 这怎么写？
Comment ça s'épelle ? 这怎么拼写？
Quelle est la faute ? 什么错了（错在哪了）？

Calculons 计算

La soustraction（减法）

1 – 1 = 0	Un moins un égale（égalent / font）zéro.
5 – 3 = 2	Cinq moins trois égale（égalent / font）deux.
73 – 46 = 27	Soixante-treize moins quarante-six égale（égalent / font）vingt-sept.

Notes 注释

1. Tu sais, dans la région parisienne, il y a en tout 17 restaurants universitaires et 20 cafétérias du CROUS... 你知道，巴黎地区共有地区大学服务中心的 17 家大学食堂和 20 家大学快餐厅。

Le CROUS 是 Centre Régional des Œuvres Universitaires et Scolaires（地区大学服务中心）的缩略语，主要为就读于法国的 200 多万符合条件的学生提供食宿服务。

2. *Un repas complet* coûte 2,50 euros seulement. 一顿正餐只需 2.5 欧元。

un repas complet“正餐”的含义与 un menu type“套餐”的含义相差无几，正餐包括主菜前的冷盆，主菜（肉加蔬菜或鱼）、奶酪、水果、冰激淋或甜点。另外，大学食堂的面包和白水是免费的，主菜或饮料须付费。

3. C'est *bon* et *pas* cher. 这里既好吃也不贵。

1) 形容词 bon 指餐馆烹制的饮食美味。（※ 参见本课“词汇与句型”）

2) pas cher 是省略句，常见于口语。完整的句子是：Ce n'est pas cher.

4. Alors, *allons-y*！那咱们进去吧！

1) allons 是 aller 第一人称复数的肯定命令式形式。（※ 参见本课语法 3）

2) 此处 y 是副代词，用来代替已经提到或彼此都清楚的某个地点。在本句中代替的是 resto U 。（※ 参见本课注释 7）

5. Et *tu prends quoi*？那你来点儿什么？

prendre 与不同的名词组合可以产生不同的含义。此处即可指“吃”也可指“买”。

6. Je *ne* prends *jamais* de dessert. 我从不吃甜点。

否定副词 ne... jamais 可用于指过去或将来，意思是“从不；永不”。如：

Il ne se couche jamais avant minuit. 他从未在夜里 12 点前睡过。

Je ne l'ai jamais oublié. 此事（此人）我从没忘记过。

Je ne l'oublierai jamais. 此事（此人）我将永远不会忘记。

7. Alors, *on y va*？那咱们就过去吧？

on y va 在口语中被广泛使用。与 allons-y 所表达的含义相同。on y va 既可以表示疑问也可表示命令：

1) y 替代已提到过或彼此都清楚的那个地方。如：

Il y a un bon film ce soir. On y va ?（y 代替影院）

2) y 指彼此都明白的那件事情。如：

C'est l'heure. On y va. 到点了。那咱们就开始吧。（指工作、上课等）

Le bus arrive. Alors, on y va ? 车到了。咱们是不是上车（走）啊？

Vous avez faim ? On y va alors. 你们饿了吧。那就（开始）吃吧。

8. Voilà un bon endroit pour déguster *de* bons petits plats ! 这可是个品尝美味小菜的好地方。

不定冠词复数 des 在形容词前要改为 de。如：

des + belles fleurs → de belles fleurs

des + vieux amis → de vieux amis

Vocabulaire complémentaire 补充词汇

aigre *a.* 酸的
amer, ère *a.* 苦的
beurre *n.m.* 黄油
Ça sent mauvais. 不好闻，味道臭
déjeuner *n.m.* 午饭（餐）
délicieux, se *a.* 美味的
dîner *n.m.* 晚饭（餐）
doux, ce *a.* 微甜的
　aigre-doux, ce *a.* 酸甜的
exquis, e *a.* 美味可口的
huile *n.f.* 油
huile de sésame 香油
moutarde *n.f.* （调味用的）芥末
piment *n.m.* 辣椒
salade *n.f.* 色拉
salé, e *a.* 咸的
sauce *n.f.* 调味汁
　sauce de soja 酱油
sel *n.m.* 盐
sucré, e *a.* 甜的
vinaigre *n.m.* 醋

1. 部分冠词 (Article partitif)

1) 部分冠词词形

	Masculin	Féminin
Singulier	du / de l'	de la / de l'
Pluriel	des	des

2) 部分冠词的意义

与定冠词、不定冠词所表示的确指或非确指的概念不同，部分冠词是专门用来表示“部分或不可数”这种不确定概念的冠词。“partitif”（部分词）一词顾名思义，就是指从其总体中“提取”了一部分，表达的是“部分使用”的概念。

3) 部分冠词的用法

部分冠词用在不可数名词前，通常包括以下几类名词：

① 不可数的具体名词（包括转化为不可数名词的可数名词）：

Voici **du** vin et voilà **de l'**alcool. 这是葡萄酒，那是烈酒。

Ne t'inquiète pas, j'ai **de l'**argent. 放心吧，我有钱。

Tu veux **du** bœuf ou **du** mouton ? 你来点儿牛肉还是羊肉？

转化词：un bœuf 一头牛→ du bœuf 牛肉

un mouton 一只羊→ du mouton 羊肉

② 抽象名词（包括引申为抽象名词的可数名词）。

Du courage ! On arrive bientôt. 勇敢点！马上就到了。

Tu as vraiment **de la** chance. 你可真有运气。

③ 自然现象名词：

Il y a **de la** neige partout. 到处银装素裹。

Il fait **du** soleil. 阳光明媚。晴空万里。

④ faire 后接的科学、艺术、体育等名词：

Faites-vous souvent **du** sport ? 你们常运动吗？

Sa copine fait **du** cinéma actuellement. 他的女友目前在拍电影。

⑤ 名人专有名词：

Vous lisez aussi **du** Jin Yong ? 你也读金庸的小说？

Dans ce roman, on sent **du** Balzac. 能在这部小说中感受到巴尔扎克的风格。

※ 请注意比较下列各句中所用冠词的不同含义：

J'ai pris **du** pain. 我吃了些面包。（du = 一部分面包）

J'ai pris **un** pain. 我吃了个面包。（un = 一整个面包）

J'ai pris **le** pain. 我把（那个）面包都吃了。（le = 大家都知道的那个面包）

4) 部分冠词的使用应注意：

① 部分冠词与其他冠词一样，在数量副词和数量名词后面要省略：

Combien de bœuf voulez-vous ? 您要多少牛肉？

Vous voulez encore **un peu de** fromage ? 您还想再来点儿奶酪吗？

② 在否定句中，如果部分冠词作直接宾语，要改为 de（※ 参见第 13 课语法 4）：

Il ne boit plus **de** vin. 他不喝酒了。

Catherine n'a pas **d'**appétit. 卡特琳娜没有胃口。

③ 注意不要把部分冠词与缩合冠词混同起来：

Nous prenons **du** thé. 我们在喝茶。（部分冠词）

Nous parlons **du** thé. 我们在聊茶。（缩合冠词）

④ 当句中名词表示总体概念或确指时，要使用定冠词或其他限定词，不用部分冠词：

J'aime bien **les** légumes verts. 我喜欢蔬菜。（总体概念，指各种蔬菜）

Je n'aime pas beaucoup **la** viande. 我不太喜欢（吃）肉。（总体概念，指肉类）

Passe-moi **ce** pain, merci. 把这个面包给我，谢谢。（确指）

Mon café est un peu chaud. 我的咖啡有点儿烫。（确指）

2. 副代词 en (Pronom adverbial *en*)

1) 法语共有两个副代词：en 和 y 。

副代词有别于其他功能单一的代词：它既可以起副词的作用，亦可作为代词使用。

2) 副代词 en 的用法

副代词的使用是为了使句子的表述简洁，避免重复。

副代词 en 主要用来替代 “de + 名词 ”。可以指人、物或概念，还可代替地点、原因、方式等状语。

3) 副代词 en 的位置

除肯定命令式外，副代词通常置于动词前。

① en 的代词作用

a. 用作基数词、数量副词或 plusieurs 的补语，如：

– Combien d’étudiants y a-t-il dans votre classe ? 你们班有多少学生?

– Il y **en** a seize.（有）16 个。(en = étudiants)

– Est-ce qu’il a des amis ici ? 他这里有朋友吗?

– Oui, il **en** a beaucoup. 有，他朋友多着呢。(en = d’amis)

b. 作名词或泛指代词的补语，如：

Ce plat est délicieux. J’**en** connais la recette. 这道菜可口极了。我知道它的做法。(en = de ce plat)

Tu veux des logiciels ? Mais j’**en** ai quelques-uns. 你想要软件？我有几套。(en = quelques-uns de ces logiciels)

c. 用作直接宾语，代替不定冠词或部分冠词 + 名词，如：

– Avez-vous **des** questions ? 你们有问题吗?

– Oui, nous **en** avons. 是的，我们有。(en = des questions)

– Y a-t-il **du** café ici ? 这儿有咖啡吗?

– Oui, je viens d’**en** faire. 有，我刚做的。(en = du café)

※ en 作直接宾语代替 “ 不定冠词 un / une + 名词 ” 时须注意两点：

- 肯定句中要保留不定冠词 un 或 une ：

  – Prend-il un thé tout à l’heure ? 他刚才喝了杯茶?

  – Oui, il **en** prend **un**. 对，他喝了一杯。

  – Veut-elle une pomme ? 她是不是想要个苹果?

  – Oui, elle **en** veut **une**. 是的，她想要一个。

- 否定句中则无须保留：

  – Prend-il un thé tout à l’heure ? 他刚才喝了杯茶?

  – Non, il n’**en** prend pas. 没有，他不喝。

  – Veut-elle une pomme ? 她是不是想要个苹果?

  – Non, elle n’**en** veut pas. 不是，她不想要。

d. 用作间接宾语，代替动词或动词短语后以 de 引导的间接宾语补语：

– Vous parlez de la cuisine française ? 你们在聊法国烹饪?

– Oui, nous **en** parlons. 对，我们正聊着呢。(en = de la cuisine française)

– Puis-je vous posez une question ? 我能否问您个问题?

– Allez-y, je vous **en** prie. 请提吧，别客气。(en = de poser la question)

※ 请注意：en 用作间接宾语时往往替代的是"de + 事物名词"。但如果动词后用作补语的间接宾语是指人的名词，那么就不能再使用副代词 en，而应改用"de + 重读人称代词"的结构！如：

– De qui parlez-vous ? de moi ? 你们在说谁？说我吗?

– Oui, nous parlons **de vous**. 是的，我们在说您。

– Avez-vous encore besoin de Polo ? 你们还需要波洛吗?

– Non, nous n'avons plus besoin **de lui**. 不，我们不再需要他了。

e. 作形容词补语：

La cuisine au resto U est pas mal, tout le monde **en** est satisfait.

大学食堂的伙食不错，大家都很满意。(en = de la cuisine)

– Êtes-vous contents de votre vie à l'université ? 你们喜欢大学生活吗?

– Oui, nous **en** sommes très contents. 是的，我们喜欢。(en = de notre vie)

② en 的副词作用

作地点状语：

– Vient-il de Shanghai ? 他从上海来的吗?

– Oui, il **en** vient. 对，他是从那儿来的。(en = de Shanghai)

– Cet avion arrive de Russie ? 这架飞机是从俄罗斯飞来的吗?

– C'est ça, il **en** arrive. 是这样，是从那儿飞来的。(en = de Russie)

3. 命令式 (Impératif)

1) 命令式的概念

法语动词命令式是用来表达主观愿望的语式。命令式可以表示命令、禁止、劝告、邀请、愿望、请求、建议、祈祷或鼓励等概念。

2) 命令式的特点

- 法语中，只有第一人称复数和第二人称单、复数这三个人称有命令式。
- 绝大多数命令式使用命令式现在时，个别使用命令式过去时。
- 少数动词没有命令式，如 pouvoir, falloir, valoir, pleuvoir, neiger 等。

3) 命令式现在时的构成

① 去掉相关动词直陈式现在时第一人称复数和第二人称单、复数的主语人称代词，即构成该动词的命令式。

② 代动词命令式的构成与上述规则相同，但要保留自反人称代词！在肯定形式命令式中，自反人称代词加连字符并后置，第二人称单数 **te** 要改为 **toi**！

表 1 第一、二、三组动词的命令式

表 1	parler（1er groupe）	finir（2e groupe）	partir（3e groupe）
肯定形式	parle （但：parles-en !） parlons parlez	finis finissons finissez	pars partons partez
否定形式	ne parle pas ne parlons pas ne parlez pas	ne finis pas ne finissons pas ne finissez pas	ne pars pas ne partons pas ne partez pas

表 2 动词 aller, avoir, être 的命令形式（※ avoir 和 être 的命令式特殊）

表 2	aller	avoir	être
肯定形式	va （但：vas-y !） allons allez	aie ayons ayez	sois soyons soyez
否定形式	ne va pas n'allons pas n'allez pas	n'aie pas n'ayons pas n'ayez pas	ne sois pas ne soyons pas ne soyez pas

表 3 代词式动词的命令形式（※ 动词 s'asseoir 有两种变位形式，参见本课语法 6）

表 3	se lever	s'asseoir（有两种命令形式）	
肯定式	lève-toi levons-nous levez-vous	assois-toi assoyons-nous assoyez-vous	assieds-toi asseyons-nous asseyez-vous
否定式	ne te lève pas ne nous levons pas ne vous levez pas	ne t'assois pas ne nous assoyons pas ne vous assoyez pas	ne t'assieds pas ne nous asseyons pas ne vous asseyez pas

※ 注意：

1) 命令式中，第一组规则动词的第二人称单数要去掉词尾的 **s**！
2) 动词 aller 在命令式中也要去掉词尾的 **s**！
3) 但在肯定命令形式中，如果第二人称单数后接有副代词 en 或 y，那么为了发音的关系，要恢复字母 **s** 并联诵。如上表中的“Va**s-y** !”、“Parle**s-en** !”
4) 否定命令式时，ne 与后接动词或副代词有省音问题。如：

N'écoute pas cet homme！别信这人的话！

N'en parle plus！你别再说这事儿了！

N'y va jamais！永远别去那儿！

4) 命令式的用法

命令式只能用于独立句或主句，不能用于从句。

① 肯定形式的命令句

On frappe à la porte. **Va** ouvrir！有人敲门。去开门！

Attendez un instant, s'il vous plaît！请（您）稍候！

Levons-nous！起立！

※ 命令式中主语人称的概念是通过动词变位词尾（字面无主语人称代词）来体现的。如果谓语是系动词，那么后接的表语（往往是形容词）应与主语的性、数相一致。如：

Soyons gentils！咱们热情点儿！（主语为复数）

Sois contente！（你）高兴点儿！（主语为阴性单数）

② 否定形式的命令句

Ne mange pas trop vite, prends ton temps！（你）别吃得太快，慢慢来！

Silence！**Ne faites pas** de bruit！安静！别出声！

Ne te couche pas maintenant！Veux-tu？你先别睡！好吗？

4. Conjugaison（动词变位）

1) acheter

acheter	
j'achète	nous achetons
tu achètes	vous achetez
il achète	ils achètent
elle achète	elles achètent

2) s'asseoir

s'asseoir（第一种变位法）	
je m'assois	nous nous assoyons
tu t'assois	vous vous assoyez
il s'assoit	ils s'assoient
elle s'assoit	elles s'assoient
s'asseoir（第二种变位法）	
je m'assieds	nous nous asseyons
tu t'assieds	vous vous asseyez
il s'assied	ils s'asseyent
elle s'assied	elles s'asseyent

※ 法语中极个别动词有两种变位方式，s'asseoir 为其中之一。

※ s'asseoir 不定式中有一古法语留下的字母 e；
但在直陈式现在时的第一种变位中没有！

※ s'asseoir 的命令式也有两种。

※ s'asseoir 的第二种变位使用频率更高。

3) boire

boire	
je bois	nous buvons
tu bois	vous buvez
il boit	ils boivent
elle boit	elles boivent

4) choisir

choisir	
je choisis	nous choisissons
tu choisis	vous choisissez
il choisit	ils choisissent
elle choisit	elles choisissent

5) ouvrir

ouvrir	
j'ouvre	nous ouvrons
tu ouvres	vous ouvrez
il ouvre	ils ouvrent
elle ouvre	elles ouvrent

MOTS ET EXPRESSIONS 词汇与句型

1. sous

1) 在……下面

Vous pouvez le mettre sous la table. 您可以把它放在桌下。

Ils se reposent sous un arbre. 他们在一棵树下休息。

2) 在……时期 / 时代

sous la dynastie des Tang / Song / Yuan / Ming / Qing 在唐 / 宋 / 元 / 明 / 清朝

2. connaître / savoir

connaître 与 savoir 是近义词，两者均有“知道、懂得”的含义。虽然两者有时可以通用，但它们之间的隐含意义和词义强弱存有细微的差别。如：

1) Je connais le français.
Je sais le français. } 我懂（会）法语。（两者之间可以通用）

2) Je connais cet homme. 我认识这人。（了解）
Je sais cet homme. 我知道这人。（仅限于知道，并不了解）

3) Très heureux de vous connaître. 很高兴认识您。
但一般不说 Très heureux de vous savoir !

4) Je connais Paris. 我来（去）过巴黎。
Paris, je sais. 巴黎，我知道。（仅限于知道）

5) Oui, je sais, je sais... 好的，我知道了，知道了……
但一般不说 Oui, je connais, je connais...!

6) Je connais ce texte. 我读过这篇文章。
Je sais ce texte. 这篇文章我已烂熟于胸。（程度更深）

3. aller

动词 aller 在口语中使用广泛。仅举几例：

Allez ! Ça suffit ! 行了！够了！
Vas-y ! Allons-y ! Allez-y ! 开始吧！走吧！干吧！动手吧！加油！
Allons, courage ! 来吧！勇敢点儿！
Lui ? Allons donc ! 就他？算了吧！

4. prendre

动词 prendre 与不同的名词组合，可以产生不同的含义。

1) 拿，取，携带
Il prend sa valise à la main. 他手里提着行李。
Prenez un parapluie, il va pleuvoir. 带上把伞，要下雨了。

2) 搭乘交通工具
prendre un autobus 乘公车　prendre son vélo 骑自行车　prendre sa voiture 开车
prendre l'avion 乘飞机　prendre le train 乘火车　prendre le bateau 乘船

3) 吃，喝，服用
prendre le petit-déjeuner / déjeuner / dîner 吃早 / 中 / 晚饭
prendre un café 喝杯咖啡　prendre de la salade 吃些沙拉菜
prendre du lait 喝牛奶　prendre des médicaments 服些药

4) 购买
prendre un journal au kiosque 去报亭买份报
Ce guide peut t'aider, prends-le. 这本指南对你有用，（把它）买了吧。

5) 洗澡
prendre un bain 盆浴　prendre une douche 淋浴

6) 记录，拍摄
prendre des notes 作笔记　prendre une photo de toute la famille 拍张全家福

5. quoi

quoi 属不变疑问代词，没有性、数的变化，仅用来指物。

1) 用在直接疑问句中。如：

Vous dites quoi ? 您说什么？

Quoi de neuf / nouveau ? 有什么新鲜事儿（新闻）？

À quoi penses-tu ? 你想什么呢？

2) 用在间接疑问句中。如：

Personne ne sait de quoi il parle. 没人知道他在说什么。

On ne sait pas quoi faire.〈口语〉大家不知干啥好。

3) 在省略用法中。例如：

Quoi ? Je n'entends pas bien. 什么？我听不清楚。

Quoi ! tu pars déjà ? 怎么！你现在就要走？（表示感叹）

6. bon

常用形容词 bon 的含义丰富。

Ah bon ?! 真的 ?!

Bon, bon, on verra. 好吧，好吧，咱们走着瞧。

un bon restaurant 一家正宗的饭馆

un bon mot 风趣的话（玩笑话）

les bonnes vacances 美好的假期

deux bonnes heures 整整两个钟头

Bon ben... 那个……（表示犹豫）

un bon film 一部好影片

un bon conseil 忠告

un bon endroit 理想的地方

un bon choix 正确的选择

du bon travail（干得）漂亮的活儿

DES MOTS POUR LE DIRE
此事怎样说

À propos de la cuisine（关于餐饮）

1. Demander une appréciation à propos de cuisine（征求对饭菜的意见）

Ça vous / te plaît ? 这让您 / 你满意吗？

Vous aimez / Tu aimes ça ? 您 / 你喜欢（爱吃）吗？

Les plats sont bons ? 菜好吃吗？

Comment trouvez-vous la cuisine ? 您觉得饭菜做得如何？

2. Répondre à une demande d'appréciation（回复）

1) Appréciation positive（正面的评价）:

Oui, ça me / nous plaît beaucoup. 是的，我（们）非常满意。

Oui, très bon / c'est extra / c'est un délice / je me régale.

是的，非常喜欢（吃）/ 好吃极了 / 乐在其中 / 美餐一顿。

Je trouve ça appétissant / bon / délicieux / excellent / savoureux.

我觉得这个令人胃口大开 / 好吃 / 味道鲜美 / 太好吃了 / 美味可口。

Oh oui ! Ils sont extraordinnaires / fameux / vachement bons / exquis.

好吃！菜不一般 / 做绝了 / 倍儿香 / 简直是美味佳肴。

※ vachement 属口语范畴；exquis, e 属雅语。

2) Appréciation nuancée（微妙的评价）:

Ce n'est pas mal. 这个不错。

Le goût est bizarre mais pas désagréable. 味儿有点怪，但不难吃。

Je ne m'y habitue pas encore. 我还有点不习惯 / 吃不惯。

Le goût est un peu spécial. 味道有点特别。

3) Appréciation négative（负面的评价）:

Ça ne me / nous plaît pas beaucoup. 我（们）不太满意。

Non, je n'aime pas beaucoup. 不太喜欢。

C'est un peu gras / lourd. 有些油腻了（油大了）。

Le goût est bizarre. 味道怪怪的。

Les plats sont un peu / assez / trop salés / pimentés / sucrés / cuits.

菜做的有点 / 些 / 太咸 / 辣 / 甜 / 老了。

Je n'aime pas du tout... / je déteste... / j'ai horreur de ... 我最不喜欢 / 恨 / 讨厌……

3. À table （就餐）

mettre / dresser la table（餐前）布置 / 摆放餐桌

mettre les couverts（饭前）摆放餐具

réserver une table dans un restaurant 餐馆预定座位（定张餐桌）

réserver deux couverts par téléphone 电话预定两个座位（定两人用餐的餐具）

commander un plat / le plat du jour 点菜 / 当日特价菜

se mettre à table 入席 / 就座

À table ! 请入席 / 开饭了！

être à table 正在吃饭 / 用餐

débarrasser / desservir la table（饭后）收拾餐具 / 桌子

faire la vaisselle 洗刷餐具 / 刷盘子洗碗

UN PEU DE PHONÉTIQUE 练练语音

Les fêtes	节　日
Fête aux fous *Dis-moi tout*	小丑节 一切告诉我
Fête aux sages *Dis ton âge*	圣贤节 年龄你得说
Fête aux chiens *Ne dis rien*	混人节 要保持沉默
La fête est chez les cigales *Ça prend feu sous les étoiles.*	享乐者们把节过 花天酒地一夜笙歌

UN PEU DE CIVILISATION FRANÇAISE 法兰西文化点滴

Les repas des Français 法国人的一日三餐

法国人之爱吃闻名遐迩。法式大餐与中国烹饪齐名，蜚声全球。像蜗牛、牡蛎、龙虾以及各种法国大菜不胜枚举。但法国人平时的一日三餐却并不复杂：

- 早餐：咖啡、牛奶、面包、羊角面包、黄油和果酱。
- 午餐：餐厅或餐馆里的一顿快速正餐，有蔬菜、肉或鱼、葡萄酒和咖啡、茶。外省村镇的午餐则因体力劳动而较为丰富：有肉、鱼、菜等等。
- 晚餐：一天之中最精心的一顿饭：有蔬菜、肉或鱼、葡萄酒、奶酪、水果和甜点等等。全家围桌共进，谈天说地，其乐融融。顺便说一下：法国人的晚餐要比我们晚得多，通常要到晚上8点以后才会开始。

Leçon

有人闲暇之余专门对法国人钟情的吃食做过调查，结果如下：

1 法国人最爱吃的六种菜 (les six plats préférés des Français)：

- 煎牛排 (STEAK-FRITES) 喜爱人数：42%
- 鳎鱼 (SOLE) 喜爱人数：15%
- 红酒洋葱炖牛肉 (BŒUF BOURGUIGNON) 喜爱人数：14%
- 古斯古斯（一种阿拉伯饭食）(COUSCOUS) 喜爱人数：13%
- 鸭脯烧肉 (MAGRET DE CANARD) 喜爱人数：12%
- 芥末蛋黄酱拌生牛肉末 (STEAK TARTARE) 喜爱人数：3%

2 法国人爱吃的甜点 (les desserts)：

- 水果 (FRUITS) 喜爱人数：43%
- 奶油水果馅儿饼 (TARTES) 喜爱人数：18%
- 冰激凌 (GLACES) 喜爱人数：17%
- 蛋糕 (GÂTEAUX) 喜爱人数：12%

3 法国人爱喝的饮料 (les boissons)：

- 水 (EAU) 喜爱人数：49%
- 红酒 (VIN ROUGE) 喜爱人数：16%
- 加气饮料 (BOISSONS GAZEUSES) 喜爱人数：13%
- 啤酒 (BIÈRE) 喜爱人数：10%
- 牛奶 (LAIT) 喜爱人数：12%
- 苹果酒 (CIDRE) 喜爱人数：12%
- 白葡萄酒 (VIN BLANC) 喜爱人数：12%

Proverbe 谚语

L'appétit vient en mangeant.
越吃越想吃。胃口越吃越大。

I. Exercices d'audition

1. Écoutez et dites si la personne aime ou n'aime pas.（听并说出他喜欢还是不喜欢。）

Dialogue	la personne aime	la personne n'aime pas
1		
2		
3		
4		
5		
6		
7		
8		

2. Écoutez les messages laissés sur le répondeur téléphonique et dites si l'appel est familial, amical ou professionnel.（听并说出留言的是家人、朋友还是同事。）

Message	familial	amical	professionnel
1			
2			
3			
4			
5			
6			
7			
8			

3. Écoutez encore une fois l'enregistrement ci-dessus et dites quand est fixé le rendez-vous.（再听一遍电话录音，并说出见面或约会定在何时。）

Message	le jour	la date	l'heure
1			
2			
3			
4			
5			

续表

Message	le jour	la date	l'heure
6			
7			
8			

II. Exercices de dialogues

1. Questions sur le *Dialogue*.

1) Quelle heure est-il maintenant ?
2) Où sommes-nous maintenant ?
3) Combien coûte un repas au resto U ?
4) Un menu type, c'est quoi ?
5) Que prennent-ils à midi ?
6) Que choisit-il comme dessert ?
7) Où est-ce qu'ils vont s'asseoir ?
8) Pourquoi ils vont là-bas ?

2. Questions sur le *Texte*.

1) Est-ce facile de trouver un restaurant à Paris ?
2) Où sont situés ces petits restaurants ?
3) Comment sont-ils en général ?
4) À quel moment de la journée sont-ils animés ?
5) Pourquoi ne sont-ils pas aussi animés à midi ?
6) Où les clients peuvent-ils s'asseoir ?
7) Qu'est-ce que c'est qu'une terrasse ?
8) Pour quelle raison les clients aiment-ils s'installer（安顿）en terrasse ?

3. Quelques questions pour vous.

1) Faites-vous la cuisine chez vous ?
2) Sinon, qui fait la cuisine ?
3) Qu'est-ce que vous aimez manger comme plats ?
4) Est-ce que vous buvez de temps en temps（有时，偶尔）?
5) Vous prenez quoi à midi à la cantine（食堂）de l'université ?
6) Comment trouvez-vous la cuisine de votre resto U ?
7) Est-ce que votre cantine est chère ?
8) Aimez-vous la cuisine européenne ou la cuisine chinoise ? Et pourquoi ?

4. Conjuguez les verbes suivants.

(devoir) nous .... elles ....
(ouvrir) vous .... ils ....

(voir)	je	nous ....
(acheter)	il	vous ....
(choisir)	tu	elle ....
(s'asseoir)	il	nous ....

5. Donnez les deux formes de l'impératif des verbes suivants.（给出两种命令形式。）

verbe	forme	tu	nous	vous
ouvrir	*affirmatif*			
	négatif			
voir	*affirmatif*			
	négatif			
acheter	*affirmatif*			
	négatif			
choisir	*affirmatif*			
	négatif			
s'asseoir	*affirmatif*			
	négatif			

6. Exercices structuraux.

1) Partitifs : *du, de la, de l', des*

①

– Qu'est-ce que vous prenez, du pain ?
– Oui, je prends du pain, je préfère le pain.

riz viande bœuf dessert
eau légumes café thé

②

– Est-ce que vous avez du pain ?
– Non, nous n'avons pas de pain. Mais nous avons du riz.

vin / eau légumes / viande porc / bœuf
poulet / poisson carottes / choux café / thé

③

– Y a-t-il encore du riz ?
– Non, il n'y a plus de riz. Mais il y a encore du pain !

porc / bœuf vin / eau légumes / viande
café / thé poulet / œufs choux / carottes

2) Pronom adverbial : *en*

①

– Est-ce que tu prends du poisson ?
– Oui, j'en prends.

viande café choux légumes
bœuf salade fromage poulet

②

– Avez-vous des dictionnaires ?
– *Oui, nous en avons.*

– Combien en avez-vous ?
– *Nous en avons six.*

frères	questions	stylos	parents（亲属）
amis	cours	cadeaux	cravates（领带）

③

– D'où est-ce qu'il vient, de Beijing ?
– *Oui, il en vient.*
Non, il vient de Shanghai.

D'où arrive ce train, de Marseille ?
Il vient d'où, ce camion ? de Nice ?
Vous venez d'où, du Canada ?
D'où viennent ces touristes（游客）? de l'Europe（欧洲）?

④

– C'est du sucre, n'est-ce pas ?
– *Oui, c'est du sucre. Prenez-en alors !*
Non, ce n'est pas du sucre ! N'en prenez pas !

porc	poisson	boisson	poivre（胡椒）
légumes	chocolat	sel	piment

3) Impératif :

①

– Dois-je commencer mon travail ?
– *Oui, commence ton travail !*
Non, ne commence pas ton travail !

Dois-je ouvrir la porte ?
Nous devons répondre à votre question ?
Devons-nous fermer（关上）la fenêtre ?
Est-ce que je dois acheter du sucre ?

②

– Faut-il aller à la cantine ?
– *Oui, allons à la cantine !*

Il faut manger au resto U, je pense.
Faut-il partir demain ?
Faut-il boire du vin ?
Faut-il y aller ?

③

– Dis à Paul d'aller ouvrir la porte !
– *Paul, va ouvrir la porte !*

faire la cuisine
chanter une chanson
chercher de l'eau chaude（打热水）
écrire une lettre à ses parents

④

– Je peux me coucher maintenant ?
– *Oui, couche-toi ! C'est l'heure.*
Non, ne te couche pas ! C'est pas l'heure.

Je peux me laver alors ?
Pouvons-nous nous coucher maintenant ?
Est-ce que je peux me raser ici ?
Est-ce que je peux m'asseoir ici ?

4) Mots et expressions :

① préférer qch.

– Voulez-vous du thé ou du café ?
– *Je préfère le café.*

bœuf / porc	viande / légumes	carottes / choux
thé vert（绿茶）/ thé noir（红茶）		vin / eau

② être en train de faire qch.

– Que fais-tu quand il entre ?
– *Quand il entre, je suis en train de faire la cuisine.*

– Que fait-il quand vous entrez ? – Il regarde la télévision.
– Que font-ils quand Catherine arrive ? – Ils préparent le repas.
– Que faites-vous quand je pars? – Nous révisons nos leçons.
– Que fais-tu quand on sonne ? – Je parle avec mes amis.

③ inviter qn à faire qch.

– Est-ce que tu invites Catherine ?
– *Oui, j'invite Catherine à faire des exercices avec moi.*

Monique / dîner chez moi
ton ami / écouter de la musique
les camarades / danser（跳舞）
tes parents / venir à Beijing

④ donner qch. à qn

– Monsieur Wu a besoin de ce plan de Paris（巴黎地图）.
– Alors, nous donnons ce plan à Monsieur Wu.

Marie a besoin d'un dictionnaire.
Le professeur a besoin de ces livres.
Les enfants ont besoin de ces fruits.
Ces touristes ont besoin de ce guide de Beijing（北京旅游指南）.

⑤ c'est... que...（强调宾语或状语）

– Tu veux aller en France ?
– Oui, c'est en France que je veux aller.

Tu veux manger au resto U ?
Vous voulez parler au professeur ?
Il va prendre ces fleurs ?
Elle prépare le plat du jour ?
Nous allons apprendre cette langue ?

7. Faut-il mettre *on*, *il*, *elle* ?

1) En France, ... consomme（消费）chaque année 6 kilos de café par habitant.
2) Cette année, Élise et moi, ... va en Afrique（非洲）.
3) Dans cette région, ... est très hospitalier（好客）.
4) .... est vraiment très sympathique, ta sœur.
5) .... fait toute seule la cuisine pour toute la famille.
6) .... vient de manger tous les deux au restaurant.
7) Puisque .... est chinois, ... préfère bien sûr la cuisine chinoise.
8) Nous, ... aime parler français.

8. Complétez les phrases suivantes avec *le*, *la*, *l'*, *les*, *du*, *de la*, *de l'*, *des*, *de*.

1) Chez nous, on n'aime pas beaucoup .... poisson.
2) Elle achète .... fruits. Il y a .... pommes et ....fraises（草莓）.
3) Tu ne veux pas .... sucre dans ton café ?
4) Le plat du jour, c'est .... poulet avec .... pommes de terre（土豆）.
5) Voulez-vous .... eau chaude ?
6) Vite ! Il crève de faim（饿死了）! Il y a .... pain et .... fromage dans la cuisine.
7) Notre professeur français adore .... viande.
8) .... eau, c'est .... vie.
9) À ton âge, il faut manger ! Il y a .... viande ! Prends-en !
10) Tu as soif ? Malheureusement il n'y a plus .... boisson dans le frigo !

9. Mettez en relation les phrases des deux groupes.（请将两组句子连接起来。）

1) – Il vient d'arriver dans cette ville.
2) – Elle ne va plus en Suisse（瑞士）cet été.
3) – Tu as l'adresse de Cécilia ?
4) – Tiens, voici un guide de Paris.
5) – Il n'y a plus de pain à la maison.
6) – Non. Marie ne sort pas ce soir.
7) – Voulez-vous encore du fromage ?
8) – Tu n'apprends plus le japonais ?

a. – Non, ça ne m'intéresse plus.
b. – Non, merci. Je n'ai plus faim.
c. – Il y a trop de touristes.
d. – Non, je ne la connais pas.
e. – Il n'a pas encore d'amis.
f. – Prend-le ! Ça peut t'aider.
g. – Bon, je vais en chercher（买）.
h. – Elle a trop de travail.

III. Exercices grammaticaux

1. La négation.

(*Complétez les phrases suivantes par **ne... pas, ne... plus**.*)

1) Attends-moi. Je passe（去）d'abord à la banque（银行）, je .... ai .... d'argent.
2) Je .... apprends .... cette langue. Elle .... est .... intéressante.
3) Elle est fâchée. On .... se parle ....
4) J'ai mal au ventre（肚子疼）. Je .... peux .... aller au restaurant.
5) Il .... y a .... de pain. Tu peux aller en chercher ?
6) Désolé. Aujourd'hui, il .... y a .... de courrier pour vous.
7) Regarde, il .... pleut .... On sort ensemble ?
8) Non, merci. Je .... fume ....

2. Les articles.

(*Complétez les phrases suivantes avec un article convenable.*)

1) Ouf ! Nous avons vraiment .... chance !
2) Non, je ne prends jamais de café. Vous avez .... eau ?
3) Pascal est en train de chercher .... travail.
4) Je n'aime pas beaucoup .... viande. Je prends .... légumes.
5) Il fait beau aujourd'hui, il y a .... soleil.
6) Vous buvez .... vin ou .... l'alcool ?
7) As-tu ... travail aujourd'hui ?
8) Pour faire ce gâteau, il me faut .... œufs, ... farine（面粉）, ... beurre, ... chocolat et .... sucre.

3. Le pronom adverbial.

(*Répondez aux questions suivantes avec le pronom adverbial **en**.*)

1) – Vous voulez de la viande ? → – Oui, ...
2) – Elle ne mange pas de viande ? → – Si, ...
3) – Elle prend du café ? → – Non, ...

4) – Tu viens de la poste ? → – Oui, ...
5) – Combien de frères as-tu ? → – Moi, ...
6) – Y a-t-il des légumes à midi ? → – Oui, ...
7) – J'ai trois dictionnaires, et toi ? → – Moi, ...
8) – Il ne veut pas de beurre ? → – Si, ...

4. Le sujet.

(*Choisissez entre* ***tu/vous.***)

1) Pardon, madame, tu / vous (avoir) .... l'heure ?
2) Bonjour monsieur, comment-(aller) .... tu / vous ?
3) Salut Paul ! Tu / vous (aller) .... bien ?
4) Pardon monsieur, la bibliothèque, s'il te / vous plaît ?
5) C'est la première fois que tu / vous (venir) .... chez nous ?
6) Claude, (aller) .... ouvrir ! On sonne à la porte.

5. Les démonstratifs.

(*Complétez les phrases suivantes en choisissant.* 选择填空。)

1) Vous avez cours cet	□ matin	□ après-midi	□ soir
2) J'adore cette .... bleue.	□ fille	□ chemise	□ pantalon
3) Cette .... est très belle.	□ pays	□ village	□ région
4) Ce .... est très bon.	□ vin	□ boisson	□ soupe
5) Elle est délicieuse, cette	□ femme	□ sauce	□ assiette
6) Que faites-vous cette .... ?	□ jour	□ matin	□ semaine
7) Il s'appelle comment, ce.......... ?	□ ville	□ plat	□ pains
8) Il est à vous, ce .... ?	□ stylos	□ moto	□ vélo
9) Je ne connais pas cet	□ viande	□ assaisonnement	□ fromage
10) Cette .... est exquise.	□ bistrot	□ restaurant	□ cuisine

6. La mise en valeur.

(*Mettez les compléments soulignés en valeur avec* ***c'est ... que ...*** 用 *c'est ... que ...* 强调下列句中划线的宾语或状语。)

1) Il prend du poisson.
2) Oui, j'aime le coca.
3) Nous voulons un fruit après le repas.
4) J'apprends la langue française à Paris.
5) Tu viens d'envoyer un courriel à ton professeur français ?
6) Je m'adresse à vous, monsieur.
7) Grâce à lui, je peux venir ici.
8) Il fait cela pour vous.

7. L'impératif

(*Mettez les phrases suivantes à l'impératif.*)

1) Nous mangeons vite aujourd'hui.
2) Tu vas ouvrir la porte.
3) Nous finissons ce travail ce soir.
4) Vous faites cela tout de suite.
5) Tu ne prends pas de viande.
6) Vous partez demain.
7) Tu y vas.
8) C'est très bon ! Tu en prends.

8. La traduction.

排队	真不错	买饭票	自助餐
节日气氛	品尝菜肴	正在做练习	摆放餐具
祝胃口好（吃好）	位置不错	街景	

9. Le thème.

1) — 今天食堂有什么菜？
   — 有牛肉，你来点儿吗？
2) 今天晚上我们请老师来我们这儿吃饭。
3) 你别吃得这么快！这样不好。
4) — 保尔，你在那儿干吗呢？客人马上就要到了。
   — 我正在摆放餐具！
   — 有人敲门了！快去开门！
   — 好，我就来。
5) — 您喝点什么？有酒，有咖啡，还有中国茶。
   — 请给我来杯绿茶吧，谢谢。
6) 巴黎有十几家大学食堂，吃饭很方便。只要有学生证，花上 2.5 欧元就可以吃上一顿不错的饭菜。有肉、鱼、蔬菜和各种饮料和水果。如果你不愿意在大学食堂吃饭，巴黎街上还有很多不错的小餐馆，饭做得很好，价钱也不贵。

IV. Exercices oraux

1. Questions et réponses !

(*D'abord, lisez bien le résultat de l'enquête ci-dessous. Puis, essayez de trouver toutes les questions et réponses possibles.* 首先，请仔细阅读下列调查结果。然后找出所有可能的问题和回答。)

Le petit-déjeuner à la française

Que boivent-ils ?		Que mangent-ils ?		Où déjeunent-ils ?	
café noir	40%	des tartines	51%	dans la cuisine	82%
café au lait	38%	des biscottes	13%	dans la salle à manger	13%
thé	10%	des toasts	4%	dans la chambre	4%
chocolat	7%	un croissant	3%	dans une autre pièce	1%
rien	5%	autre chose	7%		
		rien	23%		

2. Jouez la scène!（演演看!）

(*C'est l'heure de manger. Vous invitez votre voisin à déjeuner. Mais comment le dire ? Employez des mots comme :* ***c'est l'heure, voulez-vous, d'accord,*** *etc. Et n'oubliez surtout pas les formules de politesse* ! 该开饭了。您请邻座去食堂用午餐，可怎么说呢？请使用像 *c'est l'heure, voulez-vous, d'accord* 等这样的词汇。请不要忘记礼貌用语！)

3. Continuez la scène.（继续演演看!）

(*Vous êtes maintenant à la cantine. Vous discutez avec votre voisin : « Qu'est-ce que nous allons prendre ? »* 你现在就在食堂。你和你的邻座商量："咱们吃什么呢？")

Voici le menu du jour : **Unité**（单位）：**Yuan**（元）

Plats		Boissons	
Épinards	0.50	Jus d'orange (桔汁)	1.00
Chou	0.50	Limonade (汽水)	0.50
Omelette（炒蛋）	1.50	Bière (啤酒)	1.50
Porc	2.50	Coca-cola	2.00
Bœuf	3.50	Pepsi	2.00
Poisson	4.00	Thé vert	1.20
Riz (500g)	1.00	Thé au jasmin (茉莉花茶)	1.30
Petit pain (500g)	1.00	Glace	3.00

4. Jeu d'invitation.（请客游戏。）

(*Décrivez un plat de votre région natale et invitez votre ami(e) à goûter ce plat chez vous.* 描述一个家乡菜，请你的朋友来你家品尝一下这个菜。)

LECTURE 阅读

1. Dresser le couvert（摆放餐具）

Les Français disposent（安放）habituellement（通常）la table ainsi :

1) assiette *n.f.* 盘子
2) couteau *n.m.* 刀子
3) cuillère *n.f.* 勺，调羹
4) fourchette *n.f.* 叉子
5) serviette *n.f.* 餐巾；毛巾
6) verre à eau *n.m.* 水杯
7) verre à vin blanc *n.m.* 白酒杯
8) verre à vin rouge *n.m.* 红酒杯

2. Les trois repas quotidiens des Français

Comme nous, les Français aiment manger et savent manger. Vous savez, dans le monde, la cuisine française et la cuisine chinoise sont très connues. Mais précisément, comment se déroule la journée pour les repas des Français ?

D'abord, le petit-déj :

La plupart des Français prennent ce premier repas de la journée chez eux. Comme on est pressé en général, le « petit-déj » est souvent simple. Il se compose souvent d'une boisson chaude (café, café au lait et, plus rarement, chocolat chaud ou thé), de tartines avec du beurre et de la confiture. Depuis quelques années, les enfants prennent aussi des céréales. Ah ! Il ne faut pas oublier ces fameux croissants chauds ! Si vous connaissez la France, vous ne pourrez jamais oublier cette odeur parfumée des croissants chauds dans l'air matinal !

Ensuite, le déjeuner :

Pour ce repas entre 12 heures et 14 heures, les Français dans les grandes ou petites villes ne mangent pas de la même manière. Dans les grandes villes comme Paris, Lyon ou Marseille, les gens sont souvent occupés et n'ont pas le temps de retourner chez eux à midi.

Alors, ils mangent souvent à la cantine, dans un bistro et une brasserie à côté. Dans les petites villes, en revanche, on rentre chez soi pour déjeuner. Ce repas se compose d'une entrée (salade, charcuterie, saumon fumé...), d'un plat principal (viande ou poisson accompagné de légumes), d'un dessert (fruit, gâteau) et d'un café. Quand on n'a vraiment pas beaucoup de temps, ou peu d'argent, on prend un plat unique ou on mange simplement un sandwich, une quiche, un croque-monsieur : c'est la restauration rapide. Et où mangent les étudiants ? C'est très simple, la plupart vont au restaurant universitaire. C'est bon, c'est pas cher, et on peut encore y rencontrer des amis. Entre 16 heures et 17 heures, les enfants prennent leur goûter : un pain au chocolat, ou une tartine, avec une boisson.

Enfin, le dîner :

D'habitude, les Français prennent leur dîner tard : vers huit heures du soir. C'est le repas le plus important et le plus copieux de la journée : une entrée, un plat principal, du fromage, un dessert, sans oublier un bon verre de vin ! En France au dîner, on passe beaucoup de temps à table, parce que non seulement c'est un plaisir de bien manger, mais aussi le moment de la réunion familiale.

Vocabulaire 词汇

accompagné, e *a.* 配有……
air *n.m.* 空气
bol *n.m.* 碗
brasserie *n.f.* 啤酒馆
céréales *n.f.pl.* 粮食，谷物（此处指谷类早餐食品）
charcuterie *n.f.* 猪肉制品
composer (se) *v.pr.* 组成，构成
copieux, se *a.* 丰盛的
croissant *n.m.* 羊角面包
croque-monsieur *n.m.inv.* 火腿干酪三明治
dérouler (se) *v.pr.* 进展
disposer *v.t.* 放置
en revanche *loc.adv.* 相反地
ensuite *adv.* 然后，其次
familial, e, aux *a.* 家庭的
fumé, e *a.* 熏制的
gens *n.m.pl., n.f.pl.* 人，人们
goûter *n.m.* （下午吃的）点心
habituellement *adv.* 通常，往往
lait *n.m.* 牛奶
de la même manière *loc.prép.* 以同样的方式
matinal, e, aux *a.* 早晨的，清晨的
non seulement *loc.adv.* 不仅
odeur *n.f.* 味道
parfumé, e *a.* 香的
petit-déj [p(ə)titɛːʒ] *n.m.* 〈俗语〉早餐
peu *n.m.* 少量，少许
plupart *n.f.* 多数
précisément *adv.* 确切地
quiche *n.f.* 猪油火腿蛋糕
quotidien, ne *a.* 每日的；日常的

rapide *a.*	快速的	sandwich *n.m.*	三明治
rarement *adv.*	稀有地，罕见地	saumon *n.m.*	鲑鱼
relativement *adv.*	相对地	soupe *n.f.*	汤
restauration *n.f.*	饭店行业，餐饮业	tartine *n.f.*	面包片（涂有黄油、果酱的）
retourner *v.i.*	返回；回去	unique *a.*	唯一的
réunion *n.f.*	团聚		

Leçon 16 L'école, c'est pas facile !

Dialogue Passe ton examen d'abord !

(Deux amis, Bai Fang et Lan Lin, se rencontrent à l'entrée du bâtiment principal.)

Bai : Alors, cet examen de français, ça a marché ?[1]

Lan : Comme ci comme ça. L'examen écrit ça va, l'oral... hum ! Tu sais, avec l'oral, on n'est jamais sûr...[2] Toi, tu as eu de la chance, tu as passé tes examens facilement...

Bai : Oui, mais j'ai fait tous mes efforts.

Lan : Moi, si j'échoue, je dois encore recommencer.[3]

Bai : Allons... un peu d'optimisme...

Lan : D'optimisme ! J'entends déjà mes parents : « Paresseux ! Bon à rien ![4] Les jeux vidéo, le Net, la musique... oui ! mais prépare ton avenir ! Ta cousine a pourtant montré le bon exemple. »

Bai : Ta cousine ? Où est-elle maintenant ?

Lan : Dans un IUT, à Caen... Sciences agricoles... Tu vois ça ? Ma chère... une perle.[5] Pas de copains, pas de disco, économe... Toutes les qualités, quoi ! Tout pour réussir dans la vie... Elle a déjà trouvé un emploi... avec les vaches et les moutons... Et moi... tous les défauts...

Bai : Tu exagères... Si tu rates ton examen oral... tu recommences !

Lan : C'est ça... tu parles comme mes parents... « Passe ton examen d'abord ! »...

Texte C'est pour te faire plaisir...

Septembre : les classes ont recommencé.[6] Dans une école primaire, un maître retrouve ses anciens élèves, mais il y a aussi quelques nouveaux visages.

– Je suis content de vous revoir, mes enfants ; nous allons passer une bonne année ensemble, j'espère...[7]

À ce moment, on entend un petit garçon :

– Moi aussi, je suis content, parce que tu es mon maître.

– Cela me fait plaisir, parce que tu m'as dit cela... Mais vois-tu, quand on est dans une grande classe, il ne faut plus dire « tu » à son maître. As-tu compris ?

– Oui, monsieur, je ne te dis plus « tu ».

Toute la classe commence à rire ; le maître ne dit rien.

Quelques jours plus tard, on rend le premier devoir de français. Au fond de la classe, une main se lève :

– Monsieur, tu ne m'as pas donné mon devoir !

– Ah ! C'est vrai ! Tiens, voici. Ce n'est pas mal, François. Mais je t'ai déjà appris : il ne faut pas dire « tu » à tes maîtres... Essaie de retenir cela !

Les jours passent et François dit encore « tu » à son maître. Le maître est enfin en colère :

– Pour demain, tu vas écrire cent fois : je ne dis plus « tu » à mon maître. J'en ai assez, à la fin ! [8]

Le jour suivant, François donne une feuille à son maître, il a écrit plus de deux cents lignes[9].

– C'est très bien, je suis sûr maintenant : tu n'oublies pas. Mais pourquoi as-tu écrit cela deux cents fois ?

Alors le petit François, avec presque des larmes dans les yeux :

– C'est pour te faire plaisir...

Vocabulaire 词汇

agricole *a.*	农业的
ancien, ne *a.*	从前的，故旧的
attention *n.f.*	注意
avenir *n.m.*	前途，未来
bâtiment *n.m.*	楼房
colère *n.f.*	愤怒
être en colère	发怒，发脾气
comme ci comme ça *loc.adv.*	马马虎虎，凑凑合合
défaut *n.m.*	缺点，缺陷
devoir *v.t.*	应该，有义务，有责任
n.m.	（学生的）作业，练习
disco *n.m.*	迪斯科（舞厅）
échouer *v.i.*	失败
économe *a.*	节省的，节约的
écrit, e *a.*	书写的，笔头的
effort *n.m.*	努力
emploi *n.m.*	职业，工作
en avoir assez de qch./qn	对某事／某人感到厌烦
espérer *v.t.*	希望
essayer *v.t.*	试，努力
exagérer *v.t.*	夸大，夸张
exemple *n.m.*	榜样
faire plaisir à qn	使人高兴，讨人喜欢
feuille *n.f.*	纸张
fois *n.f.*	次，回
hum *interj.*	嗯，唔（表示不耐烦、怀疑）
IUT *n.m.*	科技大学，工学院（institut universitaire de technologie）
jeu *n.m.*	游戏
jeu vidéo	电子游戏

larme *n.f.*	眼泪	pourtant *adv.*	可，然而
lendemain *n.m.*	第二天	préparer *v.t.*	准备，预备
ligne *n.f.*	行；线	primaire *a.*	初级的
maître, sse *n.*	教师	principal, e, aux *a.*	主要的
marcher *v.i.*	顺利进行	qualité *n.f.*	品质；优点
montrer *v.t.*	指出；演示	recommencer *v.i.*	重新开始
mouton *n.m.*	绵羊	rendre *v.t.*	发还；归还
musique *n.f.*	音乐	retenir *v.t.*	记住
Net *n.m.*	互联网（Internet的缩写）	réussir *v.t., v.i.*	成功
optimisme *n.m.*	乐观态度；乐观主义	science *n.f.*	科学
oral, e, aux *a.*	口头的；口语的	sûr, e *a.*	确信的；确实的
paresseux, se *a.*	懒惰的	être sûr de qch./qn	对某事／某人确信不疑
perle *n.f.*	珍珠；十全十美的人	vache *n.f.*	奶牛；母牛
		visage *n.m.*	脸，面孔

Expressions de classe 课堂用语

Laissez une marge à côté pour la correction.
请在边上留出改错的地方！
N'oubliez pas de mettre la date et le titre de l'exercice !
不要忘记写上日期和练习名称！

Calculons 计算

La multiplication （乘法）

$2 \times 2 = 4$	Deux fois deux (font) quatre.
$3 \times 5 = 15$	Trois multiplié par cinq font quinze.
$10 \times 10 = 100$	Dix fois dix (font) cent.

※ Table de multiplication 乘法（九九）表

Leçon 16

Notes 注释

1. Alors, cet examen de français, ça a marché ? 哎，那个法语考试还顺利吧?

marcher 是不及物动词，在此处表示“顺利”。如：

Mon stage marche bien. 我的实习很顺利。

Oui, ça va marcher comme ça. 对，这样就能行。

2. Tu sais, *avec* l'oral, on n'est jamais sûr... 你知道，对于口试，大家最没把握。

介词 avec 可以表示多种关系，在这里做“对于”讲。如：

Le maître ne sait que faire avec le petit François. 老师拿小弗朗索瓦没办法。

Avec lui, on ne sait jamais. 他可没准儿（对他这个人没把握）。

3. Moi, *si j'échoue*, je dois encore recommencer. 我如果考砸了，还得重考。

si + 句子 = 构成条件句。如：

Si tu es d'accord, je viens. 要是你同意，我就来。

Ses parents sont contents s'il passe bien les examens. 若他能考好，他父母就高兴了。

4. Bon à rien ! 废物！没用的人！

5. Ma chère... une perle. 我那亲爱的表姐……简直就是个完人。

口语常见的省略句。全句应为：Ma chère cousine est une perle.

6. *Septembre*: les classes ont recommencé. 九月份，学校已经开学了。

法国中、小学和大学的开学时间不同。中、小学开学时间略早，在每年的九月初；而大学的开学时间往往是在九月底或十月初。

7. nous allons passer une bonne *année* ensemble, j'espère : 希望咱们共同度过愉快的一年。

法语中有两个名词可以表示“年”的概念：an 和 année 。 它们之间的含义有细微的差别：an 往往表示时间的概念；而 année 往往表示空间的概念。

（※几对含有时间与空间差异的名词参见本课 MOTS ET EXPRESSIONS）

8. J'*en ai assez*, à la fin ! 咳！我可真受够了！

完整的句型是： en avoir assez de qch./qn，表示“讨厌、厌烦某事或某人”。如：

Il pleut sans arrêt, j'en ai assez de ce climat. 雨下个不停，我讨厌这种天气。

Nous en avons vraiment assez de ce type. 我们烦死这家伙了。

9. il a écrit *plus de* deux cents lignes : 他写了两百多行。

plus 在这里用作名词，表示“更多；不止”的概念。如：

Il a plus de dix ans. 他已经十多岁了。

Plus de la moitié（des gens）sont absents. 半数以上的人没来（缺席）。

Vocabulaire complémentaire 补充词汇

dictée *n.f.*	听写	lecture *n.f.*	朗读；阅读
distrait, e *a.*	心不在焉的，走神的	prononcer *v.t.*	发音
écriture *n.f.*	书写；笔迹；写作	prononciation *n.f.*	发音
expliquer *v.t.*	讲解；解释	questionner *v.t.*	询问
interrogation *n.f.*	疑问	récitation *n.f.*	背诵
interroger *v.t.*	询问	réciter *v.t.*	背诵
		travailleur, se *a.*	勤奋的，勤劳的

1. 直陈式复合过去时 (Le passé composé de l'indicatif)

1) 构成 (La formation)

法语所有动词直陈式复合过去时的构成方法均相同：就是用助动词（auxiliaire）的直陈式现在时，加上相关动词的过去分词（participe passé）。请看下表：

复合过去时构成表
助动词（直陈式现在时）+ 相关动词（过去分词）= 复合过去时
avoir / être (indicatif présent) + verbe en question (participe passé) = passé composé

根据直陈式复合过去时变位所需助动词的不同，法语动词分为两类：

- 以 avoir 做助动词，这一类动词数量较多。
- 以 être 做助动词，这一类动词数量相对较少。

本课语法首先介绍以 avoir 做助动词的动词的复合过去时。

2) 助动词的意义

在动词的复合过去时以及其他复合时态中，助动词 avoir 和 être 已失去其原有意义，而只作为体现动词复合时态各种时间意义的语法功能词而存在。

3) 过去分词 (Le participe passé)

复合过去时中，相关动词必须以过去分词的形式出现。

① 构成过去分词的一般规则如下：

	过去分词构成规则表
1	去掉相关动词不定式词尾字母若干（通常为两个），加上其过去分词词尾。
2	所有过去分词结尾的音素一定是 [e], [i] 或 [y] 这三个音中的一个。
3	所有过去分词的结尾字母一定是 é , i , is , it 或 u 中的一个。

② 第一、二组规则动词以及第三组不规则动词的过去分词词尾分别如下：

	过去分词词尾构成表
1	第一组动词去掉词尾的 -er 加上 -é ： regarder → **regardé**
2	第二组动词去掉词尾的 -ir 加上 -i ： finir → **fini**
3	第三组动词的过去分词往往是不规则的，词尾会是 **i**, **is**, **it** 或 **u** 中的一个。

③ 现将部分第三组不规则动词的过去分词列入下表：

不定式	过去分词	词尾种类
avoir être aller devoir	eu été allé dû（特殊）	特　殊
attendre boire connaître entendre falloir lire pleuvoir pouvoir recevoir savoir tenir retenir vouloir voir	attendu bu connu entendu fallu lu plu pu reçu su tenu retenu voulu vu	以 u 结尾
sentir accueillir rire	senti accueilli ri	以 i 结尾

续表

不定式	过去分词	词尾种类
mettre prendre apprendre	mis pris appris	以 is 结尾
dire écrire faire	dit écrit fait	以 it 结尾
※第三组不规则动词其实并非完全没有规则。只要仔细揣摸，仍能总结出其中的一些规律。		

4) 用法 (L'emploi)

复合过去时用来表述讲话时已经完成了的动作，常用于口语、小说、报刊新闻以及电影、电视语言中，可以用来表述处在以下几种时间状况中的动作：

① 表示过去某一时段内完成的动作。如：

On **a construit** la Grande Muraille il y a 2 000 ans. 两千年前修建了长城。

Ce cours **a commencé** au mois de septembre. 这门课是九月份开始的。

Hier, elle **a écrit** une lettre à ses parents. 昨天她给父母写了封信。

② 表示已完成的动作，但发生的时间不确定。如：

Il **a été** à Paris pendant trois jours. 他去过巴黎三天。

Elle **a lu** beaucoup de romans policiers avant. 她从前读过很多侦探小说。

On **a** déjà **fini** ces travaux depuis longtemps. 这个工程早就已经完工了。

③ 表示动作完成在延续至今的时间段内；或动作的感受与现在仍有关联。如：

Nous **avons vu** un bon film **ce soir.** 今晚我们看了部好电影。
（晚上尚未过去；还沉浸在电影中）

On **a** bien **mangé à midi.** 我们中午吃美了。
（还在今天；口中美味犹存）

Qu'**avez-vous fait ces derniers jours**？你们这几天干吗了？
（延续至今的这几天）

Tout à l'heure, je l'**ai rencontrée** dans la rue. 刚才我在街上遇到了她。
（刚刚发生的事情）

Il n'**a** pas beaucoup **plu cet automne**. 今年秋天雨下的不多。
（秋日尚未结束）

※ 复合过去时所表述的动作往往与"现在（即表达时）"有某种时间上的关联，如用法③）。

※ 在许多情况下，复合过去时所表达的时间概念并非一成不变。将其用在哪个时间段内的界限并不明确，应具体情况具体分析，如用法①、②。

5) 注意

① 复合过去时的否定陈述形式中，否定副词（否定短语）应置于助动词两侧。如：

Je **n'**ai **jamais** lu ce roman. 我从未读过这本小说。

Tu **n'**as **pas** vu Clara et Monique ? 你没见到过克拉拉和莫尼克吗？

Vous **n'**avez pris **ni** café **ni** thé ? 您既没喝咖啡也没喝茶？

② 复合过去时的倒装否定疑问式中，否定副词应置于倒装的助动词和主语两侧。如：

N'as-tu **pas** vu Clara et Monique ? 你没见到克拉拉和莫尼克吗？

N'a-t-il **rien** mangé au dîner ? 他晚饭什么都没吃吗？

N'avez-vous **pas** rencontré M. Dulac ? 您没有遇见杜拉克先生吗？

※ 复合过去时的倒装否定疑问式多用于书面语或雅语，口语中使用较少。口语中常用 est-ce que + 句子，或直接上升语调。

③ 复合过去时中，aussi, toujours, trop 等副词往往置于助动词和过去分词之间。如：

J'ai **aussi** entendu des bruits. 我也听到有动静。

Vous avez **vraiment** bien fait. 您的确做得很好。

Il a **beaucoup** voyagé ces derniers temps. 前些日子他到处旅行。

④ 为帮助大家理解和记忆，我们以动词 voir 为例，将其复合过去时动词变位的肯定陈述形式、否定陈述形式、肯定疑问形式以及否定疑问形式列入下表中：

1. voir 复合过去时（肯定形式）	
j'ai vu	nous avons vu
tu as vu	vous avez vu
il a vu	ils ont vu
elle a vu	elles ont vu
2. voir 复合过去时（否定形式）	
je n'ai pas vu	nous n'avons pas vu
tu n'as pas vu	vous n'avez pas vu
il n'a pas vu	ils n'ont pas vu
elle n'a pas vu	elles n'ont pas vu
3. voir 复合过去时（肯定疑问形式）	
ai-je vu ?	avons-nous vu ?
as-tu vu ?	avez-vous vu ?
a-t-il vu ?	ont-ils vu ?
a-t-elle vu ?	ont-elles vu ?
4. voir 复合过去时（否定疑问形式）	
n'ai-je pas vu ?	n'avons-nous pas vu ?
n'as-tu pas vu ?	n'avez-vous pas vu ?
n'a-t-il pas vu ?	n'ont-ils pas vu ?
n'a-t-elle pas vu ?	n'ont-elles pas vu ?

※ 复合过去时的疑问形式中，je 与助动词倒装后为 ai-je，读作 [ɛːʒ]，不能读 [eːʒ]。

※ 在复合过去时的否定形式中，应注意 ne 与后接助动词元音间的省音以及副词 pas 与后接过去分词词首元音间的联诵。如：

Je **n'ai** pas **eu** d'argent. [ʒ(ə)nepazydarʒɑ̃]

2. 间接宾语人称代词 (Pronoms personnels compléments d'objet indirects)

1) 间接宾语人称代词词形

人称 / 人数	1ère personne 第一人称	2e personne 第二人称	3e personne 第三人称
	阴、阳性共用	阴、阳性共用	阴、阳性共用
singulier 单数	me（m'）我	te（t'）你	lui 他（她，它）
pluriel 复数	nous 我们	vous 您，你（您）们	leur 他（她，它）们

2) 间接宾语人称代词的用法

如果是确指或在句子中第二次提到，为了句子表达的简洁，间接及物动词后的名词间接宾语往往不再继续使用，而改用间接宾语人称代词。

① 在陈述句和否定命令式中，间接宾语人称代词应置于相关动词前。如：

Peux-tu **me** passer le sel, s'il te plaît ? 请把盐递给我，好吗？
Je **t'**apporte un petit cadeau. 我给你带了个小礼物。
Tu ne **m'**as pas donné mes devoirs. 你没发给我作业。
Ne **me** dites pas non ! 您别跟我说不行！
Ne **leur** donne pas cela ! 别给他们这个！

※ me , te 置于以元音或哑音 h 起始的动词前时要省音，改成：m'，t'。
※ nous, vous, leur 与后面以元音或哑音 h 起始的动词要联诵。

② 在肯定命令式中，间接宾语人称代词应置于相关动词后。如：

Donne-**moi** cela ! 把这个给我！
Téléphone-**moi** ! 给我打电话！
Apporte-**lui** du pain ! 给他拿些面包来！
Écris-**leur** tout de suite ! 马上给他们写信！

※ 使用肯定命令式时，应注意两点：
a. 相关动词的命令式与后置的间宾人称代词间须有连字符。
b. me 后如无其他代词，因发音的关系要改为重读形式 moi。

3) 使用间接宾语人称代词时应注意以下两点：

① 法语中许多代词的形式相同，应注意区分。如：

Il **vous** regarde. 他在看你。（regarder qn 是直接及物动词，故 vous 为直宾）
Il **vous** parle. 他在和你说话。（parler à qn 是间接及物动词，故 vous 为间宾）
Il part, et **vous** ? 他走了，您呢？（vous 单独使用，是重读人称代词）

Vous **vous** parlez ? 您在自言自语吧？（vous 为主语人称代词和自反代词）

Je **leur** écris. 我给他们写信。(écrire 间接及物动词， leur 为间宾)

J'écris à **leur** ami. 我给他的朋友写信。(leur 在名词前，为主有形容词)

② 在句型 penser à qn 中须用重读人称代词，而不能使用间接宾语人称代词。如：

– Tu penses **à tes parents**. 你想父母吗？

– Oui, je pense **à eux**. 我想他们。

– Tu penses **à moi** ? 你想我吗？

– Oui, je pense **à toi**. 是的，我想你。

3. 历史性现在时 (Présent historique)

请注意本课第 2 篇课文中动词时态的变化：课文开始时，动词是复合过去时，但随着故事的展开，后续动词中开始交替出现过去时与现在时。这种特殊的“现在时”被称为“历史性现在时”（le présent historique）或“叙事性现在时”（le présent de narration）。

1) 历史性现在时（简称“历史现在时”）的动词变位采用直陈式现在时的变位形式。

2) 使用历史现在时，是为了使历史事实或故事能够更加栩栩如生地呈现在读者或听众面前。使用了历史现在时的文章或故事一般均以过去时（复合过去时、未完成过去时或简单过去时）开始，这是为了赋予整篇文章或故事一个大致的时间框架；而历史现在时则在后面的精彩叙述中开始。如：

Il a voulu la rencontrer hier. Il **arrive** de bonne heure ; il **sonne** : on ne **répond** pas...

他昨天想去找她。他一大早就到了，按了门铃：但没人来开门……

Il faisait déjà nuit quand nous arrivâmes dans ce petit village perdu dans les Alpes. Il neigeait et le vent soufflait fort de la vallée... Soudain, on **entend** un coup de fusil. Ensuite, deux silhouettes **jaillissent** d'une petite maison en face...

我们抵达阿尔卑斯深处的这座小山村时天已经完全黑了。雪花飘飘，山风呼号……突然一声枪响，紧接着从对面的小屋中窜出两条黑影……

3) 对历史现在时的使用无定规：凡在对过去的事情进行描述时，只要你认为已经讲或写到了精彩处，就可以使用历史现在时了。

4) 在现代法语口语中，直陈式现在时的使用非常灵活。在很多情形中，除表示“现在”的概念外，直陈式现在时经常被用来代替过去时或将来时，与历史现在时有异曲同工之妙。

4. 疑问副词小结 (Bilan des adverbes d'interrogation)

1) 疑问副词的形式及涵义

疑问副词形式	疑问副词涵义
combien	问数量
comment	问方式
où	问地点
pourquoi	问原因
quand	问时间

2) 疑问副词的用法

① 疑问副词用于特殊疑问句中，旨在就人或事物的数量，以及某种动作或状态发生或存在的时间、地点、原因、方式等进行询问。

② 疑问副词可以分别用于直接疑问句或间接疑问句。

a. 用于直接疑问句：

Combien d'étudiants y a-t-il dans cette classe ? 这个班有多少学生？

Comment vont les études de Philippe ? 菲力浦的学习怎么样了？

Où allons-nous ce dimanche ? 我们周日去哪儿？

Pourquoi n'a-t-elle rien mangé ? 她为何什么都没吃？

Quand avez-vous fait le ménage ? 你们什么时候搞的卫生？

b. 用于间接疑问句：

Savez-vous **combien** sont-ils chez eux ? 您知道他们家多少人吗？

Peux-tu me dire **comment** il va ? 你能否告诉我他怎么样了？

Sais-tu **où** nous allons ce dimanche ? 你是否清楚我们周日去哪里？

Comprends-tu **pourquoi** il a échoué ? 你是否明白他为什么没考好？

Ne sais-tu pas **quand** il part ? 你不知道他什么时候走吗？

5. Conjugaison（动词变位）

1) devoir

devoir	
je dois	nous devons
tu dois	vous devez
il doit	ils doivent
elle doit	elles doivent
participe passé : dû	

2) espérer

espérer	
j'esp**è**re	nous espérons
tu esp**è**res	vous espérez
il esp**è**re	ils esp**è**rent
elle esp**è**re	elles esp**è**rent
participe passé : espéré	

3) essayer

essayer（第一种变位法）	
j'essaie	nous essayons
tu essaies	vous essayez
il essaie	ils essaient
elle essaie	elles essaient

essayer（第二种变位法）	
j'essaye	nous essayons
tu essayes	vous essayez
il essaye	ils essayent
elle essaye	elles essayent
participe passé : essayé	
※ essayer 也有两种变位方法，第一种方法的使用频率更高。	

4) rendre

rendre	
je rends	nous rendons
tu rends	vous rendez
il rend	ils rendent
elle rend	elles rendent
participe passé : rendu	

5) retenir（变位同 tenir）

retenir	
je retiens	nous retenons
tu retiens	vous retenez
il retient	ils retiennent
elle retient	elles retiennent
participe passé : retenu	

6) rire

rire	
je ris	nous rions
tu ris	vous riez
il rit	ils rient
elle rit	elles rient
participe passé : ri	

MOTS ET EXPRESSIONS 词汇与句型

1. marcher

1) 走路，步行

Souvent, il marche un peu après le dîner. 他常在晚饭后走走。

Marcher est aussi un sport. 走路也是一项运动。

2) 行驶；运转

Ce nouveau tank marche très vite. 这种新坦克跑得很快。

Ma montre ne marche pas très bien. 我的手表走得不准。

3) 取得进展；顺利进行

Les études marchent bien. 学业一帆风顺。

Cette idée a marché. 这个主意成功了。

2. passer (2)

passer *v.i.*

1)（时间的）流逝，过去

Il est déjà midi ? Mais le temps passe vite. 已经 12 点了？时间过得可真快。

Deux heures passent, il n'est toujours pas là. 两个小时过去了，他还没到。

2)（地点的）经过，路过

Les voitures passent dans la rue. 路上车水马龙。

Le facteur vient de passer. 邮递员刚刚来过。

Vous devez passer par là. 您得从那儿走（经过那儿）。

3) 通行，通过

un laissez-passer 通行证（阳性不变名词）

Défense de passer ! 禁止通行！

Le soleil passe par les fenêtres. 阳光从窗口照进来。

Nous *avons* passé à l'oral. 我们通过了口试。

4) passer à / dans / en / chez ... 到……地方去

Passons à table. 我们入席吧。

Je dois passer d'abord à ma banque. 我得先去一趟（我存钱的）银行。

Vous pouvez passer chez nous à six heures. 您可以六点来我们家。

passer *v.t.*

1) 穿越

passer un ruisseau / une rivière / un fleuve 穿过溪流 / 河流 / 江河

Attention de ne pas passer la frontière！当心别越过国境（线）！

2) 通过

passer un examen / un contrôle / un test 通过考试 / 检查 / 测试

Nous avons l'écrit à passer dans 15 jours. 我们半个月后有笔试要考。

3) 度过

passer les vacances d'hiver / d'été 过寒 / 暑假

Tu as bien passé la semaine / le week-end？你这个星期 / 周末过得好吧?

Passe une bonne journée！祝你度过美好的一天!

※在复合过去时中，avoir 或 être 均可用作 passer 的助动词。

3. entendre

1) 听见；听到

Ce monsieur est âgé et il entend mal. 这位先生上了岁数，耳背。

Écoute！Tu entends des bruits dans la cour？听！你听得到院子里有动静吗?

2) 懂得；明白

Ne dis plus « tu » à ton maître, tu m'entends？

别再对老师说“你”，懂（我的话）了么?

Pardon, Monsieur, je ne vous entends pas bien. 对不起，先生，我没太明白您的意思。

3) s'entendre

● 相互听见

Avec ce téléphone, nous nous entendons bien. 用这部电话我们彼此听得很清楚。

On ne s'entend pas, il y a trop de bruit. 听不见，太吵了。

● 相处（融洽）

Je m'entends avec tous mes camarades de classe. 我和全班同学都合得来。

Elle ne s'entend pas avec la plupart des collègues. 她和大多数同事关系不好。

s'entendre comme chien et chat 相处得像狗和猫；针尖对麦芒（喻关系紧张）

4. matin / matinée, soir / soirée, jour / journée, an / année

这四对阴、阳性不同的常用近义词分别用来表示“早、晚、天、年”四个时间概念。

● 阳性名词重在表达时间的概念，即“动作发生在何时”。

● 阴性名词则侧重表示空间的概念，即“该段时间内所发生的动作”。

● 但某些表达法固定使用阴性或阳性名词，是约定俗成的。

1) matin 早上，早晨 / matinée 早间，上午

Ils se lèvent tôt le matin. 他们早晨起得早。（指何时；不能用 matinée）

Ils se voient dans la matinée. 他们在上午见面。（在一时间段内）

Demain matin à huit heures, ... 明天早上八点，……（时刻）

Demain, nous avons une matinée chargée. 明天上午我们很忙。（整个上午）

On travaille du matin au soir. 大伙从早干到晚。（只能用 matin）

Passe une bonne matinée. 上午愉快。（不能用 matin）

※ 但有时共用，彼此很难分清：

Nous avons cours le matin. 上午我们有课。

Nous avons cours dans la matinée. 我们上午有课。

2) soir 晚上 / soirée 晚间；晚会

Bonne soirée.（祝）晚间愉快（晚上玩的愉快）。

Hier soir, il a lu du Maupassant. 昨晚，他读了莫泊桑的书。

Hier, il a lu du Maupassant toute la soirée. 昨天，他读了一晚莫泊桑的书。

Il va venir ce soir. 今晚他要来。

Il va venir à la soirée. 他要来参加晚会。

3) jour 白天 / journée 一天；日子

le jour de travail 工作日

un travail de jour 白班

dans deux jours 两天以后

le jour de l'An 元旦

une journée de travail 一天的工作

dans la journée 一天之内

la journée de huit heures 八小时工作制

Bonne journée.（祝）一天愉快。

C'est à deux jours de train. 距此两天车程。

Il y a deux journées de train. 得乘两天火车。

4) an 年；岁 / année 年；年级

le Nouvel An 新年

l'an 2006 2006 年

Une nouvelle année commence. 新的一年开始了。

Cette année, il fait chaud. 今年天气热。

Ce bébé a deux ans. 这个婴儿两岁。

Il est en deuxième année. 他现在上二年级。

Il a un an pour finir ça. 他有一年的时间把这干完。

En quelle année est-il né ? 他哪年出生？

DES MOTS POUR LE DIRE
此事怎样说

Des questions en cours（课上提问）

1. Puis-je vous poser une question ？ 我能否给您提个问题？

Est-ce que je pourrais vous poser une question ？ 我是不是可以给您提个问题？

Il y a une question de ma part. 我有个问题。

J'ai une question. 我有个问题。

2. Je ne comprends pas ce mot / cette phrase / pourquoi. 我不懂这个词/这句话/为什么。

Je n'ai pas bien entendu. Voulez-vous répéter ？ 我没听清。您能否重复呢？

Je ne vois pas pourquoi. Pourriez-vous expliquer un peu ?

我不懂为什么。您能否解释一下？

Je n'ai pas très bien saisi le sens de ce mot / cette phrase.

我没搞清这个词 / 这句话的意思。

3. Qu'est-ce que cela (ça) veut dire ？ 这是什么意思？

Que signifie ce mot / cette phrase ？ 这个词 / 这句话什么意思？

Que voulez-vous dire par là ？ 您这么说什么意思？

Comment ça se prononce ？ 这个怎么发音？

Comment ça s'épelle ？ 这个怎么拼写？

Comment ça s'écrit ？ 这个怎么写？

4. Est-ce que c'est vrai / correct / juste ？ 这是不是真的 / 对的 / 正确的？

Est-ce que c'est faux / incorrect ？ 这是不是假的 / 错的 / 不正确的？

※ 在以上表述之前，可以加上礼貌用语 excusez (-moi) / pardon / s'il vous plaît（请原谅 / 对不起 / 请问）等。

UN PEU DE PHONÉTIQUE 练练语音

Monsieur	先 生
Je vous dis de m'aider,	我让您帮帮我，
Monsieur est lourd.	先生笨手笨脚。
Je vous dis de crier,	我让您大声叫，
Monsieur est sourd.	先生却听不到。
Je vous dis d'expliquer,	我让您来解释，
Monsieur est bête.	先生笨头笨脑。
Je vous dis d'embarquer,	我让您上船来，
Monsieur regrette.	先生却把歉抱。
Je vous dis de l'aimer,	我让您去爱她，
Monsieur est vieux.	先生却已太老。
Je vous dis de prier,	我让您去祷告，
Monsieur est Dieu.	先生原是神佬。
Éteignez la lumière,	快把灯光熄掉，
Monsieur s'endort.	先生已经睡着。

UN PEU DE CIVILISATION FRANÇAISE 法兰西文化点滴

L'enseignement supérieur en France 法国的高等教育

法国的高等教育历史悠久，它最早的大学 — 索邦大学（巴黎四大） 的历史可以追溯到 1257 年。在漫长的发展过程中，法国的高等教育积累了一整套丰富的教育理论，也建立了一系列结构复杂、种类繁多的高等教育机构，形成了综合大学和专业学院并重、普通教育和职业教育并举的系统。

Leçon 16

1 LES UNIVERSITÉS（综合大学）

综合大学的教育囊括各个领域：科学、文化、技术、宗教、军事等。这类学校的学制分为三个阶段：

→ 第一阶段，约两年（1er cycle : 2 ans）：

高中毕业会考（BACCALAURÉAT, BAC）取得文凭者均可进入这一阶段学习。

主要学习综合性基础知识。毕业后可获基础阶段学习文凭（**DEUG**）。

→ 第二阶段，一年或两年（2e cycle : 1 ou 2 ans）：

该阶段内学生须对某一专业或领域进行广泛和深入的学习。

修完第一年课程并考试合格后，可获学士学位证书（**LICENCE**）；

修完第二年课程并考试合格后，可获得硕士学位证书（**MAÎTRISE**）。

→ 第三阶段，三年至五年（3e cycle : 3 - 5 ans）：

此阶段内，要对所学专业或研究专题进行更深入、广泛的研究。

学生在这一阶段开始分专业：

- 以就业为目的的高等专业学习文凭（DESS）；
- 以研究为目的的深入学习文凭（DEA）。
- 取得深入学习文凭（DEA）即等于取得攻读博士学位的资格，所以深入学习文凭（DEA）也被大家称做博士预备文凭。获得博士学习资格后，经过三年的学习、研究工作并完成博士论文，通过答辩后，即可获得博士学位和证书（DOCTORAT）。

2 LES GRANDES ECOLES（高等专科学院）

高等专科学院（LES GRANDES ECOLES）是与综合大学平行的教育机构，教学领域涵盖了管理、商业、工程和艺术等。这种学院有公立和私立两种。与综合大学不同的是，要进入这类高等专业学院首先得经过两年的预科学习，然后通过入学考试，择优录取。

学生入学后经过三年的专业学习，考试合格后方能取得相应的学位。所有高等专业学院对完成学业、考试合格者同时颁发给五年制高等教育文凭。

3 MASTER（新制硕士国家文凭）

为了和欧洲以及国际教育体育接轨，法国国民教育部2004年起设立新制硕士国家文凭Master，实行新的"358"学制，即LMD（Licence-Master-Doctorat），指从通过全国会考时起，完成3年、5年、8年学业分别获得学士、硕士、博士学位。

Proverbe 谚语

EXERCICES 练习

I. Exercices d'audition

1. Écoutez et dites si la phrase est au passé ou au présent.（听并说出是过去还是现在。）

Phrase	au passé	au présent
1		
2		
3		
4		
5		
6		
7		
8		

2. Écoutez les messages et dites pourquoi il ou elle appelle.（听并说出他/她为什么留言。）

Message	Il ou elle appelle pour
1	
2	
3	
4	
5	
6	
7	
8	

3. Écoutez puis donnez les infinitifs des participes passés.（听后给出过去分词的不定式。）

Phrase	les infinitifs des participes passés entendus
1	
2	
3	
4	
5	
6	
7	
8	

II. Exercices de dialogues

1. Questions sur le *Dialogue*.

1) Où les deux amis se rencontrent-ils ?
2) Lan a-t-il bien passé ses examens ?
3) Que veut dire le mot « hum »?
4) Son amie Bai, a-t-elle bien passé ses examens ?
5) Que disent souvent les parents de Lan ?
6) Pourquoi disent-ils ainsi ?
7) Que fait la cousine de Lan ?
8) Aux yeux de Lan, comment est sa cousine ?

2. Questions sur le *Texte*.

1) À quel mois est la rentrée scolaire (开学) en France ?
2) Où se passe（发生）l'histoire ?
3) Est-ce que ce sont tous（全部）les anciens élèves de l'année passée?
4) Que dit le maître au début（开始时）devant toute la classe ?
5) Qui parle après le maître et que dit-il ?
6) Pourquoi le maître lui demande-t-il de ne plus dire « tu » ?
7) Pourquoi toute la classe rit-elle ?
8) Pourquoi le maître est-il en colère ?
9) Combien de fois le maître a-t-il dit à François d'écrire « vous » ?
10) Combien de lignes François a-t-il écrites ?
11) Le petit François a-t-il enfin corrigé（改正）son expression（表达方式）?

3. Exercices structuraux.

1) le passé composé

①

Je vais finir mes devoirs aujourd'hui.
Et moi, j'ai déjà fini mes devoirs hier.

Je vais voir ce film aujourd'hui.
Il va lire ce roman（小说）aujourd'hui.
Nous allons faire cet exercice aujourd'hui.
Je vais écouter l'enregistrement aujourd'hui.

②

– Vas-tu déjeuner ?
– Oui, parce que je n'ai pas encore déjeuné.

Vas-tu lire ce journal ?
Allez-vous boire du café ?
Vous allez apprendre cette chanson ?
Va-t-elle écrire à son père ?
Vas-tu prendre le petit-déjeuner ?

③

– Votre professeur est-il content ?
– Oui, il a été très content hier.

Êtes-vous toujours occupés ?
Est-il souvent en colère ?
Sont-elles contentes ?
Es-tu souvent en colère ?

④

– Est-ce que tu as pris du café?
– Non, je n'en ai pas pris.

Est-ce que vous avez bu du vin?
Est-ce que Paul a posé des questions?
Est-ce qu'elle a mangé de la viande?
Est-ce que vous avez eu des problèmes（麻烦）?

⑤

– Connaissez-vous le participe passé du verbe *faire* ?
*– Oui, je le connais. C'est « **fait** ».*

Connais-tu le participe passé du verbe *mettre* ?
Connais-tu le participe passé du verbe *comprendre* ?
Connais-tu le participe passé du verbe *venir* ?
Connais-tu le participe passé du verbe *avoir* ?
Connais-tu le participe passé du verbe *rire* ?

2) les pronoms personnels indirects

①

> Je donne un fruit à mon copain.
> *Je lui donne un fruit.*

Ce beau paysage（风景）plaît beaucoup à ces touristes（游客）.
Veux-tu rendre ce bouquin（书）au chef de classe ?
Il écrit souvent à mes amis et à moi.
Elles ont envoyé un mel à leurs amies.

②

> Je peux donner un fruit à mon copain ?
> *Oui, donne-lui un fruit !*
> *Non, ne lui donne pas de fruit !*

Nous pouvons écrire un mot à nos amis ?
Je peux rendre ces lettres à Nadine ?
Nous pouvons envoyer de l'argent（钱）à Paul ?
Je peux téléphoner au directeur ?

3) Mots et expressions :

① la plupart de + un nom（名词）

> – Est-ce que les camarades sont d'accord ?
> *– Oui, la plupart des camarades sont d'accord.*

Est-ce que les filles veulent voir ce film ?
Est-ce que les garçons préfèrent prendre de la viande ?
Est-ce que les étrangers（外国人）aiment le vin français ?
Est-ce que les gens du Sud détestent le vent ?

② être content de qn/qch.

> Ce jeune homme a bien répondu à mes questions.
> *Oui, je suis très content de lui.*
> *Oui, je suis très content de ses réponses.*

Ce jeune acteur a bien joué（表演）dans ce film.
Catherine a très bien fait ses devoirs.
Tous les étudiants ont eu de bonnes notes cette fois-ci.
Ce cuisinier（厨师）a fait des plats vraiment délicieux.

③ rendre qch. à qn

> – Quand vas-tu rendre ce livre au professeur ?
> *– Je lui ai déjà rendu ce livre.*

Quand est-ce qu'elle va rendre ce dictionnaire à Fanny ?
Quand va-t-il rendre les robes à mes amies ?
Quand vas-tu me rendre mon stylo ?

Quand pouvez-vous nous rendre nos devoirs ?

④ en avoir assez de qch. / qn

– Dis donc, il pleut depuis trois jours.
– C'est vrai, j'en ai assez de cette pluie !

Elle pleure depuis des heures. Ses pleurs （哭声）sont vraiment ennuyeux !
Il ne pense qu'à lui-même. Je ne l'aime pas beaucoup.
Cela sent mauvais depuis trois jours ! Vous ne trouvez pas ?
Comment ? On a encore des examens à passer ? C'est pas vrai !

⑤ être sûr de

– Y a-t-il vraiment un film ce soir ?
– Oui, j'en suis sûr !

un bon film à la télé ce soir
une lettre pour moi
une dictée à faire demain
du bœuf au déjeuner

⑥ faire plaisir à qn

Pourquoi va-t-il au concert (音乐会) avec sa femme ?
C'est pour lui faire plaisir.

Pourquoi venez-vous avec nous ?
Pourquoi mange-t-il au resto U avec Polo ?
Pourquoi parlent-ils si longtemps avec ce monsieur ?
Pourquoi chante-ṭ-elle pour les spectateurs（观众）?

4. Donnez le sens contraire des phrases suivantes.（给出下列各句的反义句。）

1) Vous aimez le vent ?
2) Il fait beau.
3) Ce plat est encore chaud.
4) Oh ! Ça sent bon.
5) Voici un jeune homme très grand !
6) Elle est travailleuse.
7) Nous sommes très contents.

5. Choisissez la bonne réponse.（选择正确答案。）

1) *As-tu mangé de la viande* ?
□ Oui, j'en mange. □ Oui, je vais en manger. □ Oui, j'en ai mangé.
2) *On va en ville, d'accord* ?
□ D'accord. Vas-y ! □ D'accord. Allons-y ! □ D'accord. Allez-y !

3) *Il n'y a pas de café chez toi ?*
☐ Non, mais je viens d'en faire.
☐ Non, mais j'en ai fait.
☐ Non, mais je vais en faire.

4) *Vas-tu poser des questions ?*
☐ Oui, je viens d'en poser. ☐ Oui, j'en ai posé. ☐ Oui, je vais en poser.

5) *Vous n'êtes pas français ?*
☐ Oui, je suis français. ☐ Bien sûr, je suis français. ☐ Mais si, je suis français.

6) *Tu téléphones à Jacques ?*
☐ Oui, je leur téléphone. ☐ Oui, je lui téléphone. ☐ Oui, je ne lui téléphone pas.

6. Complétez avec *matin / matinée, soir / soirée, jour / journée, an / année.*
(*Attention : il y a seulement sept blancs pour huit mots.* 注意：八个词只有七个空)

Un cancre

André a seize .... Au lycée, il n'a pas fait une bonne .... Le ...., il arrive souvent en retard en classe. Dans la ...., il pense aux jeux vidéo, au rock（摇滚乐）et à ses copains, mais pas à ses études. Le ...., il n'a jamais rien（从来没有什么）à étudier. Il passe la .... à regarder la télé. Mais attention, le .... de l'examen va arriver !

III. Exercices grammaticaux

1. Les prépositions.
(*Remplacez les blancs par* ***à , de, sur, chez, pour, avec, après.***)

1) Les étudiants .... notre classe sont travailleurs.
2) C'est le dictionnaire .... le professeur. Je peux donner ce livre .... Catherine ?
3) Il a été très content .... ce film français.
4) Mettez le courrier（信件）.......... le bureau !
5) Nous allons .... notre professeur. Veux-tu y aller .... nous ?
6) Les étudiants ont fait beaucoup .... exercices hier.
7) J'ai tout essayé .... bien apprendre le français.
8) .... la classe, tu peux passer .... moi ?

2. Les pronoms.
(*Écrivez la réponse avec des pronoms personnels indirects.*)

1) Quand peux-tu rendre ce livre au professeur ?
....
2) Est-ce que vous avez apporté un cadeau à vos amis ?
....

3) Il dit toujours bonjour à Madeleine, n'est-ce pas ?

....

4) À qui faut-il donner cela ? À vous ?

....

5) Cela suffit à ton amie ?

....

6) À qui dois-je téléphoner ? À Maria ?

....

3. L'impératif.

(*Mettez les phrases à l'impératif à l'aide des pronoms personnels indirects.* 将下列句子改为命令式，同时使用间接宾语人称代词。)

1) Tu donnes ce roman à Paul !

2) Vous m'apportez du pain !

3) Tu ne poses pas cette question à Fanny et Marc !

4) Nous devons rendre ces journaux au professeur !

5) Vous passez ce dictionnaire à votre voisin !

6) Tu expliques cette leçon à tes amis chinois !

4. Le passé composé.

(*Mettez les verbes ci-dessous au passé composé.*)

Cher Georges,

La semaine dernière, nous (passer) .... le week-end dans notre maison à la campagne. Le matin, à huit heures, nous (prendre) .... le petit-déjeuner ensemble. On (manger) .... du pain et on (boire) .... du café au lait.

À huit heures et demie, Julie (faire) .... la vaisselle（洗碗）et les enfants (jouer) .... dans le jardin avec leurs copains et moi, je (parler) .... au téléphone avec un ami. À dix heures, je (lire) .... un peu mon journal dans la salle de séjour（起居室）. À ce moment-là, je (entendre) .... une voiture arriver dans la cour : c'était les Durant !

Nous（bavarder 聊天）.......................... ensemble et nous (regarder) .... une vidéo de leur vie à l'étranger. Cela (être) .... vraiment très intéressant. Mais nous (ne pas pouvoir) .... te voir. Quand peux-tu venir chez nous ? Peut-être plus tard.

À bientôt.

Michèle et Yves

5. Le pronom indéfini *on*.

（*Donnez le sens du pronom* **on** *dans les phrases suivantes*. 请给出下列句中泛指代词 on 的含义。）

1) En Chine, on parle chinois.

2) Alors, on a été content.

3) Quand on ne sait pas conduire（开车）, on va à l'auto-école（驾校）!

4) On a déjà sonné. C'est l'heure d'aller manger !

5) Bon, on se voit ce week-end, d'accord ?

6) On t'a dit de rester ici ?

7) Pardon, monsieur, on ne fume pas ici.

8) Non, c'est fini. On est vraiment désolé.

6. Les fautes.

（*Trouvez les fautes dans les phrases suivantes*. 找出下列句中的错误。）

1) Il y a des belles fleurs chez ce fleuriste（花商）.

2) Nous avons passer des bonnes vacances à France ce été.

3) Antoine veux ces livre, tu donne lui ces livre.

4) Je envoies ce carte à vous pour demander petit service à vous.

5) Cher amie, tu peux venir à lundi ?

6) Je ne te entends pas ! Parles plus fort, s'il te plait !

7. Les adverbes interrogatifs.

（*Posez des questions sur des mots en italique*. 就斜体部分提问。）

1) Nous avons *deux heures* de grammaire.

2) Leur année scolaire s'est bien passée.

3) *Pour devenir interprète*, j'apprends le français.

4) Nous préparons un dialogue en français *à la fin de chaque semaine*.

5) Tu as fait de grands progrès *depuis l'an dernier*.

6) *Dans la classe*, le petit François donne une feuille à son maître.

8. Les pronoms.

（*Complétez en utilisant un pronom*. 用代词填空。）

1) Il y a encore de la salade. Tu .... veux ?

2) Qui est Monsieur Delatour ? C'est .... ?

3) Madame, voulez- .... venir avec .... ?

4) Voici une lettre pour Annie, tu peux .... apporter cette lettre ?

5) Ce plat est délicieux ! Je vais .... reprendre un peu.

6) On doit commencer à huit heures. J'ai oublié de vous .... parler avant de partir.

7) Mais asseyez- ...., s'il .... plaît.

8) Excusez- ...., monsieur. Je peux .... parler un moment ?

9. La version.

(*Traduisez les phrases suivantes en chinois.* 将下列句子译为汉语。)

1) L'examen écrit ça va, l'oral... hum !

2) Ta cousine a pourtant montré le bon exemple.

3) Tu vois ça ? Ma chère... une perle.

4) Pas de copains, pas de disco, économe... Toutes les qualités, quoi !

5) Mais je t'ai déjà appris : il ne faut pas dire « tu » à tes maîtres...

6) Le petit François, avec presque des larmes dans les yeux : « C'est pour te faire plaisir... »

10. La traduction.

马马虎虎	高兴做某事	告诉某人某事	取得进步	讨人高兴
逐步地	把某物还给某人	眼泪汪汪	对某事感到厌烦	
做出好榜样	勤俭节约	懒虫废物	发脾气（愤怒）	
四十五亿人	十三亿中国人	三百亿元	八千七百六十五亿四千三百万	

11. Le thème.

1) 昨天，我们学习了新课。老师给我们讲解了语法和课文，我们也做了练习，并给老师提了不少问题，老师很高兴。

2) “给他们做个好榜样！”

3) 她在科技大学学习农业科技专业，非常勤奋。

4) “请别忘了明天把书带给我！”

5) 第二天，我把作业交给了老师。

6) 每个星期周末时，我们都要在课上表演对话。上个星期五，卡特琳娜和玛丽表演了一个小对话：《我们取得了很大的进步》。她们表演得好极了！

IV. Exercices oraux

1. Questions et réponses !

(*Jeu oral sur les participes passés appris.* 所学过去分词的口语游戏。)

和我们做过的数字游戏一样：由甲出题，说出一个动词不定式；然后由乙迅速答出该不定式的过去分词；然后再由乙提问，由丙回答：依此类推。回答错误者应把该动词的复合过去时口头变位一遍。

2. L'enquête.（调查。）

Voici les questions de l'enquête :

1) Qu'est-ce que tu as fait hier ? Et lui ? Et elle ? Et vous ?

2) Qu'est-ce que tu as fait dimanche dernier（上周日）? Et lui ? Et elle ? Et vous ?

3. Commenter l'image.

1. Un jeune écolier prévoyant

Un jeune écolier, à la sortie de la classe, demande à son institutrice :
– Madame, qu'est-ce que nous avons appris aujourd'hui ?
– Pourquoi me poses-tu cette question?
– Eh bien, parce que je suis sûr que papa va me demander cette question ce soir.

2. Christine a maigri

– Mon Dieu, Christine ! Tu as beaucoup maigri !
– Oui, je sais. J'ai perdu trois kilos.
– Ce n'est pas à cause d'une maladie, j'espère.
– Non, je suis toujours en bonne santé. Je ne suis presque jamais malade.
– Dis-moi alors comment as-tu réussi à perdre trois kilos ? Tu sais, moi aussi, j'ai besoin de maigrir.
– C'est bien simple. On fait l'exercice vigoureux pendant une demi-heure, tous les jours.
– Mais... ce n'est pas simple du tout !

Vocabulaire 词汇

à cause de *loc. prép.*	因为	pendant *prép.*	在……时间内
avoir besoin de	需要	perdre *v.t.*	丢失，丧失
ce n'est pas... du tout	一点也不……	perdre du poid	体重减轻
Dieu *n.m.*	上帝（老天爷）	prévoyant, e *a.*	有远见的
écolier, ère *n.*	小学生	réussir *v.i.*	成功
instituteur, trice *n.*	小学教师	santé *n.f.*	健康
kilo *n.m.*	公斤	sortie *n.f.*	出口
maigrir *v.i.*	消瘦	vigoureux, se *a.*	严格的

Leçon 17 Le rythme de la vie

Dialogue Ne fais plus la grasse matinée

(Jacqueline va à l'école secondaire. Elle se lève tous les matins de bonne heure, parce qu'elle habite loin. Mais aujourd'hui, le réveil a déjà sonné depuis longtemps, elle reste encore au lit. Alors, sa maman est devenue impatiente.[1])

– Debout ! Jacqueline. Tu m'entends ?[2]

– Oui ? Qu'est-ce qu'il y a ?

– Tu te réveilles, non ? Vite, c'est l'heure !

– Oui, oui...

– Tu n'as pas entendu la sonnerie ?

– Si, si, je l'ai entendue ![3]

– Et alors, tu as encore sommeil ? Ne fais plus la grasse matinée !

– J'ai trop travaillé cette nuit et j'ai mal à la tête...[4]

– Je sais, mais c'est une mauvaise habitude. Tu sais quelle heure il est maintenant ?[5]

– Hein... six heures et demie ?

– Il est déjà sept heures !

– Mais, maman, tu es toujours comme ça. Tu ne laisses jamais les gens tranquilles.

– Je suis désolée. Écoute, chérie[6], je suis peut-être un peu exigeante. Mais si je te laisse tranquille maintenant[7], ton professeur ne te laissera pas tranquille tout à l'heure ! Crois-moi !

– Oui...peut-être oui.

– Alors, ne reste plus là et lève-toi vite !

– Maman, arrête de me crier comme ça, tu veux ? Il y a encore une demi-heure, et je ne suis pas pressée !

– Comment tu n'es pas pressée ?! Tu dois encore te lever, t'habiller, te laver, te peigner et te préparer ! Tu peux finir tout cela en 30 minutes ?[8]

– Ne te mets pas en colère ! Je te promets de ne plus faire la grasse matinée, ça va ?

– Fais attention ! Hier, tu as déjà été en retard une fois de plus. Ton professeur n'était pas content du tout![9] Qu'est-ce que tu as comme cours aujourd'hui ?

– Les mathématiques, c'est un cours obligatoire. Et l'économie, c'est un cours à option.

– Allez, allez, on n'a plus de temps !

– Je suis prête dans cinq minutes... et puis je pars !

– Vas-y chérie, et dépêche-toi ![10] L'heure c'est l'heure !

17 Leçon

Texte Une journée bien remplie

Les Dupont sont Parisiens. Ils habitent une jolie maison à Montreuil, à l'est de Paris, juste sur la ligne 9 du métro. Monsieur Dupont est ingénieur dans un garage Renault et Madame Dupont travaille dans une agence de voyages — France Tour. Tous les jours, ils sont très occupés tous les deux. Voulez-vous connaître ce qu'ils font chaque jour ?[11] Eh bien, prenons hier pour exemple[12]:

"Bip... Bip... Bip...", le réveil sur la table de nuit a sonné de bonne heure comme d'habitude. La journée des Dupont a commencé. M. Dupont est allé dans la salle de bains et a fait sa toilette avec de l'eau chaude et une savonnette. Puis, il est descendu pour se préparer. Il a mis son pantalon, sa chemise, ses chaussettes et ses souliers. Il est venu à table et a pris son petit-déjeuner.

Madame Dupont a d'abord préparé le petit-déjeuner, ensuite elle a pris une douche. Elle est descendue elle aussi pour prendre le petit-déjeuner avant de sortir avec son mari. À 7 h 45, ils sont partis au bureau en voiture.

Madame Dupont est arrivée à l'agence à 8 h 30. Elle a commencé tout de suite son travail avec son ordinateur.

Monsieur Dupont est entré dans son bureau à 8 h 50. Il a traité des affaires courantes. À midi, il est monté à la cafétéria pour le déjeuner. Il est resté bavarder quelques minutes avec ses collègues et ils sont retournés au travail à une heure de l'après-midi.

Madame Dupont est partie de l'agence à 18 heures. Elle est allée faire des courses dans des magasins d'alimentation. Elle est revenue chez elle, fatiguée, vers 19 heures.

Monsieur Dupont est rentré à la maison à 19 h 45. C'est lui qui a préparé le dîner. Après le repas, les Dupont ont pris un petit moment pour faire une promenade près de chez eux avec leur chien Milou. C'est le moment le plus agréable de la journée.[13]

Une demi-heure après, ils sont retournés à la maison. À 23 heures, ils sont montés faire leur toilette et se coucher...

Leur journée est bien chargée, n'est-ce pas ?

Vocabulaire 词汇

agence *n.f.* 办事处，事务所，社
alimentation *n.f.* 食品
arrêter de faire qch. 停止做某事
bavarder *v.i.* 聊天，闲谈
bip *n.m.* 嘀嘀声（指电子仪器反复发出的短促尖锐的提示信号）
chargé, e *a.* （时间、日程安排）满满的，紧凑的
chaussette *n.f.* 袜子

chéri, e *a.,n,* 心爱的（人）
chien *n.m.* 狗
coiffer (se) *v. pr.* 梳头
comme d'habitude *loc. adv.* 如同往常一样
courant, e *a.* 日常的
courses *n.f.pl.* 购物
crier *v.i.* 叫喊
de plus [plys] *loc.adv.* 又，再
exigeant, e *a.* 严格的；苛刻的
fatigué, e *a.* 疲劳的
garage *n.m.* 汽车修理厂
gras, se *a.* 肥沃的，丰富的
  faire la grasse matinée 睡懒觉
impatient, e *a.* 不耐烦的
mal *n.m.* 疼，痛
  avoir mal à （某处）疼痛
mathématiques *n.f.pl.* 数学
mauvais, e *a.* 坏的，不好的
métro *n.m.* 地铁
obligatoire *a.* 必须遵守的，强制性的，义务的
occupé, e *a.* 忙碌的
option *n.f.* 选择
ordinateur *n.m.* 电脑，计算机
pantalon *n.m.* 裤子
peigner (se) *v.pr.* 梳头
prendre qch. pour exemple 以……为例
préparer (se) *v.pr.* 做准备
prêt, e *a.* 就绪的，准备好的
promenade *n.f.* 散步
promettre *v.t.* 允诺；答应
rempli, e *a.* 忙碌的
Renault 雷诺汽车（公司）
rester *v.i.* 逗留，呆在
réveil *n.m.* 闹钟
réveiller (se) *v.pr.* 醒；苏醒
rythme *n.m.* 节奏，韵律
savonnette *n.f.* 香皂
secondaire *a.* 中等的；第二的
se mettre en colère 发脾气
serviette *n.f.* 毛巾
sommeil *n.m.* 睡意，困倦
sonnerie *n.f.* 铃声
soulier *n.m.* 鞋，皮鞋
tête *n. f.* 头
toilette *n.f.* 盥洗，梳洗
tour *n.m.* 圈；环绕
  France Tour 环法旅行社
voyage *n.m.* 旅行

Expressions de classe 课堂用语

Soyez courageux : à haute voix !
  勇敢点儿，大声点！
Faites attention à l'orthographe !
  请注意拼写！
Préparez vos cahiers. Nous allons faire la dictée.
  准备好你们的本子。我们来做听写。

Leçon 17

Calculons 计算

La division（除法）

6 ÷ 3 = 2	Six divisé par trois égale deux.
200 ÷ 4 = 50	Deux cents divisé par quatre égale cinquante.
1 000 ÷ 10 = 100	Mille divisé par dix égale cent.

Notes 注释

1. Alors, sa maman *est devenue impatiente.* 于是，她妈妈变得不耐烦了。

1) devenir 属系动词，用来表示主语的状态、身份等；它后面的名词或形容词是表语，须和主语的性、数相一致。如：

Notre ville devient de plus en plus belle. 我们的城市越来越美。

À ces mots, elles sont devenues tout pâles. 听了这些话，她们脸变得煞白。

2) 法语中起系动词作用的动词的复合过去时用 être 作助动词，且过去分词要与主语的性、数一致。

2. Tu *m'*entends ? 你听见我的话了吗?

m' 是直宾人称代词第一人称单数 me 的省音形式。此处代替 entendre qn（听见某人讲话）中的 qn，作 entendre 的直接宾语。

3. Si, si, je *l'*ai entendue ! 不，不，我听到（闹钟）铃声了!

1) l' 是直宾人称代词 la 的省音形式，此处代替 la sonnerie, 作 entendre 的直接宾语。

2) 过去分词 entendu 的结尾配合了字母 e，因为在以 avoir 做助动词的复合时态中（助动词 + 过去分词），如果直接宾语人称代词提前，则过去分词须与直接宾语的性、数一致。 （※ 直接宾语人称代词参见第 18 课语法 2）

4. J'ai trop travaillé *cette nuit* et *j'ai mal à* la tête: 我昨天夜里学习到很晚，（现在）觉得头疼。

1) cette nuit 在此处指"昨夜"，而不是"今天夜里"。

2) avoir mal à + 身体某处：该处疼、痛。如：

J'ai mal aux dents. 我牙痛。

– Où avez-vous mal, monsieur ? 先生，您哪儿疼?

– J'ai mal ici, au ventre. 这儿疼，肚子。

5. Tu sais *quelle heure il est* maintenant ? 你知道现在几点了吗?

这是一个间接疑问句，也称做疑问从句或间接引语。在间接疑问句中，常用特殊疑问词来引导从句。如：

Je veux savoir pourquoi il ne vient pas.	我想知道他为何不来。
Il demande quand tu arrives.	他问你何时到。
Nous ne savons pas qui a conduit la voiture.	我们不知道谁开的车。

Savez-vous comment elle a fait ?　　　　　您知不知道她是怎么做的?

6. Écoute, *chérie* : 听着，亲爱的

法语中有两个“亲爱的”：cher, ère（形容词或副词）和 chéri, e（形容词或名词）。形象地说，这两个“亲爱的”一个是“公用”的；另一个是“私用”的。请看例句：

1) cher, chère（形容词或副词）

Cher Monsieur, je regrette.	亲爱的先生，很遗憾。
Chers auditeurs,	……亲爱的听众们……
Ça coûte trop cher.	这（卖得）太贵了。
Il a payé cher.	他付出了沉重的代价。

2) chéri, chérie　　（形容词或名词）

ses enfants chéris	她心爱的孩子
mon chéri，ma chérie	亲爱的（夫妻或家人间的称呼）
le chéri à sa maman	妈妈的心肝宝贝儿

7. Mais si je *te* laisse tranquille maintenant : 要是我现在放过你

laisser qn tranquille 意为“让某人安静，不打扰某人”。te 是直宾人称代词第二人称单数，在句中提前到相关动词前。

8. Tu peux finir tout cela *en* 30 minutes ?　你 30 分钟能弄完所有这些（事情）吗？

en + 时间 = 用……时间；在……时候

1)“在……时候”

en hiver 在冬天　　en octobre 在十月　　en semaine 平时

2)“用……时间”

J'ai fait cela en un quart d'heure.	我用一刻钟就把它搞定了。
en un rien de temps	一会儿工夫
finir un travail en huit jours	用一周把活儿干完

9. Monsieur le professeur n'*était* pas content du tout.　老师特别不高兴。

était 是 être 直陈式未完成过去时第三人称单数的动词变位。未完成过去时表示过去一段时间内的某种状态，或一个延续着的动作，或是过去经常重复的动作。

10. *Vas-y* chérie, et dépêche-toi ! 去吧，赶快!

aller 与第一组规则动词的第二人称单数的命令式相同，去掉词尾的 s , vas 要去掉 s。但 va 后面若接有副代词 y 或 en 时，为了方便发音要恢复 s，如 :Vas-y ！　去吧!

11. Voulez-vous connaître *ce qu'*ils font chaque jour ?　你们想了解他们每天都做些什么吗?

此句为间接疑问句，但与注释 5 中的间接疑问句不同，本句的特殊疑问词是 que。在法语中，特殊疑问词 que (qu'est-ce que) 在间接疑问句中须改作 ce que 。如：

Qu'est-ce que tu fais ? → Je demande ce que tu fais. 我问你做什么。

Que veux-tu ? → Dis-moi ce que tu veux.　告诉我你想要什么。

Qu'est-ce qu'elle a acheté ?　→ Je sais ce qu'elle a acheté. 我知道她买了什么。

12. Eh bien, *prenons* hier *pour exemple* : 那我们以昨天为例。

prendre qch. pour exemple 以某事为例，如：

Nous prenons la Chine pour exemple. 我们以中国为例。
Que devons-nous prendre pour exemple ? 我们应以什么为例?

13. C'est le moment *le plus agréable* de la journée. 这是一天当中最愉快的时刻。

定冠词 + plus + 形容词 = 形容词最高级。如：

René est gentil. 勒内人好。 → René est le plus gentil. 勒内人最好。
Monique est amusante. 莫尼克挺逗。 → Monique est la plus amusante. 莫尼克最逗。
Voici la langue la plus difficile du monde. 这是世界上最难的语言。
Pour moi, la conjugaison est la plus compliquée. 对我来说最麻烦的是动词变位。
Paris est la plus grande ville française. 巴黎是法国最大的城市。

Vocabulaire complémentaire 补充词汇

chimie *n.f.*	化学
cours audio-visuel	视听课
discussion *n.f.*	讨论
géographie *n.f.*	地理
physique *n.f.*	物理
politique *n.f.*	政治
relation *n.f.*	关系
relations internationales	国际关系
savon *n.m.*	肥皂

1. 以 être 作助动词的复合过去时（Le passé composé avec *être* comme auxiliaire）

1) 在复合过去时以及其他复合时态中，大部分动词使用 avoir 作为助动词。但少数系动词、一些表示位置移动及状况变动的不及物动词，以及所有的代词式动词在复合过去时及其他复合时态中用 être 作为助动词。（※下列示意图旨在帮助大家理解和记忆。）

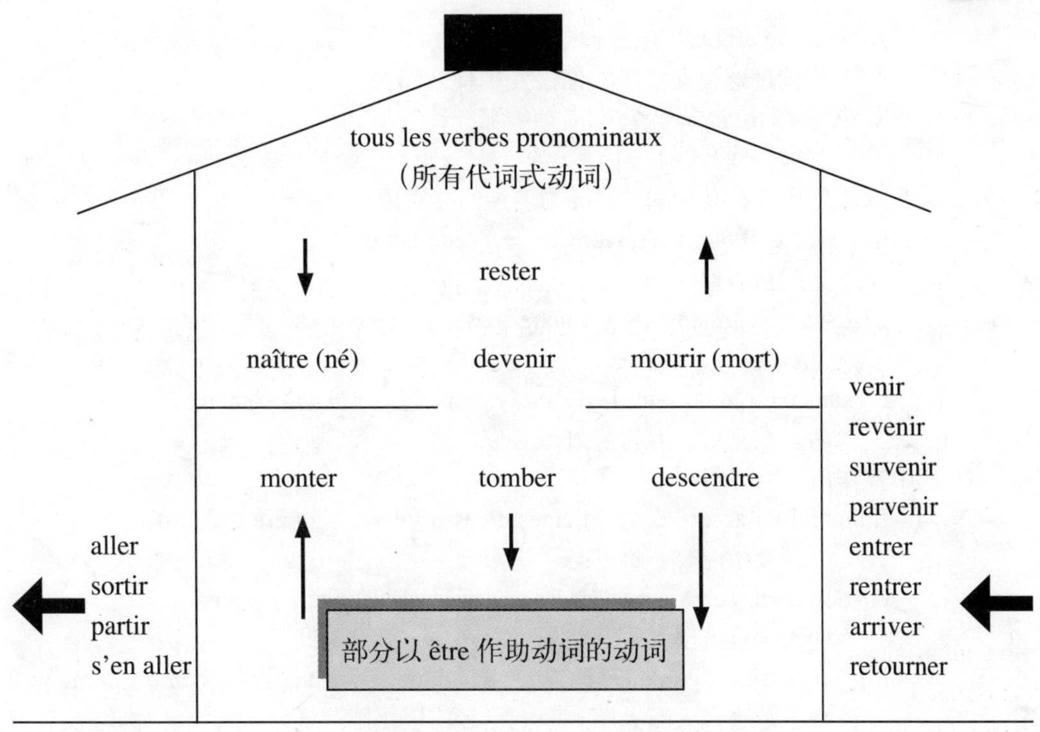

2) 请注意：在以 être 作为助动词的复合过去时（包括其他复合时态）中，过去分词有性和数的变化，要与主语的性数相一致。如：

Elle est **rentrée** très tard cette nuit. 她昨天夜里回来很晚。（阴性单数）

Nous y sommes **revenus** il y a trois jours. 我们三天前又去过那里。（阳性复数）

Monique et **Marie** sont déjà **arrivées**. 莫尼克和玛丽已经到了。（阴性复数）

2. 副代词 y（Le pronom adverbial *y*）

1) 同 en 一样，副代词 y 既可以起副词的作用，也可作为代词使用。

① 副代词 y 的使用是为了句子表述的简洁，避免重复。

② 副代词 y 有三大功能：

a. 起副词作用，代替 à, chez, dans, devant, sur 等介词 + 地点状语；

b. 起代词作用，代替 à ＋名词；

c. 起中性作用，代替一个不定式动词或一个句子。

③ 除肯定命令式外，副代词 y 通常置于动词前。

2) 副代词 y 的用法

① 起副词作用，代替以 à, chez, dans, devant, sur 等介词引导的地点状语。如：

Je vais au cinéma. Tu peux **y** aller avec moi. (y = au cinéma)

我去电影院。你可以和我一块儿去（电影院）。

Voici la bibliothèque. Nous **y** travaillons en semaine. (y = à la bibliothèque)

这就是图书馆。平时我们在这儿学习。

As-tu lu cet article ? Tu n'**y** as rien trouvé ? (y = dans cet article)

你读过这篇文章啦？你没发现什么吗？

Voilà, j'**y** suis. (y = 大家都清楚的那个地方)

好啦，我（找）到了。

② 起代词作用，代替以介词 à 引导的名词间接宾语。如：

Cette lettre, il faut **y** répondre. (y = à cette lettre)

这封信得回。

Cette eau est brûlante. N'**y** touchez pas. (y = à cette eau)

这水太烫。别碰它。

L'examen est important. Je dois m'**y** préparer. (y = à l'examen)

考试很重要。我得好好准备它。

③ 起中性作用，代替动词或一个句子。如：

Il faut faire l'accord des participes. Penses-**y** ! (y = à faire l'accord)

分词要做配合。你别忘了这点。

On doit partir demain matin ? Bon, je vais **y** réfléchir. (y = à partir)

明天早晨就出发吗？我要好好考虑一下这事儿。

Elle crie toujours comme ça. On **y** est habitué. (y = à ce qu'elle crie comme ça)

她总是这么大喊大叫。我们已经习惯了她这样。

④ 口语中有一些关于副代词 y 的约定俗成的用法，代替的往往是彼此心里都清楚的一件事情。这种情况需要根据上下文去判断。如：

La table est prête. Allons-**y**. 饭已备好。咱们吃吧。

Si tu insistes, vas-**y**. 如果你非坚持，那请吧。

Ça **y** est ! 好了！成了！行了！完了！

※ 在肯定命令式中，第一组动词和动词 aller 的第二人称单数与 y 连用时，要恢复已经去掉的 s 。如：

Vas-**y** ! 去吧！ Restes-**y** ! 呆在那儿。 Penses-**y** ! 想着这事儿！

※ 副代词 y 不能用来指人。

※ 无人称短语 il y a 中的 y 不是副代词 y 。

3. 常用否定副词小结（Bilan des adverbes de négation usuels）

1) 常用否定副词及其作用

法语中常用的否定副词有：non, ne, ni, non plus, pas, jamais, plus, rien 等。其中有些可单独使用，但多数要与 ne 配合使用。否定副词用来表示对动作、状态或概念的否定。

2) 否定副词的用法

① non 的用法

a. 用于否定肯定形式的疑问句，可以单独使用。如：

– Veux-tu de la viande ? 你想来点儿肉吗？

– **Non**. 不想。(**Non**, je n'en veux pas. Merci. 不，我不想要。谢谢。)

– Elle va partir ? 她要走吗？

– **Non**. 不走。(**Non**, elle ne va pas partir. 不，她不走。)

b. 用于肯定否定形式的疑问句，可以单独使用。如：

– Tu ne veux pas de viande ? 你不想吃肉吗？

– **Non**. 是的。(**Non**, je n'en veux pas. Merci. 是的，我不想吃。谢谢。)

– Elle ne va pas partir demain ? 她明天不走么？

– **Non**. 是啊。(**Non**, elle ne va pas partir. 是啊，她不走。)

② non plus 的用法

non plus 意为“也不……；同样不……”，专门用于附和一种否定的表述。non plus 的使用应具备两个必要的条件：

a. 首先应有表示否定的前提。

b. 须与名词或重读人称代词配合使用。

Je ne bois pas de café et ma sœur **non plus**. 我不喝咖啡，我姐姐也不喝。

Ceci n'est pas facile et cela **non plus**. 这个不容易，那个同样不容易。

– Je n'aime pas beaucoup le dessert. Et toi ? 我不太喜欢甜点。你呢？

– Moi **non plus**, je ne prends jamais de dessert. 我也不喜欢，我从来不吃（甜点）。

※ 如表达肯定概念“也……；同样……”，则应使用 aussi 。如：

Tu aimes la campagne et moi **aussi**. 你喜欢乡下，我也喜欢。

La cuisine chinoise est délicieuse et la cuisine française **aussi**.

中餐好吃，法国菜同样好吃。

③ ne + 否定词

不同的否定词，诸如 aucun, ni, pas, guère, jamais, personne, point, plus, rien 等等，经常与 ne 搭配使用，生成各种意义的否定副词（亦可称之为“否定结构”或“否定短语”）。我们仅将较常用的归纳如下：

词 形	含 义	例 句
ne... pas	不，没有	Je ne prends pas de dessert. 我不吃甜点。
ne... jamais	从不，永不	Je ne prends jamais de dessert. 我从不吃甜点。
ne... plus	不，不再	Je ne prends plus de dessert. 我不再吃甜点。
ne... guère	不大，很少	Je ne prends guère de dessert. 我很少吃甜点。
ne... point	并不，一点不	Je ne prends point de dessert. 我一点儿甜点都不吃。
ne... personne	谁也不	Je ne vois personne. 我什么人也看不见。
ne... rien	什么也不	Je ne prends rien. 我什么也不吃。
ne... ni... ni	既不…… 也不……	Je ne prends ni café ni dessert. 我既不喝咖啡也不吃甜点。

使用【ne + 否定词】时的注意事项：

a. 如果被否定的动词是简单时态，那么否定副词应分别置于被否定动词的前后。如：

Je **ne** bois **pas** de vin. 我不喝酒。

On **ne** travaille **jamais** le week-end. 周末从不上班。

b. 如果被否定的动词为复合时态（助动词 + 过去分词），那么否定副词应分别置于助动词的前后。如：

Je **n'**ai **pas** bu de vin. 我没喝酒。（复合过去时）

Elle **n'**est **pas** encore revenue. 她还没回来。（复合过去时）

c. 如果被否定的动词为不定式（原形动词），那么否定副词应共同置于被否定的动词不定式之前。如：

Ne pas déranger ! 请勿打扰。（旅馆门上的提示语）

On vous prie de **ne plus** fumer ici. 请您别在这儿抽烟了。

d. 如果是几个动词叠加在一起，那么要根据意义来判定否定副词的位置。如 aimer faire qch., devoir aimer faire qch.。以下几个句子中，否定副词 ne... pas 的位置不同，含义自然也不同：

Je **n'**aime **pas** déranger les gens. 我不喜欢打扰人家。

J'aime **ne pas** déranger les gens. 我喜欢不打扰人家。

Vous **ne** devez **pas** aimer déranger les gens. 您不会喜欢打扰人家。

Vous devez **ne pas** aimer déranger les gens. 您应该不喜欢打扰人家。

Vous devez aimer **ne pas** déranger les gens. 您应该喜欢不打扰人家。

※ 请注意以下几点：

1) personne 和 rien 本身是泛指代词，它们的情况特殊，用法更为灵活。

2) ne... que 不是否定副词，而是表示"限定"的概念，等于"seulement"。

3) 在一些成语、熟语、短语或口语表达中，甚至某些动词后，往往会出现【ne + 否定词】的结构中 ne 或是否定词被省略的情况。仅举两例：

Je **sais pas**. 我不知道。（口语中，ne 被省略。）

La production **ne cesse d'**augmenter. 产量不断增长。（ne... cesser "不断地……"，pas 被省略。）

4. 介词 à（La préposition *à*）

介词 à 的用法很多。这里仅介绍它的几种基本用法：

1) 表示方向、趋向：

Il va **à** Paris. 他去巴黎。

Vous tournez **à** droite. 您往右转。

2) 表示时间、地点的范围（常与 de 搭配：de... à...）：

Nous avons cours **de** huit heures **à** dix heures. 我们八点到十点有课。

Il travaille **du** matin **au** soir. 他日以继夜地工作。

D'ici **à** la place Tian'anmen, il y a 15 kilomètres. 从这儿到天安门有 15 公里。

3) 表示目的、用途：

la boîte **aux** lettres 信箱

la machine **à** écrire 打字机

4) 表示位置、地点：

Le Département de français est **à** gauche. 法语系在左边。

Je suis resté **à** la maison. 我呆在了家里。

5) 表示时间：

à six heures 六点钟

à midi 中午；中午十二点

6) 起其他语法作用：

donner qch. **à** qn 给某人某物（引出作动词宾语的不定式）

être un étudiant **à** Paris IV 是巴黎四大的学生（引出定语）

marcher **à** pied 步行（引出方式）

à côté de （与其他词类构成短语）

5. 状语（Compléments circonstanciels）

1) 状语是用来修饰或补足谓语的。状语是句子中的次要成份，说明谓语所表示的状态，或动作的时间、地点、原因、目的、方式、条件等等。

2) 状语视不同情况可以由副词、副词短语、介词、介词短语或句子等构成：

Le 11 décembre, il vient de neiger. 12 月 11 日刚下了一场雪。（时间）

Le maître est rouge **de colère**. 老师气得满脸通红。（原因）

Nous travaillons **pour réussir**. 我们为成功而努力。（目的）

Le professeur va rentrer **en France**. 老师要回法国了。（地点）

Il parle **avec des larmes aux yeux**. 他讲话时热泪盈眶。（方式）

6. Conjugaison（动词变位）

1) devenir（变位同 venir）

devenir	
je deviens	nous devenons
tu deviens	vous devenez
il devient	ils deviennent
elle devient	elles deviennent
participe passé : devenu（助动词用 être）	

2) promettre（变位同 mettre）

promettre	
je promets	nous promettons
tu promets	vous promettez
il promet	ils promettent
elle promet	elles promettent
participe passé : promis	

3) revenir（变位同 venir）

revenir	
je reviens	nous revenons
tu reviens	vous revenez
il revient	ils reviennent
elle revient	elles reviennent
participe passé : revenu（助动词用 être）	

MOTS ET EXPRESSIONS 词汇与句型

1. arrêter

arrêter *v.t.*

1) 使停止；打断

Il a arrêté sa voiture. 他把车停了下来。

Ne m'arrête pas, j'ai encore des choses à dire. 别打断我，我还有话说。

2) 抓住；逮捕

On a arrêté un voleur. 抓住个贼。

arrêter *v.i.*

1) 停止做某事

Dites au chauffeur d'arrêter. 让司机停车。

Il n'arrête jamais de parler. 他总讲个没完。

2) 使住口

Veuillez arrêter de crier comme ça. 请别再这么大喊大叫。

Arrête ! Ça suffit ! 住口！够了！

s'arrêter *v. pr.*

1) 止步；停留

Pardon, ma montre s'est arrêtée. 对不起，我的表停了。

On s'arrête à la leçon 17. 我们上到第 17 课。

Quand le feu est au rouge, il faut s'arrêter. 红灯亮时须停车。

2) 中断；停止说话

Tu entends ? Les bruits s'arrêtent. 你听见了吗？没声了。

Ne t'arrête pas ! Continue ! 别停呀！接着说！

2. laisser

1) 留下；丢下

Je vous laisse et au revoir. 我先走了。再见。

Ne me laissez pas seule ! Je vous en prie. 别把我单独留下！求您了。

2) 剩下；保留（laisser qch. à qn）

Peux-tu me laisser 5 minutes ? 你能给我留五分钟吗？

Laisse cela à Paul. 把这个留给保尔。

3) 放；交付

Laissez le courrier sur le bureau. Merci. 把信件放在桌上吧。谢谢。

N'oublie pas de me laisser la clé. 别忘了把钥匙给我留下。

4) 让；任；由（laisser qn faire qch.）

Laisse-moi tranquille. 让我安静会儿吧。

Je ne peux pas vous laisser travailler ainsi. 我不能由着你们这么干。

Bien faire et laisser dire. 尽力而为，不畏人言。

3. exemple

1) donner / montrer un exemple à qn 给某人做榜样

Il a donné un bon exemple à tout le monde. 他给大家做了个好榜样。

Sa cousine lui a montré un bon exemple. 他表姐给他做了个好榜样。

2) prendre qch. / qn pour exemple 以某事 / 某人为例

On peut prendre ce verbe pour exemple. 咱们可以拿这个动词做例子。

Prenons cet homme pour exemple. 我们就以此人为例。

3) suivre l'exemple de 学……的样子

Veux-tu suivre son exemple ? 你能学学他（她）吗？

L'enfant suit toujours l'exemple des adultes. 孩子总跟大人学。

4) prendre exemple sur qn 以……为榜样

Nous devons prendre exemple sur Lei Feng. 我们应该学习雷锋。

5) par exemple 例如

4. rester

1) 呆；停留

rester chez soi 呆在自己家里

rester à l'étranger 呆在国外

2) 留下来

Pardon, je ne peux vraiment pas rester. 对不起，我实在不能再呆了。

Reste encore un moment. Il est encore tôt. 再坐会儿，时间还早。

3) 保持；处于（状态；身份）

- rester + 形容词

rester jeune 依然年轻 rester muet 一言不发

rester fidèle à 对……依然忠诚

- rester + 分词

rester assis 仍然坐着 rester couché 依然躺着

- rester + 名词

rester ami 仍是朋友 rester célibataire 仍然单身

4) 无人称短语 il reste + 名词：还剩下……

Il nous reste encore 2 heures. 我们还剩两个小时。

Il ne reste rien sur la table. 桌上什么都没剩。

5. avoir mal à

avoir mal à 后加身体某部分：某处疼痛。例如：

avoir mal aux dents / au cou / au dos / aux jambes / aux pieds

牙疼 / 脖子疼 / 腰 / 背(疼) / 双腿疼 / 双脚疼

DES MOTS POUR LE DIRE 此事怎样说

Travail et repos（工作与休息）

1. aller au travail et rentrer du travail（上班和下班）

1) aller au bureau / à l'usine / à l'école 去办公室 / 工厂 / 学校

2) partir au travail 去上班

3) commencer le travail / se mettre au travail 开始工作

4) commencer à travailler / se mettre à travailler 开始工作

5) quitter son bureau / usine / école 离开办公室 / 工厂 / 学校

6) sortir du bureau / de l'usine / de l'école 从办公室 / 工厂 / 学校出来
7) rentrer du travail 下班回来
8) rentrer / retourner / revenir à la maison / chez soi 回家

2. Le lever et le coucher（起床与睡觉）

1) se lever tôt / de bonne heure 早起 / 起大早
2) se lever tard / faire la grasse matinée 起得晚 / 睡懒觉
3) aller au lit / rester au lit / descendre du lit 上床 / 呆在床上 / 下床
4) se coucher tôt / se coucher tard 早睡 / 晚睡
5) se réveiller / avoir sommeil 苏醒，醒来 / 困倦
6) se coucher → s'endormir → dormir 躺下 → 入睡，睡着 → 睡（觉）

※ 法语三个"睡"的概念不同：

1) Il s'est déjà couché. 他已经上床了 / 躺下了 / 睡了。
2) Il s'est vite endormi. 他很快就睡着了 / 入睡很快。
3) Il a bien dormi. 他睡得很好 / 香。

UN PEU DE PHONÉTIQUE  练练语音

Ronde	轮 舞
Sautez dans notre ronde	请进舞圈我们共跳，
en secouant vos cheveux	甩起你们长发飘飘。
tous les trésors du monde	世上多少金银财宝，
ne valent pas nos jeux.	难比我们轮舞曼妙。
Tournez dans notre ronde	请在舞圈尽情转跳，
en chantant avec nous	共唱一曲歌上九宵。
tous les soucis du monde	世上所有忧愁烦恼，
ne vaudront plus un sou.	一切全都云散烟消。
Allez dire à la ronde	去对舞者把话转告，
qu'en dansant avec nous	只要同我们共舞蹈，
tous les bonheurs du monde	世上所有幸福美妙，
étaient à vos genoux.	原本就同你在一道。
Hou !	呦！

UN PEU DE CIVILISATION FRANÇAISE
法兰西文化点滴

Les activités des Français 法国人的业余生活

法国人的业余生活丰富多彩。那么他们平时都在做些什么呢？

1. 81% 的法国人每天看电视。
2. 80% 的法国男性做家里修修弄弄的活儿。
3. 68% 的法国人有规律地从事某项体育活动。
4. 55% 的法国人天天读报。
5. 50% 的法国人喜欢侍弄花园。
6. 49% 的法国人一年至少去一次电影院。
7. 47% 的法国人一生中某个阶段从事过某项艺术活动：音乐、舞蹈、戏剧、写作、造型艺术等。
8. 25% 的法国人每天听 CD 或磁带。
9. 12% 的法国人一年至少去一次剧院。

Proverbe 谚语

Qui ne risque rien n'a rien.
不入虎穴，焉得虎子。

I. Exercices d'audition

1. Écoutez et dites pourquoi *il* ou *elle* ne se lève pas à l'heure.（听并说出为什么没按时起床。）

Personne	la raison de leur lever retardif
1	
2	
3	
4	
5	
6	
7	

2. Écoutez et dites ce qu'on a fait dans la journée aux heures suivantes.（听并说出在一天中的下列时间做了什么。）

L'heure	ce qu'on a fait
7 h 00	
8 h 00	
midi	
13 h 00	
17 h 00	
19 h 00	
20 h 00	
23 h 00	

3. Écoutez le dialogue et répondez aux questions.（听后回答问题。）

1) Quand se passe l'histoire ?

☐ un jeudi ☐ un dimanche ☐ un samedi

2) On va visiter

☐ un palais. ☐ un parc. ☐ un jardin.

3) Si elle propose d'y aller, c'est parce qu'il y a

☐ des gens à voir. ☐ un lac à voir. ☐ des fleurs à voir.

4) L'endroit où ils vont est loin ?

☐ Oui. ☐ Non. ☐ Je ne sais pas.

5) Mais le jeune homme préfère

☐ une promenade à pied. ☐ une promenade en bateau. ☐ une promenade à vélo.

6) Combien de temps faut-il en tout（总共）si on prend le bateau ?

☐ Deux heures. ☐ Deux heures et demie. ☐ Trois heures.

II. Exercices de dialogues

1. Questions sur le *Dialogue*.

1) Que fait Jacqueline ?

2) À quelle heure doit-elle se lever le matin ?

3) Pour quelle raison doit-elle se lever si tôt ?

4) Pourquoi sa maman est-elle devenue impatiente ?

5) Jacqueline a-t-elle entendu la sonnerie ?

6) Mais pourquoi reste-t-elle encore au lit ?

7) Savez-vous pourquoi le professeur n'était pas content hier ?

8) D'après vous, est-ce que Jacqueline peut tout finir en une demi-heure ?

2. Questions sur le *Texte*.

1) Quel est le métier（职业）des Dupont ?

2) Où habitent-ils ? À Paris ?

3) Sont-ils loin de la ligne 9 du métro ?

4) Connaissez-vous le nom de l'agence où Mme Dupont travaille ?

5) Qu'a fait M. Dupont pour se préparer avant d'aller au bureau ?

6) Mme Dupont, qu'est-ce qu'elle a fait avant de partir ?

7) À quelle heure sont-ils partis au bureau hier matin ?

8) À quelle heure les Dupont sont-ils arrivés au bureau ?

9) Avec quoi Mme Dupont travaille-t-elle ?

10) Qu'est-ce que M. Dupont a traité ?

12) Qui a fait les courses hier ?

13) Qui a préparé le dîner ?

14) Qu'est-ce qu'ils ont fait après le dîner ?

3. Questions pour vous.

1) sur votre vie courante :

① Vous vous couchez à quelle heure tous les soirs ?

② Dormez-vous bien ?

③ Le matin, quand vous levez-vous ?

④ Avez-vous l'habitude ou l'occasion（机会）de faire la grasse matinée ?

⑤ En combien de minutes faites-vous votre toilette ?

⑥ Avez-vous le temps de faire un peu de sport ?

⑦ En combien de temps prenez-vous votre petit-déjeuner ?

⑧ Êtes-vous pressés tous les matins ?

2) sur votre emploi du temps（时间表）:

① Êtes-vous occupés chaque jour ?

② Qu'avez-vous comme cours dans la semaine ?

③ Les cours obligatoires sont-ils difficiles ?

④ Vous avez des cours à option ?

⑤ Quels sont ces cours à option ?

⑥ Quel est votre cours préféré ?

⑦ Après les cours, que faites-vous en général ?

⑧ À vos yeux, votre emploi du temps est-il chargé ou pas ?

4. Exercices structuraux.

1) le passé composé avec *être* comme auxiliaire

① Je n'ai pas vu Paul ces derniers jours.
Il est rentré en France. Tu ne le sais pas ?

Florence	Luc et Fanny	notre professeur
nos amis français	Marie et Catherine	

② – Je suis allé au parc Beihai hier. Et toi ?
– J'y suis allé aussi.

Et Monique ?	Et les camarades de votre classe ?	
Et eux ?	Et vous ?	Et les filles ?

③ – Vous n'êtes pas sortis hier ?
– Non, nous ne sommes pas sortis. Nous sommes restés sur le campus.

les filles	les garçons	vos parents
votre amie	son amie	elles

④ – Es-tu sorti hier ?
– Oui, je suis allé chez mon ami.
– Quand est-ce que tu es parti ?
– Je suis parti à neuf heures.
– À quelle heure y es-tu arrivé ?
– J'y suis arrivé à 10 heures.
– Es-tu resté longtemps chez lui ?
– Non, je suis rentré à midi.

Monique	Monique et Françoise	des amis français
vous et vos amis	les garçons de notre classe	

2) Le pronom adverbial *y*.

① – Où vas-tu ? Au magasin ?
– Oui, j'y vais.

il	elles	nous	vous
Catherine et Luc		les filles de notre classe	

② – Où vas-tu ? Au magasin ?
– Non, je n'y vais pas. Je vais à la cantine.

Lucien / la bibliothèque	Luc et Marie / le bureau
les filles / la piscine	vous / chez le professeur

③ – Tu es allé en ville hier, n'est-ce pas ?
– Oui, nous y sommes allés. Pourquoi ?

ils / au cinéma　　elles / à la piscine

tu / chez ton ami　　Cécile / chez le professeur

3) Mots et expressions.

① laisser qn faire qch.

– Peux-tu faire la cuisine européenne ?
– Alors, laisse-moi faire, s'il te plaît.

Peux-tu dormir ici ?
Peux-tu écouter l'enregistrement ici ?
Peux-tu partir comme cela ?
Peux-tu lui téléphoner à cette heure-là ?

② se mettre en colère

Le professeur n'est pas content du tout!
Alors, il se met en colère ? Pourquoi ?

Francine　　ses parents　　nous
les filles　　le chef de classe

③ promettre à qn de faire qch.

Paul, je ne peux pas venir chez toi aujourd'hui.
Mais, tu m'as promis de venir chez moi aujourd'hui.

Catherine, ton amie ne peut pas venir aujourd'hui.
Mes amis, le professeur ne peut pas nous donner cours aujourd'hui.
Madame, je suis désolé, le directeur ne peut pas vous recevoir aujourd'hui.
Désolé, Monsieur, la police（警察）ne peut pas vous laisser partir aujourd'hui.

④ avoir mal à

– Alors, ça ne va pas les jambes ?
– Non, j'ai mal aux jambes. J'ai trop couru hier soir.

Alors, ça ne va pas les yeux ? / avoir trop lu cette nuit
Alors, ça ne va pas les pieds / avoir trop marché hier

Alors, ça ne va pas la main droite (右手)? / avoir beaucoup écrit toute la journée
Alors, ça ne va pas la tête ? / ne pas avoir bien dormi cette nuit

⑤ arrêter de faire qch.

– Dis donc, il ne travaille plus ?
– Non, il a arrêté de travailler.

Claire ne chante plus.
Ces filles ne dansent plus.
Paul et Luc ne parlent plus en classe.
La montre de Madame Vincent ne marche plus depuis hier.

⑥ faire attention (à)

– Cet exercice est très difficile pour toi.
– Oui, je vais faire attention.

Cet exercice a été bien difficile pour lui.
Cette dictée n'est pas facile du tout pour vous.
Cette phrase est vraiment difficile pour elle, je crois.

5. Lisez en français les opérations de calcul suivantes.

15 + 23 = 38 110 + 90 = 200 368 - 132 = 236 60 ÷ 12 = 5

6. Répondez avec un pronom personnel indirect.

1) *Est-ce que ces souliers vont bien à votre ami ?*
Oui, ...
Non, ...
2) *Est-ce que vous avez laissé un message au directeur ?*
Oui, ...
Non, ...
3) *Est-ce qu'on a bien expliqué le chemin aux touristes ?*
Oui, ...
Non, ...
4) *Vous ne voulez pas parler à vos camarades ?*
Si, ...

Non, ...

5) *Ne peut-il pas montrer son journal*（日记）*à ses parents ?*

Si, ...

Non, ...

7. Terminez les répliques.（将句子补充完整。）

1) Maman : Debout ! Jacqueline. ....

2) Jacqueline : Tu es toujours comme ça. ....

3) Maman : Mais si je te laisse tranquille maintenant, ...

4) Jacqueline : Maman, arrête ....

5) Maman : Tu peux finir ....

6) Jacqueline : Ne te mets pas en colère ! ....

8. Racontez la journée de M. Prévost.（讲述普雷沃先生的一天。）

（*Au présent d'abord, puis au passé composé.* 先用现在时，再用将来时。）

Réveil : 7 h.
Douche : 7 h 15.
Petit-déjeuner : 7 h 40.
Départ en voiture : 8 h.
Bureau : de 8 h 10 à 11 h 50.
Déjeuner au restaurant : midi.
Bureau : de 13 h à 17 h 30.
Magasin : 17 h 45.

Retour à la maison : 18 h 30.
Dîner : 20 h.
Télévision : de 20 h à 22 h.
Coucher : 23 h.

III. Exercices grammaticaux

1. La préposition.

C'est jeudi. .... le déjeuner, les enfants s'asseyent .... la télévision.
Ils ne veulent pas aller jouer .... le jardin. Alors, leur maman, presque ....colère :
« Mes enfants, il n'y a pas .... télé aujourd'hui ! Allez .... le jardin et jouez .... des amis. Ou encore, vous pouvez faire du travail .... la maison. Sinon, nous

allons .... la piscine. »

Alors, les enfants, sans regarder la maman : « Pauvre maman ! »

2. Le passé composé.

1) Nous (aller) .... en ville hier et nous (manger) .... dans un bon restaurant.

2) Catherine Morel (arriver) .... pour la première fois à Beijing.

3) – (aller) .... -vous ....en France le mois dernier ?

– Oui, nous (revenir)......................... de France il y a une semaine.

4) – Est-ce que Fanny et Marie (descendre)......................... ?

– Non, mais elles (monter)......................... au 5e étage, je crois.

5) Hier matin, je (rencontrer)......................... Madame Dufour. Elle (acheter) .... des légumes au marché（市场）. Elle (devoir)......................... perdre des kilos, parce qu'elle (devenir)......................... très mince（瘦，苗条）.

3. L' impératif.

(*Mettez les phrases suivantes à l'impératif.*)

Exemple : Je te demande de lui montrer. → ***Montre-lui*** !

1) Je vous demande de me téléphoner demain. → .... !

2) Je vous prie de lui expliquer ce problème. → .... !

3) Je vous dis de lui passer le journal. → .... !

4) Je vous demande de leur parler aujourd'hui. → .... !

5) Je te prie de nous montrer tes devoirs. → .... !

6) Je vous dis de penser un peu à vos parents . → .... !

4. Les pronominaux.

(*Complétez le récit* (故事) *avec les verbes suivants* : ***s'habiller, se doucher*** (淋浴), ***se laver, se peigner, se lever, se raser*** (刮脸), ***se maquiller*** (化妆))

Mes parents .... tous les jours à 7 heures moins le quart et moi, je .... à 7 heures et demie. Pendant que papa .... et .... maman prépare le petit-déjeuner. Je .... et je .... tout seul. Quand nous sommes à table, maman .... et .... avant de partir au travail avec papa.

5. L'antonyme.

(*Donnez l'antonyme des mots suivants.* 给出反义词。)

entrer →

arriver →

venir →
naître →
monter →
se coucher →
s'endormir →
s'asseoir →

6. Mettre le récit ci-dessous au passé.（将下列故事改写为过去时。）

Aujourd'hui, le 18 mars à 6 heures du soir. Jacques téléphone à Cécile. Il lui propose（建议）de venir chez lui, à sa fête d'anniversaire（生日聚会）. Cécile prend un taxi et, à 8 heures et demie, elle arrive chez lui et elle sonne à la porte. Jacques ouvre : Cécile offre son cadeau. Sabine, une amie de Jacques, vient aussi. Jacques met de la musique（放音乐）et tout le monde danse. La soirée est un succès. Peu avant minuit, Cécile et Sabine partent ensemble et Sabine accompagne（送）Cécile chez elle en voiture.

Hier, 18 mars à 6 heures du soir, ...

7. L'adverbe.

(*Complétez avec* ***bien*** *ou* ***bon***.)

1) En France, on mange .... ; partout（到处）il y a de .... restaurants.
2) Ce n'est pas un .... élève. Il ne travaille pas ....
3) J'ai vu un .... film chinois hier soir. J'ai .... aimé ce film.
4) On a eu une .... récolte cette année.
5) Vous aimez lire ? C'est ...., ça.
6) Vous aimez le poisson ? C'est très ....
7) Ne buvez pas ce vin ; il n'est pas ....
8) Tu manges trop. Ce n'est pas ....

8. Vrai ou faux ?

Emploi du temps de Bernard

Heure	Activités
6 : 30	se lever
7 : 00	petit-déjeuner
8 : 00	deux heures de langue
10 : 00	récréation
10 : 10	deux heures de philosophie（哲学）
12 : 00	déjeuner au resto U

续表

Heure	Activités
13 : 00	cours à option (2 heures)
15 : 00	discussion avec des amis
16 : 00	une heure au labo（语音实验室）
17 : 00	activité sportive
18 : 00	rentrer et faire des courses
19 : 00	dîner et regarder la télé
20 : 00	travaux pratiques
21 : 30	se promener avec le chien
22 : 00	se laver
22 : 30	aller au lit et lire un peu
23 : 00	s'endormir

1) Bernard se lève à sept heures et demie.
☐ vrai ☐ faux

2) Son petit-déjeuner est à sept heures.
☐ vrai ☐ faux

3) Il a seulement deux heures de cours dans la matinée.
☐ vrai ☐ faux

4) Les étudiants ne se reposent pas pendant la matinée.
☐ vrai ☐ faux

5) Il déjeune au resto U.
☐ vrai ☐ faux

6) Il n'a pas le temps de faire du sport.
☐ vrai ☐ faux

7) Chaque après-midi, il fait une promenade avec son chien.
☐ vrai ☐ faux

8) Il ne lit jamais à la maison.
☐ vrai ☐ faux

9. La traduction.

困倦　注意　购物　头疼　马上　大清早
睡懒觉　发脾气　有空儿　选修课　必修课　日常事务
开始工作　负责某事　与某人聊天　变得不耐烦
停止做某事　以某事为例　答应某人做某事　放任某人做某事

10. Le thème.

1) 大家快点睡吧！咱们明天还要上新课呢。
2) 请原谅，我有急事儿，先告辞了。
3) 今天不是睡懒觉的时候。
4) 请问，这里谁负责日常事务？
5) 我们已经用电脑完成了上周的作业。
6) 男生们每天早上洗漱都很快，只用几分钟就搞定了。
7) 安妮昨天去了学校的图书馆。那里宽敞、明亮。我们班的其他同学没去那里，他们待在教室里复习功课、做作业。
8) 我们昨天一起去看了场电影。电影的名字是《春天的地铁》，真好。我们夜里11 点才回来。因为睡得太晚，没睡够，现在头还有点儿疼呢。

IV. Exercices oraux

1. Jouez la scène.

Conditions : Votre ami(e) a la même faiblesse（弱点）que Jacqueline : il est déjà 7 h 30, mais il ou elle ne veut encore pas se lever. Alors que faites-vous pour l'inviter à se lever ?

Attention : Vous lui dites d'abord gentiment（和蔼地）, *puis sérieusement*（严肃地）, *enfin sévèrement*（严厉地）！

（※ 三种不同情况下使用的词语是不同的！）

2. Continuez la scène.

Votre ami(e) vous invite à passer（去……）chez lui ou chez elle. Vous ne voulez pas. Vous essayez de lui expliquer votre emploi du temps : vous êtes bien occupé(e) !

Attention : soyez poli (e) !

3. Laissez vos camarades vous connaître mieux.（让同学们更好地了解您。）

Mettez-vous devant toute la classe et présentez votre emploi du temps à vos camarades de classe : ils peuvent vous poser des questions et soyez gentil(le) de leur répondre.

4. Commentez les images suivantes.

1) 起床洗漱　2) 吃饭　3) 开车上班　4) 在办公室忙
5) 晚上下班、购物、回家　6) 做饭、吃饭　7) 看电视　8) 23 点上床睡觉

LECTURE 阅读

Un emploi du temps chargé

Dring... dring... dring...

– Allô... est-ce que je peux parler à Francine, s'il vous plaît ?

– Elle dort encore.

– ... Alors ne la réveillez pas.

– Si, si, je vais l'appeler. Ah ! Elle vient de se réveiller. Francine ! Téléphone !

– ... Allô... c'est de la part de qui ?

– C'est Frédéric à l'appareil. Salut.

– Salut. Mais quelle heure est-il maintenant ?

– Euh... Neuf heures et demie.

– Oh là là ! J'ai encore sommeil. Je n'ai pas assez dormi cette nuit.

– Alors Francine, pourquoi tu n'es pas venue hier ? Tu m'as promis dimanche dernier.

– *Frédéric, cela n'a pas été possible. Hier matin, j'ai eu cours toute la matinée. Il y a eu d'abord cours d'anglais de huit heures à dix heures. Après la récréation, un cours d'économie. Ce sont des cours obligatoires, tu sais ?*

– *Tu as eu le temps à midi quand même !*

– *Non, j'ai été prise. J'ai eu rendez-vous avec mon professseur.*

– *Et l'après-midi ? Encore des cours à option ?*

– *Non. Mais nous avons eu une conférence sur la Chine actuelle, jusqu'à six heures du soir.*

– *Et hier soir, qu'est-ce que tu as fait ?*

– *Je suis vraiment désolée, Frédéric. Je suis allée au cinéma avec des amis. Ensuite nous sommes allés dîner et nous avons pris un verre dans un bar. J'ai un peu trop bu.*

– *À quelle heure es-tu rentrée ?*

– *Je suis rentrée à trois heures du matin.*

– *Tu n'as pas voulu venir hier, peut-être ?*

– *Mais si ! Frédéric ! C'est parce que mon emploi du temps a été trop chargé !*

– *Alors, disons aujourd'hui, ça va ?*

– *Pas aujourd'hui, Frédéric. Je n'ai pas assez dormi et j'ai encore mal à la tête ! Voyons-nous un autre jour de la semaine prochaine peut-être ?...*

– *Bon, tant pis ! Salut ! À la semaine prochaine alors.*

Vocabulaire 词汇

actuel, le *a.* 目前的，现在的
appeler *v.t.* 叫，召唤
bar *n.m.* 酒吧
emploi *n.m.* 使用
  emploi du temps （作息）时间表
Francine 弗朗西娜（女名）
jusqu'à *loc.prép.* 一直到
pris, e *a.* 很忙
quand même *loc.adv.* 仍然，还是
récréation *n.f.* 课间休息
réveiller *v.t.* 叫醒
Tant pis ! 算了，活该
verre *n.m.* 一杯（酒）

Leçon 18 Le courriel

Texte Courriers électroniques

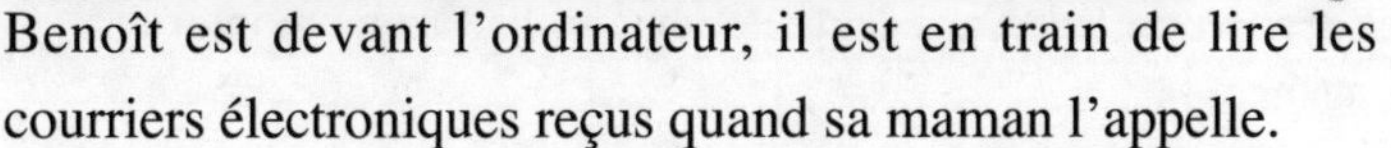

Benoît est devant l'ordinateur, il est en train de lire les courriers électroniques reçus quand sa maman l'appelle.

Maman : Benoît, qu'est-ce que tu fais là ? Tout le monde t'attend... À table.

Benoît : Un instant, maman. Je suis en train de lire mes courriers électroniques.

Maman : Il y en a combien ?

Benoît : Trois.

Premier courrier :

Jérôme2004@[1]hotmail.com

Paris, le 15 décembre 2004

Benoît, bonjour

Voici les renseignements à propos de la maison pour tes vacances d'hiver. Elle n'est pas loin de la station du ski, à 10 minutes à pied[2]. Il y a quatre pièces : une au rez-de-chaussée et trois à l'étage. En plus, bien entendu, il y a un grand salon et une cuisine équipée (frigo, cuisinière, lave-linge et lave-vaisselle) au rez-de-chaussée, ainsi qu'une salle de bains.

Derrière la maison, il y a un petit jardin très ensoleillé. De là, on peut admirer les montagnes couvertes de neige.[3]

La maison est libre à partir du 28 janvier[4]. Le loyer est de 600 euros pour 15 jours. Si ça te plaît, dis-moi le plus tôt possible[5].

Amicalement.

Jérôme

Deuxième courrier :

agenceauto@hotmail.com

Paris, le 15 décembre 2004

Monsieur,

Nous avons bien reçu votre lettre, par laquelle vous sollicitiez un emploi de secrétaire dans notre agence.

Votre curriculum vitæ paraît conforme à notre attente et, comme le poste proposé est encore libre, vous auriez donc avantage à[6] téléphoner à ma secrétaire pour fixer la date d'un entretien.

Vous n'avez pas exprimé dans votre lettre de prétentions particulières; sauf réponse contraire de votre part[7], je considère donc que vous acceptez les conditions financières qui figuraient dans l'annonce.

Veuillez agréer, Monsieur, mes salutations distinguées.[8]

Henri Dupont
Directeur du personnel

Troisième courrier :

liwei1999@hotmail.com

Beijing, le 15 décembre 2004

Cher Benoît,

C'est avec un grand plaisir que j'ai reçu ton invitation.[9] Comme tu le sais[10], j'ai l'intention depuis longtemps de faire une visite en France.

À vrai dire, c'est grâce à toi que j'ai pris la décision cette fois-ci. Je veux profiter de mes vacances d'hiver pour voir la France et l'Europe occidentale. Je compte partir fin janvier. Je ne sais pas si tu auras le temps de m'accompagner à cette époque-là.

Je souhaite rester quelques jours à Paris pour visiter les monuments : la Tour Eiffel, Notre-Dame de Paris, le Château de Versailles, le Palais du Louvre... Je désire encore aller voir le Mont Blanc, le plus haut sommet des Alpes[11].

Cette année, je vais passer la Fête du Printemps chez toi. Je vais faire des raviolis chinois pour toi, et aussi pour tes parents.

Dis bonjour à tes parents de ma part.

À bientôt. Bien à toi.

LI Wei

Benoît : C'est super ! Papa, maman, j'ai trois nouvelles à vous annoncer.

Maman : Dis-les-nous !

Benoît : Premièrement, nous pouvons aller faire du ski ; deuxièmement, l'agence automobile m'a donné une réponse positive ; et finalement, LI Wei, mon ami chinois, va venir en France fin janvier.

Maman : Ce sont vraiment de bonnes nouvelles. Maintenant, à table. Eh, tu t'es lavé les mains ?

Benoît : Certainement, maman. J'arrive.

Vocabulaire 词汇

à partir de *loc.prép.*	从……起（开始）
à propos de *loc.prép.*	关于……
à vrai dire, à dire vrai *loc.adv.*	说真的，老实说
accepter *v. t.*	接受
accompagner *v. t.*	陪伴，陪送
agréer *v. t.*	接受
Alpes *n. f. pl.*	阿尔卑斯山（脉）
amicalement *adv.*	友好地，亲切地
attente *n.f.*	期望；等候
avantage *n.m.*	优势；好处
château *n.m.*	城堡，宫殿
compter (+*inf.*) *v.t.*	打算，想要做某事
conforme (+à) *a.*	与……一致；与……相符
considérer *v.t.*	认为
contraire *a.*	相反的
courriel *n.m.*	电子邮件
courrier *n.m.*	信件；邮件
couvert, e (+de) *a.*	盖满的，布满的
cuisinière *n.f.*	炉灶
curriculum vitæ *n.m.*	履历，简历（口语常说成 CV[seve]）
désirer *v.t.*	希望；想
distingué, e *a.*	崇高的
Eiffel	埃菲尔（姓）
la tour Eiffel	埃菲尔铁塔
électronique *a.*	电子的
ensoleillé, e *a.*	充满阳光的
entretien *n.m.*	会晤，会谈
époque *n.f.*	时代，时期
équipé, e *a.*	配备齐全的
Europe *n.f.*	欧洲
exprimer *v.t.*	表达
figurer *v.i.*	列入；出现在
v.t.	表示，代表
financier, ère *a.*	金融的，财政的
fixer *v.t.*	确定；使固定
frigo *n.m.*	冰箱 (réfrigérateur 的缩写)
grâce à *loc.prép.*	由于，多亏
instant *n.m.*	瞬间，倾刻
intention *n.f.*	意愿；打算
lave-linge *n.m.inv.*	洗衣机
lave-vaisselle *n.m.inv.*	自动洗碗机
le Louvre	卢浮宫
mont *n.m.*	山峰
monument *n.m.*	纪念性建筑物
Notre-Dame de Paris	巴黎圣母院
occidental, e, aux *a.*	西部的，西方的
paraître *v.i.*	似乎，好像
particulier, ère *a.*	特殊的，特别的
plaire (+à) *v.t.ind.*	使喜欢，使高兴
poste *n.m.*	职位，岗位
prétention *n.f.*	要求；意图；*pl.*（酬金）要求
profiter (+de) *v.t.ind.*	利用，从……中受益
ravioli (*pl.* ~s) *n.m.*	饺子
recevoir *v.t.*	收到，接到

reçu, e *a.*	收到的	solliciter *v.t.*	申请，请求
renseignement *n.m.*	情况，消息	sommet *n.m.*	顶峰
salutation *n.f.*	致敬，敬意	souhaiter *v.t.*	祝愿，祈望
sauf *prép.*	除了，除……以外	station *n.f.*	疗养地，活动场所
secrétaire *n.*	秘书	tour *n.f.*	塔；塔楼
ski *n.m.*	滑雪	Versailles	凡尔赛（法国城市名）

Expressions de classe 课堂用语

Vous avez fait une faute. 你们犯了个错误。
Corrigez la faute, S.V.P. ! 请改正错误！
Il faut faire l'accord ici. 这里应该配合。
Ça ne se dit pas en français. 法语不这么说。

Calculons 计算

La virgule（小数点）

1,5	un virgule cinq
3,1	trois virgule un
25,6	vingt-cinq virgule six

※ 法文中小数点使用逗号。

Notes 注释

1. @ 法语读作：a commercial 或 arobase / arrobase ([arɔbaːz])

2. à 10 minutes *à pied* : 步行 10 分钟
也可表达为：à 10 minutes de marche（※ 参见第 8 课注释 7）

3. *De là*, on peut admirer les montagnes couvertes de neige.
从那儿可观赏白雪皑皑的群山。
1) 介词 de 此处表示地点，意思是“从……地方”。如：
De cette maison, on peut voir toute la vallée. 从这所房子能看到整个山谷。
D'ici à Shanghai, il y a plus de mille kilomètres. 从这儿到上海有一千多公里。
2) couvert 是 couvrir（覆盖）的过去分词，此处用作形容词。
être couvert de 被……覆盖的

4. *à partir du* 28 janvier : 自 1 月 28 日起

à partir de : 自……起。如：

Nous prenons des vacances à partir du 10 juillet. 我们从 7 月 10 日开始放假。

5. le plus tôt possible : 尽早

此处是副词最高级：le plus + 副词 + possible，意为“尽可能……”。如：

le plus vite possible 尽快　le plus rapidement possible 尽快

6. vous *auriez* donc *avantage à*... : 那么您最好……

1) auriez 是 avoir 的第二人称复数的条件式现在时，表示婉转的语气。

2) avoir avantage à faire qch.: 最好做某事。如：

Pour cela, vous auriez avantage à ne rien dire. 关于此事，您最好什么也不要说。

7. sauf réponse contraire *de votre part* : 若您无反对意见

de la part de qn 除用于电话用语外，还可表示“从……方面，以……名义”。如：

Salue tes parents de ma part. 请代我（这方面）问你父母好。

8. Veuillez agréer, Monsieur, mes salutations distinguées. 先生，请接受我诚挚的敬意。

veuillez 是 *vouloir* 第二人称复数的命令式，使用 *vouloir* 的命令句式，可以使句子的语气更客气。试比较：

Laissez *votre manteau ici.* 把您的大衣放这儿。

Veuillez laisser *votre manteau ici.* 您是否可以把大衣放在这里。

9. C'est avec un grand plaisir *que* j'ai reçu ton invitation.
我非常高兴收到你的邀请（信）。

强调句型：强调的是方式状语 avec un grand plaisir，放在 c'est... que 中间。（※ 参见本课语法 4）

10. Comme tu *le* sais : 如你所知（你知道）

le 在此处为中性代词。（※ 参见本课语法 3）

11. le plus haut sommet des Alpes: 阿尔卑斯山脉的最高峰

定冠词 + plus + 形容词 = 形容词最高级（※ 参见第 17 课注释 13）

Vocabulaire complémentaire 补充词汇

l'Arc de Triomphe 凯旋门
l'avenue des Champs-Élysées 香榭丽舍大街（或译：爱丽舍田园大道）
la Grande Muraille 长城
le Palais impérial 故宫
la Seine 塞纳河
le temple du Ciel 天坛
le Tombeau du soldat inconnu 无名战士墓

Leçon 18

GRAMMAIRE 语法

1. 代词式动词的复合过去时（Le passé composé des verbes pronominaux）

1) 在复合过去时以及其他复合时态中，全部代词式动词均使用 être 作为助动词。以动词 se lever 为例：

se lever	
je me suis levé(e)	nous nous sommes levés(es)
tu t'es levé(e)	vous vous êtes levé(s) (es) (e)
il s'est levé	ils se sont levés
elle s'est levée	elles se sont levées

2) 请注意：在复合过去时以及其他复合时态中，代词式动词的过去分词在性、数配合上存在两种情况：

①过去分词有性、数变化：

a. 在表示自反意义或相互意义的代词式动词中，如果自反代词是动词的直接宾语，该动词的过去分词有性、数变化，应与主语及自反代词的性、数保持一致。如：

Madame Dupont **s'est** déjà **levée**. 杜邦夫人已经起床了。
（表示自反意义：lever qn / qch.，se 为直宾）

Elle **s'est regardée** un peu dans la glace. 她照了照镜子。
（表示自反意义：regarder qn，se 为直宾）

Ils **se sont rencontrés** hier. 他们昨天见过面。
（表示相互意义：rencontrer qn，se 为直宾）

Nous ne **nous sommes** pas **vues** depuis longtemps. 我们很久没见了。
（表示相互意义：voir qn，se 为直宾）

b. 表示被动意义（le sens réfléchi）的代词式动词需要配合。如：

Ces livres **se sont** vite **vendus**. 这些书很快就卖了。

L'économie chinoise **s'est** grandement **développée**. 中国经济大幅度增长。

c. 表示绝对意义（le sens absolu）的代词式动词需要配合。如：

La réunion **s'est** bien **passée**. 会议圆满结束。

Elle **s'est occupée** de ces enfants pendant un an. 她照顾了这些孩子一年。

②过去分词无性、数变化：

但在表示自反意义（le sens réfléchi）或相互意义（le sens réciproque）的代词式

动词中，若自反代词是动词的间接宾语，则过去分词不配合，保持不变。如：

Elles **se** sont **lavé** les mains. 她们洗手了。

（les mains 是直接宾语）

Nous **nous sommes dit** bonjour. 我们互致问候。

（bonjour 是直接宾语）

Mes amis **se sont écrit** pendant un an. 我的朋友们彼此通过一年的信。

（écrire à qn，因此代词 se 是间接宾语）

Ces deux femmes ne **se sont** jamais **parlé**. 这两个女人彼此从未讲过话。

（parler à qn，因此代词 se 是间接宾语）

2. 直接宾语人称代词（Pronom personnel complément d'objet direct）

1) 直接宾语人称代词词形

人称 / 人数	**1ère personne 第一人称**	**2e personne 第二人称**	**3e personne 第三人称**
	阴、阳性共用	阴、阳性共用	复数阴、阳性共用
singulier 单数	me（m'）我	te（t'）你	le, la,（l'）他（她，它）
pluriel 复数	nous 我们	vous 您，你（您）们	les 他（她，它）们

2) 直接宾语人称代词的用法

当一个名词以直接宾语的形式再次出现在一个句子中时，可以用直接宾语人称代词代替这个名词，以避免重复。

①除肯定命令式外，直接宾语人称代词应置于相关动词前。有以下几种不同情况:

a. 当句中只有一个动词时，直接宾语人称代词应位于动词的前面：

Je **t'**attends. 我等你。

Il **la** regarde. 他看着她。

Elle ne **les** aime pas. 她不喜欢他们。

b. 当句中动词伴有一个像 aller、devoir、vouloir、pouvoir 等半助动词时，直接宾语人称代词应置于相关动词前：

Je vais **vous** écrire. 我会给你写信的。

C'est un bon livre. Vous devez **le** prendre. 这是本好书。您该把它买下来。

Nous pouvons **le** finir aujourd'hui. 我们今天可以将其完成。

※ 半助动词是指那些起语法作用或表示祈使愿望的动词，其后往往可以直接使用其他动词。

c. 在以 avoir 作助动词的复合时态中，直接宾语人称代词应位于助动词前，而过去分词应与前置的直接宾语人称代词的性、数相一致。如：

– Ont-ils fait la dictée ? 他们听写做完了吗？
– Oui, ils **l'ont faite**. (l'= la dictée) 是的，他们（把它）做完了。

– Tu as vu les Dupont tout à l'heure ? 你刚才看见杜邦一家了吗 ?
– Non, je ne **les** ai pas **vus**. (les = les Dupont) 没有，我没见着他们。

– On a annoncé la nouvelle ? 消息公布了吗？
– Oui, on **l'a** déjà **annoncée**. 是的，已经公布了。

※ 在以 avoir 作助动词的复合时态中，当直接宾语以名词的形式位于动词前时，过去分词也应与前置的名词直接宾语的性、数相一致。如：

Combien de **revues** avez-vous **prises** ? 您拿了几本杂志？
Quelles **fautes** a-t-on **faites** ? 我们出了哪些错误？
Sais-tu quels **romans** ils ont **lus** ? 你知道他们读了哪些小说吗？

②在肯定命令式中，直接宾语人称代词应置于相关动词后，二者之间须有连字符。如：

C'est un bon livre. Prends-**le**. 这是本好书。你就买了吧。
C'est la photo de Sophie. Regarde-**la** ! 这是索菲的照片。看看吧！
Mettez-**les** ici, s'il vous plaît. 请把这些东西放在这里。

3. 中性代词 le（Le pronom neutre *le*）

le 可用作中性代词。中性代词属不变代词，可用来代替一个词或一个宾语从句。

1) 代替一个作表语的名词、形容词或分词，置于系词前。如：

Vous voulez un **médecin** ? Moi je **le** suis. 您想找个医生？我就是医生。（名词表语）
Flaubert est **célèbre**, Maupassant **l'**est aussi. 福楼拜有名，莫泊桑也有名。（形容词表语）
Ils sont **fatigués**, nous **le** sommes aussi. 他们累，我们也累。（分词作表语）

2) 代替一个宾语从句（前面提到的一件事情）：

Va-t-il venir demain ? Je ne **le** sais pas. 他明天来吗？我不知道（他来不来）。
(= Je ne sais pas **s'il va venir demain**.)
Il est malade ? Est-ce que tu **le** crois ? 他病了？你相信（他生病了）吗？
(= Est-ce que tu crois **qu'il est malade** ?)
Quand sont-ils partis ? Dites-**le**-moi! 他们什么时候走的？你们说呀！
(= Dites **quand ils sont partis** !)

4. 强调结构 c'est... que...（La structure de la mise en valeur *c'est... que...*）

法语强调宾语、状语或表语是通过 "c'est... que..." 来实现的。只要将需强调的宾语、

状语或表语置于 c'est... que 之间即可。

1) 肯定的强调结构：

J'apprends **le français** à Beijing. → ***C'est*** *le français* ***que*** *j'apprends à Beijing.*
我在北京学法语。 我在北京学的是法语。（强调直宾）

Paul parle **au professeur**. → ***C'est*** *au professeur* ***que*** *Paul parle.*
保尔在跟老师讲话。 保尔是在跟老师讲话。（强调间宾）

J'apprends le français **à Beijing**. → ***C'est*** *à Beijing* ***que*** *j'apprends le français.*
我在北京学法语。 我是在北京学的法语。（强调地点状语）

Elle se lève **à 6 heures du matin**. → ※ ***C'est*** *à 6 heures du matin* ***qu'****elle se lève.*
她早上六点起床。 她是早上六点起的床。（强调时间状语）

Il veut être **professeur**. → ※ ***C'est*** *professeur* ***qu'****il veut être.*
他想当教师。 他想当的是教师。（强调表语）

2) 否定的强调结构：

J'apprends **le français** à Beijing. → ***Ce n'est pas*** *le français* ***que*** *j'apprends à Beijng.*
我在北京学法语。 我在北京学的不是法语。（强调否定直宾）

Paul parle **au professeur**. → ***Ce n'est pas*** *au professeur* ***que*** *Paul parle.*
保尔在跟老师讲话。 保尔不是在跟老师讲话。（强调否定间宾）

J'apprends le français **à Beijing**. → ***Ce n'est pas*** *à Beijing* ***que*** *j'apprends le français.*
我在北京学法语。 我不是在北京学的法语。（强调否定地点状语）

Elle se lève **à 6 heures du matin**. → ***Ce n'est pas*** *à 6 heures du matin* ***qu'****elle se lève.*
她早上六点起床。 她不是早上六点起的床。（强调否定时间状语）

Il veut être **professeur**. → ***Ce n'est*** **pas** *professeur* ***qu'il*** *veut être.*
他想当教师。 他想当的不是教师。（强调否定表语）

※ que 后的主语若以元音或哑音 h 开始，que 应该与之省音。
※ 强调结构 c'est... que... 只适用于宾语、状语和表语，不能用于谓语、补语等其他句子成分。

5. 疑问句（L'interrogation）（4）

疑问句（4）主要介绍使用疑问句时所应注意的问题。

1) 就主语提问时，词序与肯定句相同，不能倒装。

陈述句：Les étudiants font des exercices.
疑问句：*Qui fait des exercices ?*（或：*Qui est-ce qui fait des exercices ?*）
陈述句：Mes études vont bien.
疑问句：*Qu'est-ce qui va bien ?*

※ 一般情况下，在以 qui, qui est-ce qui 或 qu'est-ce qui 作主语的疑问句中，动词应采用第三人称单数。

2) 疑问句的三式：

①疑问句第一式：疑问词 + 动词 + 名词主语 +（其他成分）？

陈述句：Ces messieurs sont professeurs.
疑问句：*Qui sont ces messieurs ?*（qui 做表语而非主语，sont 与后面的主语配合）

陈述句：Ma famille habite à Beijing.
疑问句：*Où habite ta famille ?*

陈述句：Les étudiants font des exercices après la classe.
疑问句：*Que font les étudiants après la classe ?*

※ 若陈述句带有表示人的直接宾语，疑问时建议使用第二式或第三式，避免使用第一式。因为第一式可能会造成歧义。如：
陈述句：Paul regarde le professeur. 保尔看着老师。
疑问句第一式：Qui regarde Paul ? 保尔在看谁？ / 谁在看着保尔？（会产生歧义，应避免使用）
第二式：Qui Paul regarde-t-il ? 保尔在看谁？（不会有歧义）
第三式：Qui est-ce que Paul regarde ? 保尔在看谁？（不会有歧义）

②疑问句第二式：（疑问词）+（名词主语）+ 动词 + 代词主语 + 其他成分？

陈述句：Wang apprend le français.
疑问句：Apprend-il le français ? / Wang apprend-il le français ?
不能说 ~~Apprend Wang le français ?~~

陈述句：Wang apprend le français à Beijing.
疑问句：Où apprend-il le français ? / Où Wang apprend-il le français ?
不能说：~~Où apprend Wang le français ?~~

③疑问句第三式：（疑问词）+ est-ce que + 陈述句？

陈述句：Paul écoute le professeur.
疑问句：*Est-ce que Paul écoute le professeur ?*

陈述句：Paul écoute le professeur en classe.
疑问句：*Où est-ce que Paul écoute le professeur ?*

陈述句：Paul écoute attentivement le professeur.
疑问句：*Comment est-ce que Paul écoute le professeur ?*

陈述句：Paul écoute le professeur avec ses camarades.
疑问句：*Avec qui est-ce que Paul écoute le professeur ?*

※ que 作疑问词且主语为名词时，不应使用第二式，应使用第一式或第三式。如：

不能说：~~*Que vos frères et sœurs font-ils ?*~~

而应说：*Que font vos frères et sœurs ?*（第一式）

或说：*Qu'est-ce que font vos frères et sœurs ?*（第三式）

6. 介词 de（La préposition *de*）

介词 de 的含义丰富，用法颇多。这里只介绍它的几个基本用法：

1) 表示来源、由来：

Il est venu **de** France. 他是从法国来的。(表示阴性国名时省去冠词)

Elle est sortie **du** magasin. 她已从商店出来了。

2) 表示时间关系：

De 8 heures à 10 heures, nous avons un cours de français. 我们 8 点到 10 点有法文课。

Il travaille **du** matin au soir. 他从早到晚地工作。

3) 表示方式：

avancer **d'**un pas lent. 慢慢地前进。

Je vous remercie **de** tout cœur. 我由衷地谢谢您。

4) 表示所属，限定：

La maison **de** notre amie n'est pas loin. 我们朋友家不远。

C'est un appartement **de** trois pièces. 这是一套三居室的房子。

5) 起语法作用：

parler **de** quelqu'un 议论某人（de 是动词要求的）

la ville **de** Paris 巴黎市（de 用来引出定语）

promettre à qn **de** faire qch. 答应某人做某事（de 是动词要求的）

Je n'ai pas **de** stylo. 我没钢笔。(de 用于绝对否定)

7. Conjugaison（动词变位）

1) considérer

considérer	
je consid**è**re	nous considérons
tu consid**è**res	vous considérez
il consid**è**re	ils consid**è**rent
elle consid**è**re	elles consid**è**rent
participe passé : considéré	

2) paraître

paraître	
je parais	nous paraissons
tu parais	vous paraissez
il paraît	ils paraissent
elle paraît	elles paraissent
participe passé : paru	

3) plaire

plaire	
je plais	nous plaisons
tu plais	vous plaisez
il plaît	ils plaisent
elle plaît	elles plaisent
participe passé : plu	

4) recevoir

recevoir	
je reçois	nous recevons
tu reçois	vous recevez
il reçoit	ils reçoivent
elle reçoit	elles reçoivent
participe passé : reçu	

MOTS ET EXPRESSIONS 词汇与句型

1. en train

1) 在进行中

On l'a déjà mis en train. 这事已经开始做了。

Les travaux sont en train. 工程进展顺利。

2) 情绪好

On est mal en train. 〈口语〉我心情不好 / 不舒服。

Tout le monde est en train. 大家情绪饱满。

en train de

①正在做某事（être en train de faire qch.）

Il est en train de lire du Balzac. 他正在读巴尔扎克的书。

Les étudiants sont en train de faire la dictée. 学生们正在做听写。

②想，高兴（仅用于否定句）

On n'est pas en train de s'amuser. 我们没心思玩。

Elle n'est pas en train de le faire. 她不想做这事情。

2. recevoir

1) 接收；得到

Hier, elle a reçu une lettre de ses parents. 昨天，她收到了父母的一封信。

Qu'est-ce que tu vas recevoir comme cadeau ? 你会得到什么礼物?

Recevez l'expression de mes meilleurs sentiments. 请接受我最美好的祝愿。

2) 接待；迎接

Samedi dernier, il a reçu des amis chez lui. 他上周六在家招待了朋友。

Le directeur nous a reçus en personne. 校长亲自接待了我们。

3) 接纳；录取

Cette année, notre université a reçu 1 000 candidats. 今年我们学校录取了一千人。

Il est reçu à une grande école. 他考入了一所高等专科学校。（être reçu 是 recevoir 的被动语态）

4) 遭受；接受；挨

Cette fois-ci, il a reçu une bonne leçon ! 这回他得到了很好的教训。

Dans le noir, Milou a reçu plusieurs coups au visage. 黑暗中，米卢脸上挨了好几下。

3. renseignement

1) demander /prendre des renseignements sur qch./qn 打听某事 / 某人的情况

2) donner /fournir des renseignements sur qch./qn 提供有关某事 / 某人的消息

4. à propos

1) 对啦；噢，想起来了（引出突然想起的话）

À propos, tu as lu cet auteur ? 唉，对了，你读过这位作家的作品吗?

Ce verbe est à l'imparfait. Et à propos, vous avez appris cette règle de grammaire ? 这个动词用的是未完成时。顺便问一下，这项语法规则你们学过吗?

2) 及时；恰当

Vous êtes venu très à propos. 您来得正好。

Voilà qui arrive à propos. 〈口语〉啊，来得正是时候。

3) à propos de qch. / qn 有关……，关于……

Voici un programme à propos de l'emploi. 这是一项有关就业的方案。

– C'est à propos de qui ? 这是关于谁的?

– À propos de mon ami Pierre. 关于我朋友皮埃尔。

– À quel propos a-t-elle écrit ? 她信里写的是什么事情?

– Elle a écrit à propos de ses études. 她写了有关她学习上的事。

5. appeler

1) 召请；招呼

Tu es malade ? J'appelle un médecin alors. 你病了？那我请位医生来。

C'est loin, il faut appeler un taxi. 太远了，得叫辆出租车。

Claude, on t'appelle au téléphone ! 克洛德，有人打电话找你!

2) 命名；点名

On appelle ce petit garçon Pico. 人们管这个小男孩儿叫皮果。

Quand on a appelé son nom, il n'a pas entendu. 点他名时他没听见。

3) 提醒；唤起

J'appelle votre attention sur l'orthographe, mes enfants. 孩子们，请注意拼写。

Vous devez appeler tout le monde à faire très attention. 您应提醒全体注意。

6. accepter

1) 接受，收受

Tu ne veux pas accepter son aide ? 你不想接受他的帮助吗?

Le professeur a accepté notre invitation avec plaisir. 老师高兴地接受了我们的邀请。

2) 同意；答应

Je ne peux pas accepter vos conditions. 我不能同意你们的条件。

Les enfants veulent bien accepter cette épreuve. 孩子们愿意经受这种考验。

3) accepter de faire qch. 同意做某事

Le chef a accepté de partir avec nous. 班长同意和咱们一起走。

Bon, j'accepte de vous y accompagner. 好吧，我答应陪你们去那儿。

DES MOTS POUR LE DIRE
此事怎样说

法文书信格式（Présentation de la lettre en français）

1. 信封格式（Modèle de présentation d'une enveloppe）

M. WANG Dong 寄信人地址（该地址亦可写在信封背面）
Département de français
Université des langues étrangères de Beijing
Beijing, République populaire de Chine 100089

Timbre

收信人地址 ⟶
Monsieur William Dubois
15, rue Mazarine
75006 Paris, France

2. 信函格式（Modèle de présentation d'une lettre）

2, Xisanhuanbeilu
100089 Beijing
← 发信人所在地

le 3 novembre 2006
↑ 日期

Cher William,

....
....
....
....
....
....

Amicalement.

(trois lignes d'interligne 空三行)

签名 ⟶ *WANG Dong*

3. 称呼格式（Les formules d'appel）

1) À un égal（朋友或同事之间）

Monsieur, Madame 先生，女士

Cher Monsieur, Chère Madame 亲爱的先生，女士

Cher ami, Chère amie 亲爱的朋友

2) À un supérieur（对上级）

Monsieur le Président 主席先生

Madame la Directrice 校长（局长、厂长……）女士

4. 信的开始（Pour le début d'une lettre）

1) *Monsieur ...,* ……先生

Je vous remercie d'avoir si rapidement répondu à ma lettre... 感谢您迅即复信……

2) *Cher ami,* 亲爱的朋友，

Excuse-moi de ne pas t'avoir écrit plus tôt ... 原谅我未能尽快回信……

3) Chers parents, 亲爱的父亲母亲，

Nous avons reçu votre lettre tout à l'heure. Nous sommes bien contents d'avoir de vos nouvelles et de vous savoir en bonne santé ...

刚收到来信。得悉近况，二老身体安康，不胜欣喜……

4) *Chère ...,* 亲爱的……，

Comme le temps me paraît long depuis que je ne te vois plus ! 自别后如隔三秋！

5) *Chère ...,* 亲爱的……，

Je suis vraiment inexcusable de vous avoir laissée si longtemps sans nouvelles.

这么长时间没给您写信，实在是不可饶恕。

5. 信的结尾（Pour la fin d'une lettre）

1) À un égal（朋友或同事之间）

À (très) bientôt. 回见。

Affectueusement. 深情地问候。

Amicalement. 朋友的问候。

Bien à vous / toi. 祝好。

Cordialement. 衷心地问候。

Dites bonjour à qn 代问某人好。

Je t'embrasse. 拥抱你。吻你。

Saluez qn de ma part. 请代向某人致意。

Croyez, mon ami, à mes sentiments affectueux. 朋友，请相信我美好的感情。

Veuillez agréer, Monsieur..., l'assurance de mes sentiments de cordiale sympathie.

……先生，敬请接受我由衷的同情之心。

2) À un supérieur（对上级）

Je vous prie d'agréer, Monsieur..., l'expression de mes respectueux sentiments.

……先生，请您接受我的敬意。

Recevez, cher Monsieur, l'expression de mes meilleurs sentiments.

亲爱的先生，请接受我的美好祝愿。

Veuillez agréer, Monsieur, l'assurance de mes salutations distinguées.

先生，敬请接受我崇高的同情之心。

Veuillez croire, Monsieur, à tous mes sentiments de respectueuse gratitude.

先生，请相信我全部的感激之情。

UN PEU DE PHONÉTIQUE 练练语音

La tourterelle	斑 鸠
A mis sa robe du dimanche ;	披上假日的盛装，
Elle se dresse, elle se penche ;	一起一伏地奔忙，
Elle roucoule, elle roucoule.	咕咕咕咕地歌唱。
Son œil bordé de rouge roule.	红眼圈下的眼睛四处张望。
Elle piétine, elle s'avance ;	时而原地蹦跳，忽又跃向前方。
Elle commence et recommence	一次次周而复始，
Et cogne à terre son bec grêle,	小巧的鸟喙敲击在地上，
La tourterelle.	斑鸠忙。
Jean Dervallières	让·戴尔瓦力埃尔

Leçon 18

UN PEU DE CIVILISATION FRANÇAISE 法兰西文化点滴

Mode d'hébergement des Français 法国人度假的住宿方式

法国人度假时有多种住宿方式：

1. 10% 左右的度假者住自己的别墅（résidence secondaire）。
2. 13.2% 左右的度假者会下榻旅馆（hôtel）。
3. 12.8% 左右的度假者租住一套房子（location）。
4. 9.3% 左右的度假者选择父母或朋友的别墅。
5. 34% 左右的度假者住在父母或朋友的家中。
6. 12% 左右的度假者偏爱帐篷或野营车（tente, caravane）。
7. 8.7% 左右的度假者另有其他住宿方式。

Proverbe 谚语

Bon chien chasse de race.
龙生龙，凤生凤，老鼠的儿子会打洞。

EXERCICES 练习

I. Exercices d'audition

1. Écoutez et trouvez la date dont il s'agit.（听并说出相关日期。）

Dialogue	la date dont il s'agit
1	
2	
3	
4	
5	
6	
7	
8	

2. Écoutez et dites ce qu'on a fait hier matin aux heures suivantes.（听并说出昨天早上做了什么。）

L'heure	ce qu'on a fait hier
6 h 00	
6 h 10	
6 h 15	
6 h 20	
6 h 30	
6 h 45	
7 h 00	
7 h 10	

3. Écoutez les mini-dialogues suivants et jugez si l'on est d'accord, pas d'accord, ou si l'on ne se prononce pas.（听后请判断答话者是同意、不同意还是没表态。）

Dialogue	d'accord	pas d'accord	ne se prononce pas
1			
2			
3			
4			
5			
6			
7			
8			

II. Exercices de dialogues

1. Questions sur le *Texte*.

1) Que fait Benoît ?
2) Pourquoi sa mère l'appelle-t-elle ?
3) Combien de courriers électroniques a-t-il reçus ?
4) D'où vient le premier courrier ?
5) De quoi parle l'auteur du premier courrier ?
6) Où Benoît va-t-il passer ses vacances ?
7) Qu'est-ce qu'il va faire ?
8) Qui a écrit le premier courrier ?
9) Quel est le contenu（内容）du deuxième courrier ?
10) Qu'est-ce que Benoît va faire comme travail ?
11) Qui a écrit le troisième courrier ?
12) De quelle nationalité est l'auteur du troisième courrier ?
13) Quand va-t-il venir en France ?
14) Qu'est-ce qu'il va faire en France ?

2. Questions pour vous.

1) Est-ce que vous travaillez souvent à l'ordinateur ?
2) Qu'est-ce que vous faites à l'ordinateur ?
3) Envoyez-vous souvent des courriers électroniques ?
4) Quelle est votre adresse électronique ?
5) Avez-vous des cybercopains ?

6) Comment trouvez-vous l'ordinateur ?

3. Exercices structuraux.

1) le passé composé des verbes pronominaux

① Chaque matin, je me lève à 6 h 30.
Hier matin, je me suis levé(e) à 6 h 30.

Chaque matin, elle se lève à 6 h 30.
Chaque matin, nous nous levons à 6 h 30.
Chaque matin, ils se lèvent à 6 h 30.
Chaque matin, elles se lèvent à 6 h 30.

② Je me brosse les dents au lavabo avant de m'habiller.
Je me suis brossé les dents au lavabo.

Elle s'habille en 2 minutes avant de descendre.
Ils se lavent les mains avant de manger.
Nous nous préparons avant de partir à l'école.
Elles se maquillent（化妆）avant d'aller au travail.

③ Chaque matin, elle se lève à 6 h 30.
À quelle heure s'est-elle levée hier matin ?

Chaque soir, elle se couche à 22 h.
Chaque matin, ils se lèvent à 7 h du matin.
Chaque midi, nous nous reposons un peu.
Chaque soir, les Dupont se promènent après le dîner.

2) les pronoms personnels directs

① As-tu écrit la lettre ?
Oui, je l'ai écrite.
Non, je ne l'ai pas encore écrite.

Avez-vous fait la dictée ?
Avez-vous compris cette histoire ?
As-tu déjà pris la décision ?
Avez-vous appris la leçon 16 ?

A-t-il pris la photo ?
A-t-elle compris cette phrase ?
Ont-ils fait la chambre ?
As-tu écrit ces lettres ?

② As-tu lu les courriers électroniques ?
Oui, je les ai lus.

Aimes-tu l'ordinateur ?
Est-ce que tu veux louer cette maison ?
Peut-on admirer les montagnes couvertes de neige ?
Est-ce que Benoît accepte ce travail ?
A-t-il fixé la date de l'entretien?
Est-ce que Benoît a invité son ami chinois ?
Est-ce que son ami veut visiter les monuments de Paris ?
Est-ce que Benoît a donné la réponse à son ami ?

3) Mots et expressions :

① à partir de

À partir de quel jour la chambre est-elle libre ?
La chambre est libre à partir du 28 janvier.

À partir de quelle heure avez-vous cours ?
À partir de quelle page fait-on la lecture ?
À partir de quel jour commencez-vous le travail ?
À partir de quand êtes-vous libres ?

② être de

Quel est le loyer ?
Le loyer est de 450 euros par mois.

Quelle est la température maximale d'aujourd'hui ?
Quel est votre salaire par mois ?
Quel est le prix de ce billet d'avion ?
Quelle est la superficie（面积）de la Chine ?

③ conforme à

> Comment est mon curriculum vitæ ?
> *Il paraît conforme à notre attente.*

Comment est cette réponse ?
Comment est ce résultat ?
Comment sont ces conditions ?
Comment sont leurs notes ?

④ avoir avantage à faire qch.

> Qu'est-ce que je dois faire ? (téléphoner à ma secrétaire)
> *Vous auriez avantage à téléphoner à ma secrétaire.*

Qu'est-ce que je dois faire dans ce cas-là ? (ne pas parler)
Qu'est-ce que je dois faire quand elle pleure（哭泣）? (rester là)
Qu'est-ce que je dois faire au moment du vol ? (appeler la police)
Qu'est-ce que je dois faire si je suis en retard ? (s'excuser)

⑤ profiter de

> Vous avez des vacances, n'est-ce pas ?
> *Oui, je profite de mes vacances pour aller en France.*

Vous avez un jour de repos（休息日）, n'est-ce pas ?
Vous avez du temps ce soir, n'est-ce pas ?
Vous avez deux jours de congé（假期）, n'est-ce pas ?
Vous avez une semaine, n'est-ce pas ?

4. Mettez les phrases suivantes au passé composé.

1) Marie se lève à six heures et demie.
2) Mes amis se lavent en 5 minutes.
3) Je me repose après le déjeuner.
4) Madame Roy s'occupe du ménage.
5) Paul et Jean se rencontrent dans la rue.
6) Pierre s'adresse au vendeur.
7) Ses parents se promènent le long de la rivière.
8) Les enfants s'endorment vite.

5. Répondez aux questions suivantes.

1) Vous êtes-vous reposé hier midi ?
2) Vous êtes-vous promené hier ?
3) À quelle heure t'es-tu levé ce matin ?
4) Où est-ce que vous vous êtes rencontrés ?
5) Vous êtes-vous écrit souvent ?
6) Vous êtes-vous téléphoné avant ?
7) T'es-tu habitué à la vie dans cette région ?
8) À quelle heure vous êtes-vous couchés hier soir ?

6. Lisez en français.

1,5　　2,8　　3,60　　12,5　　36,5　　99,9　　252,90

7. Répondez aux questions sur votre journée d'hier.

1) Comment s'est passée votre journée ?
2) À quelle heure vous êtes-vous levés ?
3) Vous êtes-vous lavés à l'eau froide ?
4) Vous êtes-vous rendus à la réunion ?
5) Est-ce que vous vous êtes reposés après le déjeuner ?
6) Est-ce que vous vous êtes amusés après 4 heures ?
7) À quelle heure vous êtes-vous couchés ?
8) Est-ce que vous vous êtes vite endormis ?

8. Complétez les phrases suivantes.

1) Je ne peux pas aller chez toi ce soir, parce que je (avoir qch. à + *inf.*)...
2) Il ne dort pas bien, parce qu'il (penser à) ...
3) Les vacances vont arriver. Mes amis (décider de + *inf.*)...
4) Je ne reste pas chez moi cet après-midi, je vais (participer à) ...
5) Tout est prêt, je (espérer) ...
6) Je suis très occupé, (excuser qn de + *inf.*) ...
7) Tu as beaucoup aidé mes parents pendant mon absence, je (remercier qn de la part de) ...

III. Exercices grammaticaux

1. L'accord.

(*Conjuguez les verbes suivants au passé composé.*)

nous (se laver) ....　　ils (s'occuper) ....

elle (se lever) ....
je (se coucher) ....
tu (s'apercevoir) ....
nous (s'endormir) ....
vous (se reposer) ....
elles (s'adresser) ....
ils (se promener) ....
elles (s'asseoir) ....

2. Le passé composé.

1) Ils (se dépêcher) .... pour attraper l'autobus.
2) Elle (se casser) .... une jambe au ski.
3) Adriana (s'amuser) .... avec sa poupée toute la journée.
4) Elles (se débrouiller) .... à Paris sans demander un seul renseignement.
5) Ils (ne pas se voir) .... depuis bientôt deux ans.
6) Nous (se rencontrer) .... sur la place.
7) Elles (se serrer) .... la main.
8) Nous (se dire) .... bonjour au téléphone.

3. Les prépositions.

(*Complétez avec **à, avec, comme, dans, de, en, pour, par.***)

1) Avez-vous une place .... Madame ?
2) Il vient s'asseoir près .... moi.
3) La soirée va commencer .... un moment.
4) C'est .... plaisir que nous avons reçu votre lettre.
5) Que prenez-vous .... boisson ?
6) Il ne faut pas se mettre .... colère.
7) .... quoi pensez-vous ?
8) Marie n'est pas venue, parce qu'elle est occupée .... ses études.

4. Les pronoms.

(*Mettez un pronom convenable; s'il y a l'accord, faites-le !*)

1) Cette grammaire est trop difficile, je ne .... ai pas compris.
2) On m'a demandé de faire une rédaction et je .... ai déjà fait.
3) Ma sœur m'a envoyé une lettre, je .... ai déjà lu.
4) La dernière revue est arrivée, je .... ai mis sur votre bureau.
5) Ces monuments historiques ? Nous .... avons visité l'année dernière.
6) Ces livres sont très intéressants, Pierre .... a déjà lu.
7) Il y a toujours une dictée à la fin de la semaine. Cette fois-ci, je ne .... ai pas bien fait.
8) Ces photos, je .... ai pris pendant mon voyage en Europe.

5. Le passé composé.

Comme Catherine (se coucher) .... très tard hier soir, elle (ne pas pouvoir se lever) .... ce matin de bonne heure. Pour ne pas être en retard, elle (s'habiller) .... et (se laver) .... en 5 minutes. Elle (sortir) .... de chez elle vers 7 heures et quart. L'autobus (arriver) ...., mais il (ne pas s'arrêter) .... Pas moyen, elle (devoir partir) .... à pied. Quand elle (arriver) .... au bureau, huit heures (sonner) .... Elle (se reposer) .... pendant 5 minutes et elle (se mettre) .... au travail.

6. La mise en valeur.

(*Mettez les compléments soulignés des phrases suivantes en valeur.*)

1) Il prend du poisson.

2) Oui, j'aime le coca.

3) Nous prenons des fruits après le repas.

4) Ces jeunes apprennent la langue française à Paris.

5) Tu viens d'envoyer un courriel à ton professeur français ?

6) Je m'adresse à vous, monsieur.

7) Grâce à lui, je peux venir ici.

8) Il fait cela pour vous.

7. L'interrogation.

(*Mettez les phrases suivantes à la forme interrogative.*)

1) Pascal a rencontré son ancien ami dans la rue.

2) On m'a demandé de faire une rédaction.

3) Ma sœur m'a envoyé une lettre.

4) J'ai mis la revue sur votre bureau.

5) Nous avons visité ces monuments historiques l'année dernière.

6) De là, on peut admirer les montagnes couvertes de neige.

7) Elle connaît le directeur de cette école.

8) J'ai pris ces photos pendant mon voyage en Europe.

8. La version.

Monsieur le Directeur,

Suite à votre courrier du 19 décembre, je vous informe que je serai disponible pour un entretien entre le 10 et le 15 janvier.

Je vous remercie de bien vouloir m'indiquer la date et l'heure qui vous conviennent.

Veuillez agréer, Monsieur le Directeur, l'expression de mes respectueuses salutations.

Paul Deveau

9. Traduisez en français.

电子邮件	电脑	滑雪	申请	设备齐全的厨房
履历	最好做	利用	打算做	春节

10. Le thème.

1) 他们希望参观巴黎圣母院。
2) 请代我向您的父母问好。
3) 请原谅我不能参加晚会了。
4) 保尔想利用假期去看望他的朋友。
5) 老师非常高兴收到了你的来信。
6) 我谢谢你给我提供了许多信息。
7) 先生，请接受我的敬意。

IV. Exercices oraux

Lisez bien la lettre suivante et préparez oralement une lettre de réponse.

Montpellier, le 13 mars

Mon petit Jean,

Ça fait bien longtemps que nous ne nous sommes pas vus et tu me manques. J'ai appris par ton frère que tu dois passer quelques jours en France au mois d'avril. Je serais très contente de te revoir. Si tu es d'accord, je t'invite à une soirée que j'organise le 29 avril. J'ai invité beaucoup de gens que tu connais... La fête a lieu dans l'appartement de Joëlle, 12 rue Rouget de Lisle, à partir de 9 h. Fais-moi savoir si tu es libre ce jour-là et si tu peux venir.

J'espère que tu vas bien. J'attends ta réponse.

Je t'embrasse.

Aurélie

LECTURE 阅读

Lettres de félicitations ou remerciement

Lettre pour l'anniversaire

Mon cher Jean-Paul,

Malgré ton éloignement, nous ne t'oublions pas, je t'assure, et en ce jour, veille de ton anniversaire, nous tenons à t'envoyer nos souhaits les meilleurs et les plus affectueux.

Pour Noël

Cher ...,

Pour voir et admirer toutes les beautés d'une aussi belle journée.

Meilleurs souhaits à tous pour la fête de Noël .

Joyeux Noël.

Vœux de Nouvel An

Claude prie son ami, Monsieur Leblanc, d'agréer ses vœux les meilleurs pour l'année qui commence, ainsi que l'expression de son respectueux dévouement.

Pour les succès

Cher ...,

Tes efforts sont couronnés de succès.

Sincères félicitations.

En remerciement d'un cadeau

Cher ...,

Je viens de recevoir une merveille de foulard : tu as fait des folies, comme chaque année ! Comment te remercier de ce cadeau si bien choisi ? Tu sais toujours ce que j'aime. Comment fais-tu pour deviner sans jamais te tromper ?

Je t'embrasse de tout cœur avec plein, plein de mercis pour la joie que ce cadeau m'a apportée.

Vocabulaire 词汇

affectueux, se *a.*	深情的，亲热的	foulard *n.m.*	方围巾
ainsi que *loc.conj.*	以及，如同	malgré *prép.*	尽管
anniversaire *n.m.*	生日	merveille *n.f.*	奇迹，与众不同
dévouement *n.m.*	忠诚，忠心	prier qn de faire qch.	请求某人做某事
éloignement *n.m.*	远离	respectueux, se *a.*	尊敬的
être couronné de	被……环绕	sincère *a.*	真挚的，由衷的
faire des folies	破费	tenir à (+ *inf.*)	坚持要，一心想要
félicitations *n.f.pl.*	祝贺	vœu *n.m.*	祝愿，心愿

LEXIQUE 总词汇表

à *prép.* 在（表示地点）(1)
à droite *loc.adv.* 在右边；向右 (9)
à partir de *loc.prép.* 从……起（开始）(18)
à propos *loc.adv.* 对啦，想起来啦（用于引出突然想起的话）(12)
à propos de *loc.prép.* 关于…… (18)
à vrai dire, à dire vrai *loc.adv.* 说真的，老实说 (18)
accepter *v.t.* 接受 (18)
accompagner *v.t.* 陪伴，陪送 (18)
accueillir *v.t.* 欢迎 (14)
acheter *v.t.* 购买 (15)
actuellement *adv.* 目前 (9)
admirer *v.t.* 欣赏；赞赏 (15)
affaires *n.f.pl.* 物品 (8)
âge *n.m.* 年龄，年纪 (7)
agence *n.f.* 办事处，事务所，社 (17)
Agnès 阿涅斯（女名）(10)
agréable *a.* 惬意的 (13)
agréer *v.t.* 接受 (18)
agricole *a.* 农业的 (16)
ah *interj.* 哎，啊 (2)
ailleurs *adv.* 别处，其他地方 (12)
aimer *v.t.* 爱 (9)
aîné, e *a.* 年长的 (12)
ainsi *adv.* 这样，如此 (12)
air *n.m.* 空气 (6)
Air France 法兰西航空公司（简称法航）(10)
Alet 阿莱（男名）(3)
alimentation *n.f.* 食品 (17)
aller *v.i.* 去（往）(3)
allô *interj.* 喂（电话用语）(10)
alors *adv.* 那么；于是 (5)
Alpes *n.f.pl.* 阿尔卑斯山（脉）(18)
ambiance *n.f.* 气氛；环境 (15)
ami, e *n.* 朋友 (2)
amicalement *adv.* 友好地，亲切地 (18)
amusant, e *a.* 有趣的；逗乐的 (14)
an *n.m.* 年 (12)
le Nouvel An 新年，元旦
ancien, ne *a.* 从前的，故旧的 (16)
André 安德烈（男名）(10)
animé, e *a.* 活跃的；热闹的 (15)
Anne 安娜（女名）(1)
année *n.f.* 年 (14)
Annie 安妮（女名）(3)
annoncer *v.t.* 宣布，告诉 (13)
apéritif *n.m.* 开胃酒 (15)
appareil *n.m.* 机器；电话 (10)
appartement *n.m.* 公寓套房，成套房间 (12)
appeler (s') *v.pr.* 名叫 (3)
appétit *n.m.* 胃口 (15)
Bon appétit ! 祝你胃口好！吃好！
apprendre *v.t.* 学习 (8)
après *prép.* 在……之后 (5)
arbre *n.m.* 树 (13)
arrêter de faire qch. 停止做某事 (17)
arriver *v.i.* 到达 (11)
artiste *n.* 艺人，艺术家 (1)
asseoir (s') *v.pr.* 坐下；落座 (13)
assez *adv.* 足够 (11)
assis, e *a.* 坐着的 (11)
attendre *v.t.* 等候 (10)
attente *n.f.* 期望；等候 (18)
attention *n.f.* 注意 (16)
aussi *adv.* 也 (3)

automne *n.m.* 秋天 (14)
avantage *n.m.* 优势；好处 (18)
avec *prép.* 和，带着 (3)
avenir *n.m.* 前途，未来 (16)
avoir *v.t.* 有 (4)

B

bain *n.m.* 洗澡 (13)
bâtiment *n.m.* 楼房 (16)
bavarder *v.i.* 聊天，闲谈 (17)
beau (bel), belle *a.* 晴朗的 (5)
Bernard 贝尔纳（男名）(4)
bibliothèque *n.f* 图书馆 (10)
bien *adv.* 好，非常 (1)
bien sûr *loc.adv.* 当然 (7)
bientôt *adv.* 很快，马上 (9)
bip *n.m.* 嘀嘀声（指电子仪器反复发出的短促尖锐的提示信号）(17)
bise *n.f.* 北风 (14)
bistrot *n.m.* 小酒馆；饭馆 (15)
blanc, blanche *a.* 白色的 (6)
bœuf *n.m.* 牛肉 (15)
boire *v.t.* 喝 (15)
bois *n.m.* 木头 (15)
bonjour *n.m.* 早安；您好 (1)
Bontemps 邦党（姓）(11)
boulevard *n.m.* 大街，林阴大道 (13)
bout *n.m.* 尽头，终点 (13)
boutique *n.f.* 商店 (3)
brosser (se) *v.pr.* （自己）刷 (12)
bureau *n.m.* 办公桌 (8)

C

ça *pron. dém.* 〈口语〉这 (1)
Ça ne fait rien. 没关系。 (11)
Ça sent bon. （这）味道很香。 (15)
café *n.m.* 咖啡馆 (6)
cafétéria *n.f.* 企业快餐厅，食堂；咖啡厅 (15)
cahier *n.m.* 本，簿 (8)
camarade *n.* 同志 (9)
campus *n.m.* 校园 (9)
capitale *n.f.* 首都 (12)
caractère *n.m.* 汉字；方块字 (11)
Caroline 卡罗琳娜（女名）(7)
carré, e *a.* 平方的 (13)
Carrefour *n.m.* （法国连锁的）家乐福超市 (12)
carte *n.f.* 证件；卡 (15)
cassette *n.f.* 磁带 (8)
Catherine 卡特琳娜（女名）(4)
ce *pron.dém.* 这 (1)
  a.dém. 这个 (2)
ce （cet）, cette *a.dém.* 这个 (7)
Cécile 塞西尔（女名）(3)
centre *n.m.* 中心 (15)
certainement *adv.* 确实地，肯定地 (9)
chaise *n.f.* 椅子 (13)
chambre *n.f.* 房间 (8)
chance *n.f.* 运气 (13)
chaque *a.* 每一个 (13)
chargé, e *a.* （时间、日程安排）满满的，紧凑的 (17)

Charles 夏尔（男名）(3)
charmant, e *a.* 迷人的 (9)
château *n.m.* 城堡，宫殿 (18)
chaussette *n.f.* 袜子 (17)
chaussure *n.f.* 鞋 (8)
chef *n.m.* 长官，头儿 (11)
chef-lieu *n.m.* 省会；首府 (12)
chemise *n.f.* 男式衬衫 (2)
cher, chère *a.* 亲爱的 (13)
chéri, e *a.,n,* 心爱的（人）(17)
chez *prép.* 在……家 (2)
chic *a.* 〈口语〉漂亮极了 (2)
chien *n.m.* 狗 (17)
chinois, e *a.* 中文的，汉语的 (8)
n.m. 中文，汉语 (4)
choisir *v.t.* 挑选 (15)
cité *n.f.* 居住地，聚居地，新城 (13)
clair, e *a.* 明亮的 (13)
Claire 克莱尔（女名）(4)
classe *n.f.* 教室 (5)
client, e *n.* 客人，顾客 (15)
coiffer (se) *v. pr.* 梳头 (17)
coin *n.m.* 角度 (6)
au coin de *loc.prép.* 在……角上，在……拐弯处
colère *n.f.* 愤怒 (16)
être en colère 发怒，发脾气
Colette 科莱特（女名）(7)
comme *adv.* 多么地 (6)
comme ci comme ça *loc.adv.* 马马虎虎，凑凑合合 (16)
comme d'habitude *loc.adv.* 如同往常一样(17)
commencer *v.i.* 开始 (11)
commun, e *a.* 公共的，共同的 (13)
compagnie *n.f.* 公司，商社 (10)
complet, ète *a.* 完整的 (15)
compliqué, e *a.* 复杂的 (11)
comprendre *v.t.* 懂得，明白 (11)
compter (+ *inf.*) *v.t.* 打算，想要做某事 (18)
conférence *n.f.* 会议；讲座 (9)
conforme (+ à) *a.* 与……一致；与……相符 (18)
confortable *a.* 舒适的，舒服的 (13)
connaître *v.t.* 认识；了解，知道 (9)
connu, e *a.* 有名的，众所周知的 (11)
considérer *v.t.* 认为 (18)
content, e *a.* 高兴的，满意的
être ~ de qn/qch. 对某人/某物满意 (11)
contraire *a.* 相反的 (18)
correct, e *a.* 正确的 (14)
côté *n.m.* 侧，旁；方面 (6)
à côté de *loc.prép.* 在……旁边
coucher (se) *v.pr.* 躺下；上床 (13)
couloir *n.m.* 走廊；楼道 (12)
courant, e *a.* 日常的 (17)
courriel *n.m.* 电子邮件 (18)
courrier *n.m.* 信件；邮件 (18)
cours *n.m.* 课（程）(4)
courses *n.f. pl.* 购物 (17)
couteau (*pl.* couteaux) *n.m.* 刀 (15)
coûter *v.i.* 费劲 (11)
couvert, e (+ de) *a.* 盖满的，布满的 (18)
crayon *n.m.* 铅笔 (8)
crier *v.i.* 叫喊 (17)
croire *v.i.* 相信 (6)
cuillère *n.f.* 勺子，汤匙 (15)
cuisine *n.f.* 做饭 (10)
cuisinière *n.f.* 炉灶 (18)
culture *n.f.* 作物 (14)
curriculum vitæ *n.m.* 履历，简历（口语常说成 CV）(18)
Cusin 居赞（姓）(6)

d'abord *loc.adv.* 首先 (15)

d'accord *loc.adv.* 同意，好的 (5)

être d'accord 同意，好的

d'ailleurs *loc.adv.* 另外，再者 (13)

d'après *loc.prép.* 根据 (11)

dans *prép.* 在……里（中）(3)

date *n.f.* 日期 (12)

de *prép.* ……的（表示所属、限定等）(4)

prép. 从……（表示来源、起源）(9)

de bonne heure *loc.adv.* 一大清早,早早地 (12)

de plus *loc.adv.* 又，再 (17)

de rien *loc.adv.* 没关系 (10)

décor *n.m.* 装饰 (15)

décrocher *v.t.* 拿起（电话听筒）(10)

dedans *adv.* （在）里边；里面 (12)

défaut *n.m.* 缺点；缺陷 (16)

déguster *v.t.* 品尝 (15)

dehors *adv.* （在）外边；外面 (12)

déjà *adv.* 已经 (4)

demi, e *a.* 一半的 (4)

dent *n.f.* 牙 (12)

département *n.m.* 系，部，处 (9)

dépêcher (se) *v.pr.* 赶快 (4)

depuis *prép.* 从……以来 (9)

des *art.indéf. pl.* 一些，几个 (7)

descendre *v.i.* 下来 (14)

désirer *v.t.* 希望；想 (18)

désolé, e *a.* 感到抱歉的，感到遗憾的 (8)

désordre *n.m.* 混乱 (8)

dessert *n.m.* 餐后点心（甜食、水果等）(15)

détester *v.t.* 厌恶 (14)

devant *prép.* 在……前 (9)

devenir *v.i.* 变；成为 (11)

devoir *v.t.* 应该；有义务，有责任 (16)

n.m. （学生的）作业，练习

Didier 迪迪埃（男名）(11)

difficile *a.* 困难的 (9)

difficilement *adv.* 困难地 (11)

dire *v.t.* 说 (7)

directeur, trice *n.* 经理 (12)

dis donc 喂（呼唤某人，或加强语气，表示不满、请求等）(15)

disco *n.m.* 迪斯科（舞厅）(16)

disque *n.m.* 唱片 (8)

distingué, e *a.* 崇高的 (18)

donc *conj.* 于是 (11)

donner sur 朝向 (13)

douche *n.f.* 淋浴（间）(13)

prendre une douche 洗淋浴

du *art.part.* 一些 (6)

Dufour 迪富尔（姓）(3)

Dupont 杜邦（姓）(10)

Duval 杜瓦尔（男名）(10)

échouer *v.i.* 失败 (16)

éclater *v.i.* 突发巨响 (11)

éclater de rire 哈哈大笑

école *n.f.* 学校 (4)

économe *a.* 节省的，节约的 (16)

écrire *v.t.* 写，记，书写 (13)

écrit, e *a.* 书写的；笔头的 (16)

écriture *n.f.* 文字；字体，书法 (11)

effort *n.m.* 努力 （16）
Eiffel 埃菲尔（姓）（18）
la tour Eiffel 埃菲尔铁塔
électrique *a.* 电的 （13）
électronique *a.* 电子的 （18）
elle *pron.pers.* 她（重读人称代词；主语人称代词）（1）
embrasser *v.t.* 拥抱；亲吻 （13）
emploi *n.m.* 职业；工作 （16）
en *prép.* 在……（置于名词前）（9）
en face *loc. adv.* 在对面
en avoir assez de qch./qn 对某事 / 某人感到厌烦 （16）
en effet *loc. adv.* 确实 （15）
en plus de *loc.prép.* 除去……之外 （13）
enchanté, e *a.* 很高兴 （3）
encore *adv.* 还，尚，仍 （9）
endroit *n.m.* 地方 （15）
enfin *adv.* 终于 （8）
ennuyeux, se *a.* 不方便的 （13）
enseigner *v.t.* 教授（课）（12）
ensemble *adv.* 一起，共同 （7）
ensoleillé, e *a.* 充满阳光的 （18）
entendre *v.t.* 听见 （14）
entendu, e *a.* 谈妥的，一言为定 （10）
entrée *n.f.* 入口；大门 （9）
n.f. 头道菜 （15）
entrer *v.i.* 进入 （8）
entretien *n.m.* 会晤，会谈 （18）
épeler *v.t.* 拼读 （9）
époque *n.f.* 时代，时期（18）
équipé, e *a.* 配备齐全的 （18）
espérer *v.t.* 希望 （16）
essayer *v.t.* 试；努力 （16）
et *conj.* 和，以及 （1）
étage *n.m.* 楼层 （9）
étagère *n.f.* 书架 （13）
été *n.m.* 夏天 （5）
étranger, ère *a.* 外国的 （9）
être *v. i* 是 （2）
être en train de (+ *inf.*) 正在做某事 （15）
études *n.f.pl.* 学业 （3）
étudiant, e *n.* 大学生 （3）
euro *n.m.* 欧元（符号为 €）（13）
Europe *n.f.* 欧洲 （18）
exact, e *a.* 正确的 （9）
examen *n.m.* 考试 （10）
excuser *v.t.* 原谅 （4）
exemple *n.m.* 榜样 （16）
exercice *n.m.* 练习，作业 （11）
exigeant, e *a.* 严格的；苛刻的 (17)
exprimer *v.t.* 表达 （18）

facilement *adv.* 容易地，轻而易举地 （11）
faim *n.f.* 饥饿 （6）
faire *v.t.* 做；干 （5）
faire plaisir à qn 使人高兴，讨人 喜欢 （16）
fameux, se *a.* 出名的 （11）
famille *n.f.* 家庭 （7）
Fanny 法妮（女名） （1）
fatigué, e *a.* 疲劳的 (17)
fauteuil *n.m.* 扶手椅，安乐椅 （13）
faux, fausse *a.* 错的 （14）
femme *n.f.* 女人，妻子 （6）
fenêtre *n.f.* 窗户 （7）
feuille *n.f.* 树叶 （14）
n.f. 纸张 （16）
figurer *v.i.* 列入，出现在 （18）
v.t. 表示，代表

fille *n.f.* 姑娘 （7）
fils *n.m.* 儿子 （10）
fin *n.f.* 终，末 （14）
financier, ère *a.* 金融的，财政的 （18）
finir *v.t.,v.i.* 结束 （14）
fixer *v.t.* 确定；使固定 （18）
fleur *n.f.* 花 （6）
fleurir *v.i.* 开花 （14）
fois *n.f.* 次，回 （16）
fond *n.m.* 深处，最里边 （13）
formidable *a.* 好极了的 （15）
fort *adv.* 很 （14）
fourchette *n.f.* 叉子 （15）
frais, fraîche *a.* 清新的 （6）
français, e *a.* 法国的；法文的 （5）
n.m. 法语 （9）
frapper *v.t* 敲；打；拍击 （13）
frère *n.m.* 兄弟 （7）
frigo *n.m.* 冰箱（réfrigérateur 的缩写）(18)
froid, e *a.* 冷的；凉的 （12）
fromage *n.m.* 奶酪 （15）
fruit *n.m.* 水果；果实 （14）

G

garage *n.m.* 汽车修理厂 (17)
gare *n.f.* 火车站 （3）
gauche *n.f.* 左边 （13）
geler *v.impers.* 结冰 （14）
gentil, le *a.* 亲切的；友好的 （7）
Gérard 吉拉尔（男名）(6)
goûter *v.t.* 品尝 （15）
grâce à *loc.prép.* 由于，多亏 （18）
grammaire *n.f.* 语法 （11）
grandir *v.i.* 长大 （14）
grand-mère *n.f.* （外）祖母 （12）
grand-père *n.m.* （外）祖父 （12）
grands-parents *n.m.pl.* （外）祖父母 （12）
gras, se *a.* 肥沃的，丰富的 （17）
faire la grasse matinée 睡懒觉
gris, e *a.* 灰色的 （14）
guichet *n.m.* 窗口 （15）
Guy 居伊（男名）(6)

H

habiller (s') *v.pr.* 穿衣 （12）
habiter *v.t., v.i.* 居住 （7）
habitude *n.f.* 习惯 （15）
*hall *n.m.* 大厅；前厅 （15）
haut, e *a.* 高的 （13）
Hélène 埃莱娜（女名）(5)
herbe *n.f.* 草 （14）
hésiter *v.i.* 犹豫 （11）
heure *n.f.* 时间，钟点 （4）
heureux, se *a.* 高兴的；幸福的 （5）
hier *adv.* 昨天 （8）
hiver *n.m.* 冬天 （12）
homme *n.m.* 男人 （6）
*hors-d'œuvre *n.m.inv.* (主菜前的)冷盆 （15）
hum *interj.* 嗯，呣(表示不耐烦、怀疑) （16）

il *pron.pers.* 他（主语人称代词）（1）
image *n.f.* （图）像（11）
impatient, e *a.* 不耐烦的（17）
important, e *a.* 重要的（10）
ingénieur *n.m.* 工程师（7）
instant *n.m.* 瞬间，倾刻（18）
intention *n.f.* 意愿；打算（18）
Isabelle 伊莎贝尔（女名）（7）
IUT *n.m.* 科技大学，工学院（institut universitaire de technologie）（16）

Jacqueline 雅克琳娜（女名）（5）
Jacques 雅克（男名）（3）
jamais *adv.* 曾经（15）
ne... jamais 从未，永不
jardin *n.m.* 花园（6）
jaune *a.* 黄色的（14）
jaunir *v.i.* 变成黄色（14）
je *pron.pers.* 我（主语人称代词）（3）
jeu *n.m.* 游戏（16）
jeu vidéo 电子游戏（16）
jeune *a.* 年轻的（7）
joli, e *a.* 漂亮的，美丽的（6）
jour *n.m.* 日；白天（12）
journal（*pl.* journaux）*n.m.* 报纸（5）
journée *n.f.* 一天（10）
juin *n.m.* 六月（14）
Julie 朱莉（女名）（5）
juste *adv.* 正好，恰巧（4）

là-bas *adv.* 那边，那儿（3）
laisser *v.t.* 让；留；任凭（9）
Lamy 拉米（姓）（1）
langue *n.f.* 语言（8）
largement *adv.* 足够地，绰绰有余地（13）
larme *n.f.* 眼泪（16）
Laurence 洛朗斯（女名）（13）
lavabo *n.m.* 洗手池（13）
lave-linge *n.m.inv.* 洗衣机（18）
laver (se) *v.pr.* 洗（脸）（12）
lave-vaisselle *n.m.inv.* 自动洗碗机（18）
le Louvre 卢浮宫（18）
Lebon 勒邦（姓）（5）
Lecomte 勒孔特（姓）（9）
leçon *n.f.* 课，功课，课程（10）
Legrand 勒格朗（姓）（12）
légume *n.m.* 蔬菜（15）
Lemat 勒马（男名）（2）
lendemain *n.m.* 第二天（16）
Lenoir 勒努瓦（9）
lettre *n.f.* 信件（12）
lever (se) *v.pr.* 起床（12）
lever *v.t.* 举起（11）
libre-service *n.m.* 自助（15）
ligne *n.f.* 行；线（16）
Lille 里尔（法国东北最大城市）（1）
lire *v.t.* 读（10）
lit *n.m.* 床（8）

littérature *n.f.* 文学 （12）
livre *n.m.* 书 （8）
logement *n.m.* 住房，住宿处 （13）
loin *adv.* 远 （8）
loin de *loc.prép.* 离……远的 （12）
lui *pron.pers.* 他 （6）
Luxembourg *n.m.* 卢森堡公园 （12）
lycée *n.m.* 高中（公立）（12）
lycéen, ne *n.* 中学生 （12）

M

ma *a.poss.* 我的 （2）
madame *n.f.* 夫人，太太；女士 （6）
mademoiselle *n.f.* 小姐 （3）
magasin *n.m.* 商店 （6）
magnifique *a.* 好极了的 （6）
main *n.f.* 手 （11）
maintenant *adv.* 现在 （3）
mais *conj.* 但是 （2）
mais oui *loc.adv.* 当然是（表示强调）（6）
maison *n.f.* 房子 （6）
maître, sse *n.* 教师 （16）
mal *n.m.* 疼，痛 （17）
avoir mal à （某处）疼痛
maman *n.f.* 妈妈 （7）
manger *v.t* 吃 （11）
manquer *v.i.* 缺少 （15）
Marc 马克（男名）（3）
marche *n.f.* 走路 （8）
marcher *v.i.* 顺利进行 （16）
mardi *n.m.* 星期二 （14）
mari *n.m.* 丈夫 （7）
marqué, e *a.* 打上标记的；明显的 （14）
mars *n.m.* 三月 （14）
Marseille 马赛 （7）
match *n.m.* 比赛，竞赛 （5）
Paris Match 《巴黎竞赛画报》
mathématiques *n.f.pl.* 数学 （17）
Mathilde 马蒂尔德（女名）（12）
matin *n.m.* 早晨，上午 （11）
matinal, e, aux *a.* 早起的 （12）
matinée *n.f.* 上午 （14）
mauvais, e *a.* 坏的，不好的 （17）
me *pron.pers.* 我（间宾人称代词）（15）
membre *n.m.* 成员 （12）
même *adv.* 甚至；还 （13）
menu *n.m.* 菜单 （15）
menu type 套餐 （15）
merci *interj.* 谢谢 （2）
mercredi *n.m.* 星期三 （14）
mère *n.f.* 母亲 （7）
mes *a.poss.* 我的 （10）
mesdemoiselles *n.f.pl.* 小姐们 （11）
messieurs *n.m.pl.* 先生们 （11）
mesure *n.f.* 尺寸 （13）
mesurer *v.t.* 度量 （13）
mètre *n.m.* 米，公尺 （13）
métro *n.m.* 地铁 （17）
mettre *v.t.* 放置 （13）
meublé, e *a.* 配备家具的 （13）
Michel 米歇尔 （男名）（1）
mini-dialogue *n.m.* 小对话 （5）
moi *pron. pers.* 我 （1）
moins *prép.* 负 （14）
mois *n.m.* 月；月份 （14）
moment *n.m.* 一会儿；一段时 间 （14）
en ce moment *loc.adv.* 此时这会儿
mon *a.poss.* 我的 （3）

monsieur *n.m.* 先生 （3）
mont *n.m.* 山峰 （18）
montrer *v.t.* 指出；演示 （16）
monument *n.m.* 纪念性建筑物 （18）
mot *n.m.* 字 （11）
mouton *n.m.* 绵羊 （16）
mûrir *v.i.* 成熟 （14）
musique *n.f.* 音乐 （16）

natal, e, s *a.* 故乡的 （14）
Nathalie 纳塔莉 （女名）（1）
ne... pas *loc. adv.* 不；没有 （5）
ne... plus *loc.adv.* 不再 （7）
neige *n.f.* 雪 （14）
neiger *v.impers.* 下雪 （12）
Net *n.m.* 互联网（Internet 的缩写）（16）
ni *conj.* 也不 （14）
Nice 尼斯 （法国南部旅游名城）（1）
Nicolas 尼古拉（男名）（7）
nid *n.m.* 鸟巢 （11）
non *adv.* 不 （5）
non plus *loc.adv.* 也不 （11）
Nord *n.m.* 北方（地区）（14）
normal, e, aux *a.* 正常的 （11）
nostalgique *a.* 想家的，思乡的 （12）
Notre-Dame de Paris 巴黎圣母院 （18）
nouvelle *n.f.* 新闻，消息 （13）
numéro *n.m.* 号码 （10）

ô *interj.* 啊，哦（表示祈求或感叹）（12）
obligatoire *a.* 必须遵守的，强制性的，义务的 （17）
occidental, e, aux *a.* 西部的，西方的 （18）
occupé, e *a.* 忙碌的 （17）
œil（*pl.* yeux） *n.m.* 眼睛 （11）
  à mes yeux *loc.adv.* 在我看来
œuvre *n.f.* 工作；事业 （15）
oh *interj.* 啊，哎呦 （4）
O.K., OK *interj.* 好，行 （10）
oiseau *n.m.* 鸟 （11）
on *pron.indéf.* 人们；大家 （11）
optimisme *n.m.* 乐观态度；乐观主义 （16）
option *n.f.* 选择 （17）
oral, e, aux *a.* 口头的；口语的 （16）
ordinateur *n.m.* 电脑，计算机 （17）
orthographe *n.f.* 拼写法，书写法 （11）
où *adv.* 哪里 （2）
oui *adv.* 是的，对 （1）
ouvrir *v.t.* 开，打开，启开 （15）

pain *n.m.* 面包 （6）
palais *n.m.* 宫殿 （5）
  le Palais d’Été 颐和园
pantalon *n.m.* 裤子 （17）
papa *n.m* 爸爸 （7）
papier *n.m.* 纸 （8）

paquet *n.m.* 盒子 （2）
paraître *v.i.* 似乎，好像 （18）
parc *n.m.* 公园 （12）
parce que *loc.conj.* 因为 （8）
pardon *n.m.* 对不起 （9）
pareil, le *a.* 相同的；一样的 （14）
paresseux, se *a.* 懒惰的 （16）
parfait, e *a.* 完美的；好极了 （15）
Paris 巴黎 （3）
parisien, ne *a.* 巴黎的 （15）
parler *v.t.ind.* 说 （9）
parler de qn 谈论某人 （11）
part *n.f.* 方面 （10）
particulier, ère *a.* 特殊的，特别的 （18）
partir *v.i.* 出发；动身 （5）
partout *adv.* 到处 （14）
pas *n.m.* 脚步 （11）
pas... du tout *loc.adv.* 一点也不……（13）
Pascal 帕斯卡尔 （男名）（1）
passer *v.t.* 转给 （10）
v.i.（时间）流逝，过去 （12）
v.t. 通过 （12）
passer un examen 应考
v.t. 度过 （15）
patience *n.f.* 耐心 （11）
Paul 保罗（男名）（5）
pays *n.m.* 故乡，家乡，老家 （14）
peigner (se) *v.pr.* 梳头 （17）
penser (+ à) 想到；想念 （12）
perle *n.f.* 珍珠；十全十美的人 （16）
petit, e *a.* 小的 （9）
petit-déjeuner *n.m.* 早饭 （5）
pétrolier, ère *a.* 石油的 （12）
Peugeot 标致汽车（公司）（7）
peut-être *adv.* 可能 （6）
Philippe 菲利普 （男名）（1）
photo *n.f.* 照片 （7）
Pierre 皮埃尔 （男名）（6）
piscine *n.f.* 游泳池 （3）
placard *n.m.* 壁橱 （13）
place *n.f.* 广场 （5）
n.f. 位置 （15）
plaire (+ à) *v.t.ind.* 使喜欢，使高兴 （18）
plaisir *n.m.* 愉快，快乐；乐趣 （5）
plat *n.m.* 菜肴 （15）
plateau *n.m.* 托盘；高原 （15）
pleuvoir *v.impers.* 下雨 （14）
pluie *n.f.* 雨 （14）
plus *adv.* 更，愈 （11）
plutôt *adv.* 宁愿；还不如 （15）
Polo 波洛 （男名）（9）
portable *n.m.* 手机 （10）
porte *n.f.* 门 （2）
portrait *n.m.* 肖像；描绘 （9）
possible *a.* 可能的 （14）
poste *n.m.* 职位，岗位 （18）
poulet *n.m.* 鸡肉 （15）
pour *prép.* 给 （2）
pourquoi *adv.* 为什么 （3）
pourtant *adv.* 可，然而 （16）
pousser *v.i.* 生长 （14）
pouvoir *v.t.* 能够 （8）
pratique *a.* 方便的 （13）
préférer *v.t.* 更喜欢 （15）
premier, ère *a.* 第一的 （9）
prendre *v.t.* 受，接受 （10）
v.t. 拿；吃；喝 （15）
prendre qch. pour exemple 以……为例 （17）
préparer *v.t.* 准备，预备 （16）
préparer (se) *v. pr.* 做准备 （17）
près de *loc.prép.* 在……附近，
在……旁边 （6）
présentation *n.f.* 介绍 （3）
présenter *v.t.* 介绍 （3）
présenter (se) *v.pr.* 自我介绍 （9）
presque *adv.* 几乎，差不多 （4）

pressé, e *a.* 着急，赶时间 （4）
prêt, e *a.* 就绪的，准备好的 （17）
prétention *n.f.* 要求；意图；
pl.（酬金）要求 （18）
primaire *a.* 初级的 （16）
principal, e, aux *a.* 主要的 （16）
printemps *n.m.* 春天 （14）
problème *n.m.* 问题 （11）
prochain, e *a.* 下一个的 （10）
professeur *n.m.* 老师；教授 （5）
profession *n.f.* 职业 （7）
profiter (+ de) *v.t.ind.* 利用；从……中受益（18）
promenade *n.f.* 散步 （17）
promener (se) *v.pr.* 散步 （12）
promettre *v.t.* 允诺；答应 （17）
prononciation *n.f.* 发音 （11）
propos *n.m.* 话，谈话 （14）
à propos *loc.adv.* 恰巧，及时
propre *a.* 干净的 （8）
province *n.f.* 省 （12）
puis *adv.* 然后，随后 （15）

Q

qualité *n.f.* 品质；优点 （16）
quand *conj.* 当……时 （5）
quartier *n.m.* 区，地区，居住区（15）
que *adv.* 多么 （14）
quel, quelle *a.interr.* 哪个 （4）
quelqu'un, e *pron. indéf.* 某人 （13）
quelque *a.indéf.* 某个 （11）
question *n.f.* 问题 （9）
queue *n.f.* （行列、列车等的）末尾、后部 （15）
faire la queue 排队
qui *pron.interr.* 谁 （1）
quoi *pron.interr.* 什么 （8）

R

raconter *v.t.* 讲述 （13）
raison *n.f.* 理由；道理 （5）
avoir raison 有理；正确
rangé, e *a.* 被整理的；整齐的 （13）
rangement *n.m.* 整理；放置 （8）
ranger *v.t.* 整理；放置 （8）
raser (se) *v.pr.* 刮脸 （12）
ravioli (*pl.* ~s) *n.m.* 饺子 （18）
recevoir *v.t.* 收到，接到 （18）
réchaud *n.m.* 炉子 （13）
recommencer *v.i.* 重新开始 （16）
reçu, e *a.* 收到的 （18）
regarder *v.t* 看 （6）
regarder (se) *v.pr.* 照镜子 （12）
région *n.f.* 地区 （14）
régional, e, aux *a.* 地区的 （15）
rempli, e *a.* 忙碌的 （17）
Renault 雷诺汽车（公司）（17）
rencontrer *v.t.* 遇见 （9）
rencontrer (se) *v.pr.* 相遇 （12）
rendez-vous *n.m.* 约会，会面 （10）
rendre *v.t.* 发还；归还 （16）
renseignement *n.m.* 情况，消息 （18）
rentrée *n.f.* 开学；返校 （3）
rentrer *v.i.* 返回，回家 （12）
repas *n.m.* 饮食；餐 （15）
réponse *n.f.* 答案 （9）

restaurant *n.m.* 餐馆；饭店 (6)
rester *v.i.* 逗留，呆在 (17)
resto U *n.m.* 大学食堂 (15)
retard *n.m.* 迟到 (4)
retenir *v.t.* 记住 (16)
retour *n.m.* 返回，归来 (14)
retourner *v.i.* 返回 (14)
réussir v.t., *v.i.* 成功 (16)
réveil *n.m.* 闹钟 (17)
réveiller (se) *v.pr.* 醒；苏醒 (17)
revenir *v.i.* 回来 (14)
réviser *v.t.* 复习 (10)
revue *n.f.* 杂志 (5)
rien *pron.indéf.* 什么也没有,什么也不 (12)
rire *v.i., n.m.* 笑；笑声 (11)
rivière *n.f.* 河流 (11)
riz *n.m.* 米饭 (15)
robe *n.f.* 长衫，连衣裙 (14)
rougir *v.i.* 变成红色 (14)
roux, rousse *a.* 红棕色的 (14)
rue *n.f.* 街道 (3)
ruisseau *n.m.* 溪流 (11)
rythme *n.m.* 节奏，韵律 (17)

S

sa *a.poss.* 他（她；它）的 (3)
Sabine 萨宾娜（女名）(9)
sac *n.m.* 包，袋，囊 (8)
saison *n.f.* 季节 (14)
saluer (se) *v.pr.* 互致问候 (12)
salut *n.m.* 你好 (1)
salutation *n.f.* 致敬，敬意 (18)
samedi *n.m.* 星期六 (10)
sans *prép.* 无，没有 (15)
sauf *prép.* 除了，除……以外 (18)
savoir *v.t.* 知道 (8)
savonnette *n.f.* 香皂 (17)
scène *n.f.* 景致 (15)
science *n.f.* 科学 (16)
scolaire *a.* 学校的 (15)
secondaire *a.* 中等的；第二的 (17)
secrétaire *n.* 秘书 (18)
séjour *n.m.* 逗留 (9)
semaine *n.f.* 周，星期 (10)
se mettre en colère 发脾气 (17)
sentir *v.i.* 散发气味 (15)
septembre *n.m.* 九月 (14)
service *n.m.* 服务 (9)
serviette *n.f.* 毛巾 (17)
seul, e *a.* 单独的 (13)
seulement *adv.* 仅仅 (11)
si *adv.* 不，不是的 (7)
conj. 假如，如果 (11)
sigle *n.m.* 首字母缩略词 (15)
simple *a.* 简单的 (15)
situé, e *a.* 位于，坐落在 (15)
ski *n.m.* 滑雪 (18)
sœur *n.f.* 姐妹 (7)
soif *n.f* 渴 (6)
soir *n.m.* 晚上 (8)
soleil *n.m.* 阳光；太阳 (14)
solliciter *v.t.* 申请，请求 (18)
sommeil *n.m.* 睡意，困倦 (17)
sommet *n.m.* 顶峰 (18)
son *a. poss.* 他／她的 (17)
sonner *v.i.* 响 (10)
sonnerie *n.f.* 铃声 (17)
sortir *v.i.* 出来，出门 (12)
souffler *v.i.* （风）吹，刮 (14)

souhaiter *v.t.* 祝愿，祈望 （18）
soulier *n.m.* 鞋，皮鞋 （17）
sous *prép.* 在……下面 （8）
souvent *adv.* 经常地 （9）
station *n.f.* 疗养地，活动场所 （18）
styliste *n.* 服装设计师 （1）
stylo *n.m.* 钢笔 （8）
Sud *n.m.* 南方（地区）（14）
suffire *v.i.* 足够；足以 （13）
suivre *v.t.* 跟随 （11）
supposer *v.t.* 假设 （11）
sur *prép.* 在……上面 （8）
朝向……（表示方向）；（表示两者词的关系）（13）
sûr, e *a.* 确信的；确实的 （16）
être sûr de qn/qch. 对某人／某事确信不疑
sûrement *adv.* 肯定地，无疑地 （9）
surface *n.f.* 面积 （13）
surtout *adv.* 尤其，特别 （15）
sympathique *a.* 热情的，友善的 （7）

ta *a.poss.* 你的 （2）
table *n.f.* 桌子 （8）
table de nuit 床头柜 （13）
tapis *n.m.* 地毯 （14）
tard *adv.* 迟，晚 （8）
tasse *n.f.* 茶杯 （8）
technicien, ne *n.* 技师 （7）
température *n.f.* 气温；温度 （14）
tempéré, e *a.* 气候温和的 （14）
temps *n.m.* 天气 （5）
terrasse *n.f.* 露天座位 （15）
tête *n.f.* 头 （17）
thé *n.m.* 茶（叶）（13）
Thomas 托马斯（男名）（10）
ticket *n.m.* 票，券 （15）
tiens *interj.* 瞧，啊（表示惊讶、震惊）（6）
toc *interj.* 笃笃 （2）
toi *pron.pers.* 你（重读人称代词）（1）
toilette *n.f.* 盥洗，梳洗 （17）
tomber *v.i.* 落下，掉下 （14）
ton *n.m.* 声调 （11）
Total 道达尔石油公司 （12）
toujours *adv.* 总是；一直；永远 （5）
Toulouse 图卢兹（法国西南大城市）（3）
tour *n.m.* 圈；环绕 （17）
France Tour 环法旅行社
n.f. 塔；塔楼 （18）
Tours 图尔（法国中部城市）（3）
tous *pron.indéf.* 所有人 （11）
tout *adv.* 十分地，非常地，完全地 （5）
tout de suite [tudsɥit] *loc.adv.* 立即，马上
pron.indéf. 全部，所有的东西 （8）
tout, toute, tous, toutes *a.indéf.* 所有的，全部的 （13）
tout à fait *loc.adv.* 完全地 （11）
tranquille *a.* 安静的，安宁的 （15）
travailler *v.i.* 劳动，干活 （6）
très *adv.* 很，非常 （3）
trop *adv.* 太；过于 （13）
trouver *v.t.* 找到 （13）
(se) trouver *v.pr.* 位于
tu *pron.pers.* 你（主语人称代词）（2）

U

un *art.indéf. m.* 一个（阴性不定冠词）(4)
un peu *loc.adv.* 一点儿，少许 (8)
une *art.indéf.f.* 一个（阴性不定冠词）(2)
universitaire *a.* 大学的 (13)
université *n.f.* 大学 (7)
utile *a.* 有用的 (9)

vacances *n.f.pl.* 假期 (12)
vache *n.f.* 奶牛；母牛 (16)
valise *n.f.* 手提箱 (2)
venir *v.i.* 来，来到 (7)
vent *n.m.* 风 (14)
verdir *v.i.* 变成绿色 (14)
verdure *n.f.* （大自然的）绿色 (14)
vérité *n.f.* 真理；事实 (11)
vers *prép.* 将近 (10)
Versailles 凡尔赛（法国城市名）(18)
viande *n.f.* 肉（类）(15)
vie *n.f* 生活 (6)
Vincent 万桑（男名；姓）(10)
visage *n.m.* 脸，面孔 (16)
vite *adv.* 快，赶快 (4)
voici *prép.* 这是 (1)
voilà *prép.* 那是 (1)
voir *v.t.* 看见 (7)
v.t. 懂得，明白 (15)
vouloir *v.t.* 愿意；想 (8)
voyage *n.m.* 旅行 (17)
vrai, e *a.* 真的，的确 (6)
vraiment *adv.* 的确，确实 (7)
vue *n.f.* 视野，景色 (13)

X

Xavier 格扎维埃（男名）(12)

Y

y *adv.* 那儿 (9)

zone *n.f.* 地区 (14)